Astrid Lindgren

Ferien
auf Saltkrokan

Deutsch von Thyra Dohrenburg

Verlag Friedrich Oetinger · Hamburg

Nach den Regeln der neuen Rechtschreibung gesetzt

© Verlag Friedrich Oetinger, Hamburg 1992
Alle Rechte für das deutsche Sprachgebiet vorbehalten
In deutscher Übersetzung erstmalig erschienen 1965
im Verlag Friedrich Oetinger, Hamburg
© Astrid Lindgren, Stockholm 1964
Die schwedische Originalausgabe erschien bei
Rabén & Sjögren Bokförlag, Stockholm,
unter dem Titel »Vi på Saltkråkan«
Deutsch von Thyra Dohrenburg
Satz: Utesch Satztechnik GmbH, Hamburg
Druck und Bindung: Graphischer Großbetrieb Pößneck
Printed in Germany 1996

ISBN 3-7891-4119-4

Ein Tag im Juni

Geh an einem Sommermorgen in Stockholm zum Kai am Strandväg hinunter und schau nach, ob dort ein kleiner weißer Schärendampfer mit dem Namen »Saltkrokan I« liegt. Wenn es so ist, dann ist es der richtige Dampfer und man braucht nur an Bord zu gehen. Punkt zehn Uhr wird er zur Abfahrt läuten und rückwärts von der Pier ablegen; denn jetzt geht er hinaus auf seine gewohnte Fahrt, die bei den Inseln weit draußen endet, dort, wo das Meer beginnt. Die »Saltkrokan I« ist ein zielbewusster und energischer kleiner Dampfer; seit mehr als dreißig Jahren macht sie dreimal in der Woche diese Fahrt. Wahrscheinlich weiß sie nicht, dass sie Gewässer durchpflügt, denen nichts sonst auf dieser Erde gleicht. Über weite Fjorde und durch schmale Sunde, an Hunderten von grünen Inselchen und Tausenden von grauen Schären* vorbei steuert sie unverdrossen vorwärts. Schnell geht es nicht und die Sonne steht schon tief, wenn sie bei ihrer letzten Anlegestelle ankommt, der auf Saltkrokan, jener Insel, die ihr den Namen gab. Weiter hinaus braucht sie nicht zu fahren. Hinter Saltkrokan fängt das offene Meer an mit kahlen Felsinseln und nackten Klippen, wo niemand wohnt als die Eidergans und die Möwe und andere Meeresvögel.
Aber auf Saltkrokan wohnen Menschen. Nicht viele. Höchstens zwanzig. Das heißt: im Winter. Im Sommer kommen noch Sommergäste hinzu.

---

* Schäre (schwedisch): kleine Felsinsel, Küstenklippe an den skandinavischen und den finnischen Küsten.

Genau so eine Familie von Sommergästen fuhr eines Tages im Juni auf der »Saltkrokan I« hinaus. Es war ein Vater mit seinen vier Kindern. Melcherson hießen sie, Stockholmer waren sie, keiner von ihnen war jemals auf Saltkrokan gewesen. Deshalb waren sie jetzt sehr erwartungsvoll, vor allem Melcher, der Papa.

»Saltkrokan«, sagte er. »Der Name gefällt mir. Deswegen habe ich auch dort gemietet.«

Malin, seine Neunzehnjährige, warf ihm einen Blick zu und schüttelte den Kopf. Oh, was für ein leichtsinniger Vater! Er wurde bald fünfzig, war aber impulsiv wie ein Kind und jungenhafter und unbekümmerter als seine eigenen Jungen. Jetzt stand er da, aufgeregt wie ein Kind am Heiligabend, und erwartete, dass alle sich über seinen Einfall ein Sommerhaus auf Saltkrokan zu mieten freuten.

»Das sieht dir ähnlich«, sagte Malin, »das sieht dir so richtig ähnlich, ein Sommerhaus auf einer Insel zu mieten, die du nie gesehen hast, nur weil du findest, dass der Name so gut klingt.«

»Ich dachte, alle Leute machten das so«, verteidigte sich Melcher, doch dann verstummte er und dachte nach. »Aber vielleicht muss man Schriftsteller und mehr oder weniger verrückt sein um so etwas zu tun? Nur ein Name – Saltkrokan, haha! Andere Leute fahren vielleicht vorher hin und gucken erst mal nach!«

»Einige tun das, ja! Nur du nicht!«

»Na ja, *jetzt* bin ich unterwegs«, sagte Melcher leichthin.

»*Jetzt* fahre ich hin und gucke.«

Und er schaute sich mit fröhlichen blauen Augen um. Er sah alles, was ihm so lieb war, dieses fahle Wasser, diese Inseln und Holme, diese grauen Schären aus ehrwürdigem schwedischen Urgestein, die Ufer mit ihren alten Häusern und Anlegern und Bootshäusern. Er hatte das Gefühl, er müsste die Hand ausstrecken und alles streicheln. Stattdessen fasste er Johann und Niklas ums Genick.

»Begreift ihr, dass es schön ist? Begreift ihr, wie glücklich ihr sein könnt, dass ihr den ganzen Sommer hier mittendrin wohnen dürft?« Johann und Niklas sagten, sie begriffen es. Pelle sagte, er begreife es auch.

»Na, aber warum jubelt ihr dann nicht?«, fragte Melcher. »Darf ich um ein bisschen Jubel bitten!«

»Wie macht man das?«, erkundigte sich Pelle. Er war erst sieben Jahre alt und konnte nicht auf Befehl jubeln.

»Man brüllt«, sagte Melcher und lachte ausgelassen. Dann versuchte er selbst ein wenig zu brüllen, und seine Kinder kicherten dankbar.

»Du hörst dich an wie eine Kuh«, sagte Johann und Malin wandte ein: »Ob wir nicht sicherheitshalber mit dem Brüllen warten, bis wir das Haus gesehen haben, das du gemietet hast?«

Das fand Melcher nicht.

»Das Haus ist wunderbar, hat der Makler gesagt. Und man sollte sich doch wohl darauf verlassen können, was die Leute einem sagen. So ein richtig gemütliches altes Sommerhaus, das hat er mir versichert.«

»Ach, wären wir doch bald da«, sagte Pelle. »Ich möchte dieses Sommer-haus jetzt sofort sehen.«

Melcher guckte auf seine Uhr.

»Noch eine Stunde, mein Junge. Bis dahin haben wir allesamt mächtigen Hunger. Und könnt ihr raten, was wir dann tun?«

»Essen«, schlug Niklas vor.

»Richtig. Wir setzen uns vors Haus in die Sonne und verspeisen das wunderbar gute kleine Mahl, das Malin für uns bereitet hat. Im grünen Gras, versteht ihr? Wir sitzen nur da und fühlen, dass Sommer ist!«

»Oh«, sagte Pelle, »jetzt brülle ich gleich.«

Doch dann beschloss er etwas anderes zu unternehmen. Es sei noch eine Stunde bis zur Ankunft, hatte sein Vater gesagt, und es gab wohl auch auf diesem Dampfer noch allerlei zu tun. Das meiste hatte er bereits erledigt. Er war alle Treppen hinauf- und hinuntergeklettert und hatte in alle aufregenden Winkel und Ecken geguckt. Er hatte die Nase in die Steuermannskajüte gesteckt und war weggejagt worden. Er hatte einen kleinen Besuch im Ess-Salon gemacht und war weggejagt worden. Er hatte versuch zum Kapitän auf die Kommandobrücke zu kommen und war weggejagt worden. Er hatte von oben in den Maschinenraum geschaut und sich alle Räder und Pleuelstangen angesehen, die da stampften und sich drehten. Er hatte sich über die Reling gebeugt und in den gischtenden weißen Schaum gespuckt, den der Dampfer aufriss. Er hatte Brause getrunken und auf dem Achterdeck Zimtwecken gegessen. Er hatte kleine Brocken davon den hungrigen Möwen zugeworfen. Er hatte sich mit fast allen Menschen an Bord unterhalten. Er hatte ausprobiert, wie schnell er von vorn nach hinten rennen konnte, und er war jedes Mal der Schiffsbesatzung in den Weg gelaufen, wenn der Dampfer an einem Bootssteg anlegte und Frachtgüter und Gepäck ausgeladen wurden. Ja, er hatte alles getan, was ein siebenjähriger Junge an Bord eines Schärendampfers gewöhnlich tut.

Jetzt sah er sich nach etwas Neuem um und da entdeckte er zwei Fahrgäste, die er bisher noch nicht bemerkt hatte. Ganz hinten auf dem Achterdeck saß ein alter Mann mit einem kleinen Mädchen. Und neben dem Mädchen auf der Bank stand ein Vogelbauer mit einem Raben darin. Einem lebendigen Raben. Das brachte Pelle in Bewegung. Er liebte nämlich alle Arten Tiere, alles, was lebendig war und sich bewegte, was unterm Firmament des Himmels flog oder kroch, alle Vögel und Fische und Vierfüßer. »Kleine liebe Tierlein«, nannte er sie alle miteinander, und dazu zählte er auch Frösche und Wespen, Heuschrecken und Käfer und anderes Gewürm.

Aber im Augenblick war da also ein Rabe, ein lebendiger Rabe!

Das kleine Mädchen lächelte ihn mit einem freundlichen zahnlosen Lächeln an, als er vor dem Käfig stehen blieb.

»Ist das dein Rabe?«, fragte er und steckte einen Zeigefinger zwischen die Gitterstäbe um den Raben womöglich ein bisschen zu streicheln. Das hätte er lieber nicht tun sollen. Der Rabe hackte nach ihm und er zog die Hand schnell wieder zurück.

»Nimm dich vor Kalle Hüpfanland in Acht«, sagte das Mädchen. »Ja, es ist mein Rabe. Nicht wahr, Großvater?«

Der Alte neben ihr nickte.

»Sicher! Sicher ist es Stinas Rabe«, erklärte er Pelle.

»Jedenfalls, wenn sie bei mir auf Saltkrokan ist.«

»Ihr wohnt auf Saltkrokan?«, fragte Pelle begeistert. »Da wohne ich diesen Sommer auch. Ich meine, *wir* wohnen auf Saltkrokan, Papa und wir alle.«

Der Alte betrachtete ihn mit Interesse.

»Soso, sieh mal einer an. Dann seid ihr wohl die Leute, die das alte Schreinerhaus gemietet haben?«

Pelle nickte eifrig. »Ja, die sind wir. Ist es da schön?«

Der alte Mann legte den Kopf schief und sah aus, als ob er nachdächte. Dann brach er in ein komisches glucksendes Lachen aus.

»Sicher! Sicher ist es schön! Kommt bloß drauf an, was man mag.«

»Wieso?«, fragte Pelle.

Der Alte gluckste von neuem.

»Ja, entweder mag man es, wenn's durchs Dach regnet, oder man mag es nicht.«

»Oder man mag es *nicht*«, echote das kleine Mädchen. »Ich mag es *nicht.*«

Pelle wurde ein wenig nachdenklich. Das musste er Papa erzählen. Doch nicht gerade jetzt. Jetzt musste er sich zuerst den Raben ansehen, das war unbedingt nötig. Stina zeigte ihn gern, das merkte man. Es machte bestimmt Spaß, wenn man einen Raben hatte, den sich die Leute ansehen wollten und am liebsten ein großer Junge wie er. Stina war zwar nur ein kleines Mädchen, höchstens fünf Jahre alt, aber um des Raben willen war Pelle bereit sie für diesen Sommer, oder jedenfalls so lange, bis er etwas Besseres gefunden hatte, zu seiner Spielkameradin zu machen.

»Ich komm dich mal besuchen«, sagte er gnädig. »In welchem Haus wohnt ihr denn?«

»In einem roten«, sagte Stina und das war ja immerhin ein Anhaltspunkt, viel mehr aber auch nicht.

»Du kannst fragen, wo der alte Söderman wohnt«, sagte ihr Großvater. »Das weiß nämlich jeder, verstehst du.«

Der Rabe krächzte heiser in seinem Käfig und schien unruhig zu sein. Pelle versuchte wieder den Finger zu ihm hineinzustecken, und wieder hackte der Rabe nach ihm.

»Der ist klug, du«, sagte Stina. »Der Klügste in der ganzen Welt, sagt Großvater.«

Das hielt Pelle für Aufschneiderei. Schließlich konnten weder Stina noch ihr Großvater wissen, welcher Vogel der klügste in der ganzen Welt war.

»Mein Großvater hat einen Papagei«, sagte Pelle. »Und der kann sagen: ›Zum Kuckuck mit dir!‹«

»Was ist denn dabei«, sagte Stina. »Das kann mein Großvater auch.«

Da lachte Pelle schallend.

»Das sagt doch nicht mein Großvater. Das sagt der Papagei!«

Stina mochte es nicht, wenn man über sie lachte. Jetzt war sie beleidigt.

»Dann rede doch so, dass man es versteht«, sagte sie mürrisch. Sie wandte den Kopf ab und schaute unentwegt über die Reling. Mit diesem blöden Jungen da wollte sie nicht mehr sprechen.

»Na, dann tschüs«, sagte Pelle und ging weg um sich nach seiner eigenen weitverstreuten Familie umzusehen. Er fand Johann und Niklas oben auf dem Oberdeck und sobald er sie sah, wusste er, dass irgendetwas nicht stimmte. Die beiden wirkten so grimmig, dass Pelle ängstlich wurde. Hatte er etwas angestellt, weshalb er ein schlechtes Gewissen haben müsste?

»Was ist denn?«, fragte er besorgt.

»Guck mal da«, sagte Niklas und zeigte mit dem Daumen. Und nun sah Pelle es. Ein Stück entfernt stand Malin, an die Reling gelehnt, und neben ihr ein lang aufgeschossener junger Mann in hellblauem Sporthemd. Sie redeten und lachten und der im Sporthemd sah Malin an, *ihre*

Malin, als hätte er ganz plötzlich einen hübschen kleinen Goldklumpen gefunden, dort, wo er ihn am wenigsten erwartet hatte.

»Es ist also mal wieder so weit«, sagte Niklas. »Ich dachte, es würde besser werden, wenn wir aus der Stadt wegkämen.«

Johann schüttelte den Kopf.

»Bild dir das doch nicht ein! Du kannst Malin auf einer kleinen Felsinsel mitten in der Ostsee absetzen und innerhalb von fünf Minuten kommt ein Junge angeschwommen und muss unbedingt ausgerechnet auf diesen Felsen rauf.«

Niklas starrte den im Sporthemd böse an.

»Es ist nicht zu glauben, dass man seine eigene Schwester nicht für sich allein haben kann! Man müsste so ein Schild neben ihr aufstellen: ›Ankern verboten‹.«

Dann guckte er Johann an und die beiden lachten leise. Sie protestierten ja nicht richtig im Ernst, wenn einer anfing Malin den Hof zu machen, und das geschah, wie Johann behauptete, etwa alle Viertelstunde einmal. Nicht ganz ernst – und trotzdem war eine kleine, geheime Angst in ihnen: Wenn Malin sich nun eines schönen Tages so verliebte, dass es mit Verlobung und Heirat und so weiter endete?

»Wie sollen wir ohne Malin fertig werden?«, sagte Pelle immer, und so dachten und fühlten sie alle. Denn Malin war Anker und Stütze der Familie. Nachdem ihre Mutter gestorben war, als Pelle geboren wurde, war sie allen Melchersonschen Jungen wie eine Mama geworden, einschließlich Melcher. In den ersten Jahren eine zarte und kindliche und ziemlich unglückliche kleine Mama, aber ganz allmählich immer besser imstande »Nasen zu putzen und zu waschen und zu schimpfen und Zimtwecken zu backen« – so beschrieb sie selbst, was sie machte.

»Du schimpfst aber nur, wenn es wirklich nötig ist«, versicherte Pelle immer. »Meistens bist du sanft und lieb wie ein Kaninchen.«

Früher konnte Pelle nie begreifen, weshalb Johann und Niklas Malins Verehrer ablehnten. Er war ganz sicher und überzeugt, dass Malin bis in alle Ewigkeit der Familie Melcherson gehörte, und wenn noch so viele Sporthemden sie umkreisten. Malin selbst war es, die, ohne sich dessen bewusst zu sein, seiner Sicherheit ein Ende machte. Und es passierte an einem Abend, als Pelle in seinem Bett lag und einzuschlafen versuchte. Es gelang ihm nicht, denn Malin sang im Badezimmer nebenan aus voller Kehle. Sie sang ein Lied, das Pelle nie zuvor gehört hatte, und einige Worte aus dem Lied trafen ihn dort in seinem Bett wie ein Keulenschlag.

»Kaum war sie mit der Schule fertig, hielt sie Hochzeit und bekam ein Kind«, sang Malin, ohne zu ahnen was sie da anrichtete.

»Kaum war sie mit der Schule fertig…« Aber das war ja genau das, was Malin getan hatte! Und natürlich brauchte man dann, dann nur auf den Rest zu warten. Pelle in seinem Bett fing an zu schwitzen! Jetzt wurde ihm klar, wie es kommen musste! Dass er das bis jetzt noch nicht begriffen hatte! Malin würde heiraten und verschwinden; sie würden einsam zurückbleiben und niemanden haben als Frau Nilsson, die täglich vier Stunden kam und dann wegging.

Das war ein unerträglicher Gedanke, und Pelle rannte verzweifelt zu seinem Vater.

»Papa, wann heiratet Malin und kriegt Kinder?«, fragte er mit zitternder Stimme.

Melcher hob erstaunt die Augenbrauen. Er hatte nichts davon gehört, dass Malin derlei Pläne hätte, und er verstand nicht, dass es für Pelle eine Frage auf Leben und Tod war.

»Wann wird das sein?«, fragte Pelle eindringlich.

»Über den Tag und die Stunde wissen wir nichts«, antwortete Melcher. »Darüber brauchst du dir nicht den Kopf zu zerbrechen, mein Kleiner.«

Aber seitdem hatte Pelle sich den Kopf darüber zerbrochen, nicht jeden Augenblick, nicht mal jeden Tag, aber in regelmäßigen Abständen, wenn ein besonderer Anlass war. Wie zum Beispiel jetzt eben. Pelle starrte zu Malin und dem Sporthemd hinüber. Sie schienen sich zum Glück gerade voneinander verabschieden zu wollen, denn das Sporthemd wollte offenbar an der nächsten Anlegestelle aussteigen. »Auf Wiedersehen, Krister!«, rief Malin, und das Sporthemd rief zurück:

»Ich komm mal mit dem Motorboot vorbei und schau, ob ich dich finde.«

»Das solltest du lieber bleiben lassen, finde ich«, murmelte Pelle böse. Und er beschloss Papa zu bitten, er sollte so ein Schild aufstellen, von dem Niklas gesprochen hatte. »Ankern verboten« sollte auf dem Bootssteg des Schreinerhauses stehen, dafür wollte Pelle sorgen.

Es wäre sicher leichter gewesen Malin für sich allein zu haben, wenn sie nicht so hübsch wäre, das war Pelle klar. Er hatte zwar nie so genau hingeguckt, aber er wusste, dass sie hübsch war. Das sagten alle Leute. Sie fanden es schön, wenn jemand blondes Haar und grüne Augen hatte, so wie Malin. Das fand der mit dem Sporthemd sicher auch.

»Was war denn das für ein Ekel?«, fragte Johann, als Malin zu ihnen herüberkam.

Malin lachte.

»Gar kein Ekel. Einer, den ich auf Bosses Abiturfest kennen gelernt hab. Wirklich nett.«

»Ein Quadratekel«, sagte Johann beharrlich. »Vor dem nimm dich lieber in Acht, schreib dir das in dein Tagebuch.«

Malin war nicht umsonst die Tochter eines Schriftstellers. Sie schrieb ebenfalls, aber nur in ihr geheimes Tagebuch. Hier schrieb sie die Gedanken und Träume ihres Herzens auf und außerdem alle Streiche der Melcherson-Jungen, auch Melchers. Sie pflegte ihnen damit zu drohen: »Wartet nur, bis ich mein geheimes Tagebuch drucken lasse. Dann werdet ihr so bloßgestellt, dass ihr splitternackt dasteht.«

»Haha, dann bist du wohl selber am schlimmsten bloßgestellt«, versicherte Johann ihr. »Hoffentlich führst du alle deine Scheiche genau der Reihe nach auf.«

»Leg dir eine Liste an, damit du in der Eile keinen überspringst«, schlug Niklas vor. »Per-Olaf XIV., Karl Karlsson XV., Lennart XVII. und Ake

13

XVIII. Das gibt allmählich eine ganz hübsche Regentenreihe, wenn du so weitermachst.«

Und in diesem Augenblick waren Johann und Niklas überzeugt, dass der im Sporthemd Krister XIX. werden würde.

»Ich möchte zu gern wissen, wie sie den in ihrem Tagebuch beschreibt«, sagte Niklas.

»Quadratekel mit kurzgeschorenem Haar und eingebildeter Miene«, schlug Johann vor. »Im Übrigen schlaksig und unangenehm.«

»Ja, das red dir nur ein, dass Malin so über den denkt!«, sagte Niklas.

Malin schrieb kein Wort über Krister XIX. in ihr Tagebuch. Er sprang an seiner Anlegestelle ab ohne auch nur eine Spur in ihrem Gemüt zu hinterlassen. Und keine Viertelstunde später hatte Malin eine Begegnung, die sie viel stärker erschütterte und über der sie alles andere vergaß. Das war, als der Dampfer auf die nächste Anlegestelle zusteuerte und sie Saltkrokan zum ersten Mal sah. Über diese Begegnung schrieb sie in ihr Tagebuch:

Malin, Malin, wo bist du so lange gewesen? Diese Insel hat hier gelegen und auf dich gewartet, ruhig und still hat sie hier draußen am Rande des Meeres gelegen mit ihren rührenden kleinen Bootshäusern, ihrer alten Dorfstraße, ihren alten Bootsstegen und Fischerbooten und mit all ihrer herzzerreißenden Schönheit, und du hast es nicht einmal gewusst. Ist das nicht furchtbar? Ich möchte wissen, was Gott sich gedacht hat, als er diese Insel machte. Ich will es ein bisschen gemischt haben, hat er sicher gedacht. Karg soll es sein, raue, graue Felsen möchte ich haben. Lieblich soll es sein, grüne Bäume, Eichen und Birken, blühende Wiesen und blühende Sträucher, o doch, denn ich möchte, dass die ganze Insel von rosa Heckenrosen und duftendem Weißdorn überquillt an jenem fernen Junitag in tausend Millionen Jahren, wenn Malin Melcherson dorthin kommt. Ja, lieber Johann und lieber Niklas, ich weiß, was ihr denkt, falls ihr hier schnüffelt, aber das lasst gefälligst sein! Ist es erlaubt, *so* eingebildet zu sein? Nein, ich bin nicht eingebildet, ich freu mich nur, seht ihr, weil der Herrgott auf den Gedanken kam Saltkrokan so zu machen und nicht anders, und weil er dann auf die Idee kam es wie ein Juwel weit draußen am Rand des Meeres hinzulegen, wo es in Frieden gelassen wurde und ungefähr so bleiben durfte, wie er es sich gedacht hatte, und weil ich hierher kommen durfte.

Melcher hatte gesagt: »Ihr sollt mal sehen, das ganze Dorf ist unten auf dem Anleger um uns zu begucken. Wir sind bestimmt eine Sensation.« Ganz so wurde es doch nicht. Es goss in Strömen, als der Dampfer anlegte, und auf dem Steg standen ein einziger kleiner Mensch und ein Hund. Der Mensch war weiblichen Geschlechts und etwa sieben Jahre alt. Sie stand ganz still, wie aus dem Bootssteg herausgewachsen, der Regen strömte auf sie nieder, aber sie rührte sich nicht. Man könnte meinen, Gott habe sie zugleich mit der Insel geschaffen, dachte Malin, und sie dahin gestellt, als Herrscherin und Hüterin der Insel bis in alle Ewigkeit.

So klein habe ich mich noch nie gefühlt, schrieb Malin ins Tagebuch, wie in dem Augenblick, als ich vor den Augen dieses Kindes in strömendem Regen und bepackt mit Krempel über die Gangway gehen musste. Sie hatte einen Blick, der gleichsam *alles* sah. Ich dachte, das da muss Saltkrokan selbst sein, und wenn dieses Kind uns nicht akzeptiert, dann werden wir nie akzeptiert hier auf der Insel. Darum sagte ich so einschmeichelnd, wie man mit kleinen Kindern spricht: »Wie heißt du?«
»Tjorven«, sagte sie. Allein so etwas! Kann man wirklich Tjorven heißen und so majestätisch aussehen?
»Und dein Hund?«, fragte ich.
Da sah sie mir fest in die Augen und fragte ruhig: »Willst du wissen, ob es *mein* Hund ist, oder willst du wissen, wie er heißt?«

»Alles beides«, antwortete ich.

»Es *ist* mein Hund und er heißt Bootsmann«, sagte sie, und es war, als ob eine Königin sich herabließe ihr Lieblingstier vorzustellen. Was für ein Tier übrigens! Es war ein Bernhardiner, der größte, den ich je in meinem Leben gesehen habe. Er war ebenso majestätisch wie sein Frauchen, und ich fing an zu glauben, alle Lebewesen auf dieser Insel seien von der gleichen Art und uns armen Tröpfen aus der Stadt himmelhoch überlegen. Aber da kam eine freundliche Seele angedampft, es war, wie sich herausstellte, der Kaufmann der Insel, und er war offenbar nach gewöhnlichem menschlichen Maß gemacht, denn er begrüßte uns sehr freundlich und hieß uns auf Saltkrokan willkommen und teilte uns mit, er heiße Nisse Grankvist, ohne dass wir zu fragen brauchten. Aber dann sagte er etwas Erstaunliches.

»Geh nach Hause, Tjorven«, sagte er zu dem majestätischen Kind. Unfassbar, dass er sich traute, und ebenso unfassbar, dass er *Vater* von so einem Kind war! Es nützte jedoch nicht viel. »Wer hat das gesagt?«, fragte das Kind streng. »Hat Mama das gesagt?«

»Nein, ich sag es«, antwortete ihr Vater.

»Dann tu ich es nicht«, sagte das Mädchen. »Denn jetzt muss ich den Dampfer in Empfang nehmen.«

Und der Kaufmann sollte Waren aus der Stadt entgegennehmen und hatte wohl keine Zeit, sich mit seiner aufmüpfigen Tochter abzugeben, denn die stand noch immer dort im Regen, während wir all unser Sack und Pack zusammensammelten. Wir waren sicherlich in diesem Augenblick ein jämmerlicher Anblick, und Tjorven entging nichts. Ich spürte ihre Augen im Rücken, als wir lostrotteten zum Schreinerhaus.

Und es gab hier noch mehr Augen als die von Tjorven. Hinter den Gardinen an den Fenstern in allen Häusern an der Dorfstraße gab es überall Augen, die unserer durchweichten Karawane folgten – vielleicht waren wir dennoch eine Sensation, wie Papa gesagt hatte. Er begann etwas bedenklich dreinzuschauen, stellte ich fest. Und wie wir so dahin-

gingen und der Regen am allerheftigsten niederrauschte, fragte Pelle:
»Papa, weißt du, dass es im Schreinerhaus durchs Dach regnet?«
Da blieb Papa mitten in einer Regenpfütze stehen.
»Wer sagt das?«, fragte er.
»Der alte Söderman«, sagte Pelle und es hörte sich an, als redete er von
einem alten Bekannten.
Papa versuchte so auszusehen, als wäre ihm das ganz egal. »Soso, das
sagt der alte Söderman oder wie dieser vortreffliche Unglücksrabe auch
heißen mag. Und der alte Söderman *weiß* das natürlich – stell dir vor,
davon hat der Makler neulich kein Wort gesagt!«
»Wirklich nicht?«, sagte ich. »Hat er nicht gesagt, es wäre ein behagliches altes Sommerhaus, vor allem bei Regen, weil man dann nämlich so
einen wonnigen kleinen Swimmingpool in der großen Stube hat?«
Papa warf mir einen langen Blick zu und gab keine Antwort.
Und dann waren wir da.
»Guten Tag, Schreinerhaus«, sagte Papa. »Darf ich die Familie Melcherson vorstellen: Melcher und seine armen Kinderlein.«
Es war ein rotes Haus mit einem Oberstock, und als man es sah, zweifelte man nicht daran, dass es hier durchs Dach regnete. Mir gefiel es
aber trotzdem. Mir gefiel es vom ersten Augenblick an. Papa dagegen
hatte jetzt die Angst gepackt, das merkte man – ich kenne niemanden,
dessen Stimmung so schnell umschlagen kann. Er blieb stehen und starrte missmutig das Ferienhaus an, das er für sich und seine Kinder gemietet hatte.
»Worauf wartest du?«, fragte ich. »Es wird nicht anders.«
Darauf nahm er allen Mut zusammen und wir gingen hinein.

Das Schreinerhaus

Keiner von der Familie sollte jemals diesen ersten Abend im Schreinerhaus vergessen.

»Fragt mich, wann ihr wollt«, sagte Melcher später, »und ich erzähle euch genau, wie es war. Muffige Luft in der Hütte, klamme Bettwäsche, Malin mit ihrer kleinen Sorgenfalte zwischen den Augenbrauen, von der sie immer meint, ich bemerke sie nicht. Und ich mit einem Druck auf der Brust vor Beklommenheit! Wenn ich nun etwas ganz Dummes gemacht hatte! Aber die Bengels waren vergnügt wie die Eichhörnchen und rannten rein und raus, das weiß ich noch. Ja, und dann erinnere ich mich noch an die Amsel, die im Mehlbeerbaum vorm Hause saß und sang, und dieses leise Plätschern der Wellen gegen den Bootssteg und wie still es war und dass ich plötzlich ganz aus dem Häuschen geriet und dachte, nein, Melcher, du hast diesmal nichts Dummes gemacht, sondern etwas Gutes, etwas geradezu großartig, erstaunlich durch und durch Gescheites und Gutes. Aber da war natürlich dieser Geruch in der Hütte und...«

»Und dann hast du Feuer gemacht im Küchenherd«, sagte Malin. »Weißt du noch?«

Das wusste Melcher nicht mehr. Behauptete er.

»Dieser Herd sieht nicht so aus, als hätte er die Absicht, sich ohne weiteres mit Essenkochen zu befassen«, sagte Malin und stellte die Koffer mitten in der Küche ab. Der Herd war das Erste, was sie sah, als sie hereinkam. Er war verrostet und machte den Eindruck, als wäre er zum letzten Mal um die Jahrhundertwende in Betrieb gewesen. Aber Melcher war voller Zuversicht.

»Oho, solche alten eisernen Herde, die sind fantastisch. Da ist nur ein bisschen Geschicklichkeit beim Feuermachen nötig und das krieg ich hin. Aber zuerst wollen wir uns alles Übrige ansehen.«

Das ganze Schreinerhaus hatte etwas von Jahrhundertwende an sich, von übel zugerichteter Jahrhundertwende. Unachtsame Mieter waren viele Sommer hindurch mit etwas, was vor langer Zeit einmal ein gepflegtes und recht wohlhabendes Handwerkerhaus gewesen sein mochte, grob umgegangen. Selbst in seinem Verfall hatte das Haus jedoch etwas erstaunlich Behagliches an sich, was sie alle spürten.

»Das wird ein Spaß, in dieser Bude zu wohnen«, versicherte Pelle. Er musste Malin schnell einmal drücken, dann sauste er hinter Johann und Niklas her um alles auszuforschen, was es hier bis unters Dach hinauf auszuforschen gab.

»Schreinerhaus«, sagte Malin. »Was meinst du, Papa, was das für ein Schreiner gewesen ist, der hier gelebt hat?«

»Ein junger, fröhlicher Schreiner, der etwa 1908 heiratete und mit seiner hübschen jungen Frau hier einzog und Schränke und Stühle und Tische und Bänke für sie schreinerte, ganz wie sie es haben wollte, und der ihr einen schmatzenden Kuss gab und sagte: ›Es soll Schreinerhaus heißen und hier auf Erden unser Zuhause sein.‹«

Malin starrte ihn an.

»Weißt du es oder spinnst du nur?«

Melcher lächelte ein bisschen verlegen.

»Hm – ja – ich spinne nur. Es hätte mir allerdings besser gefallen, wenn du gesagt hättest ›dichten‹.«

»Meinetwegen auch ›dichten‹«, sagte Malin. »Aber wie dem auch sei, vor langer Zeit müsste hier jedenfalls jemand gelebt haben, der über diese Möbel glücklich gewesen ist und sie abgestaubt und blank poliert und freitags das Haus geputzt hat. Wem gehört es eigentlich jetzt?«

Melcher überlegte.

»Irgendeiner Frau Sjöberg oder Frau Sjöblom oder so ähnlich. Eine alte Frau...«

»Da hast du vielleicht deine Schreinersfrau«, sagte Malin und lachte.

»Sie wohnt jetzt in Norrtälje«, sagte Melcher. »Ein Mann mit Namen Mattsson vermietet für sie den Besitz an Sommergäste – zumeist an Räuber mit abscheulichen kleinen Kindern, die Krallen an den Fingern haben, wie es scheint.«

Er sah sich in dem Raum um, der früher einmal die gute Stube der Schreinerfamilie gewesen sein mochte. Jetzt war es keine ganz so gute Stube mehr, doch Melcher war zufrieden.

»Hier«, sagte er, »hier soll unsere Wohnstube sein.«

Er streichelte begeistert den weißgetünchten offenen Kamin.

»Und hier sitzen wir dann abends vor dem Holzfeuer und hören das Meer draußen rauschen.«

»Während die Ohren im Luftzug flattern«, sagte Malin und zeigte auf das Fenster, in dem eine Scheibe kaputt war.

Sie hatte noch immer die kleine Sorgenfalte zwischen den Augenbrauen, aber Melcher, der das Schreinerhaus schon in sein Herz geschlossen hatte, sorgte sich nicht um so etwas Bedeutungsloses wie eine zerbrochene Fensterscheibe.

»Keine Sorge, mein Kind. Dein tüchtiger Vater setzt morgen eine neue Scheibe ein. Nur keine Sorge!«

Malin war nicht ganz ohne Sorge, denn sie kannte Melcher und sie dachte mit einer Mischung von Ungeduld und Zärtlichkeit: Er glaubt selber daran, der gute Kerl, tatsächlich, er vergisst es nämlich ein über das andere Mal. Wenn *er* aber eine neue Fensterscheibe einsetzt, so heißt das, dass er drei andere dabei kaputtmacht. Ich muss diesen Nisse Grankvist fragen, ob es hier jemanden gibt, der mir helfen kann.

Laut sagte sie: »Ich glaube, nun müssen wir die Ärmel hochkrempeln. Wie war es doch, Papa, wolltest du nicht Feuer in der Küche machen?«

Melcher rieb sich die Hände vor Tatendrang.

»Ganz recht. Frauen und Kindern kann man so was nicht anvertrauen.«

»Sehr schön«, sagte Malin. »Dann gehen Frauen und Kinder hinaus und sehen nach, wo der Brunnen ist. Denn hier gibt es doch hoffentlich einen?« Sie hörte die Jungen im oberen Stock herumtrampeln und rief: »Kommt, alle meine Brüder! Wir wollen Wasser holen!«

Es hatte aufgehört zu regnen, jedenfalls im Augenblick. Die Abendsonne machte mehrmals einen tapferen, aber vergeblichen Versuch durch die Wolken zu brechen, von der Amsel in dem alten Mehlbeerbaum lebhaft ermuntert. Der Vogel flötete unverdrossen, bis er die Melchersonschen Kinder mit ihren Wassereimern durch das nasse Gras stapfen sah. Da verstummte er.

»Ist es nicht hübsch, dass das alte Schreinerhaus seinen eigenen Schutzbaum hat?«, sagte Malin und streichelte im Vorübergehen den rissigen Stamm des Baumes.

»Wofür hat man einen Schutzbaum?«, fragte Pelle.

»Um ihn gern zu haben«, entgegnete Malin.

»Um darauf herumzuklettern, wie du siehst«, sagte Johann.

»Und das wird so ungefähr das Erste sein, was wir morgen früh tun«, verkündete Niklas. »Ich möchte wissen, ob Papa was extra zahlen musste, weil es hier so einen feinen Kletterbaum gibt.«

Malin lachte, aber die Jungen dachten sich noch mehr Sachen aus, von denen sie meinten, Melcher habe dafür extra zahlen müssen. Den Steg und den alten Kahn, der daran festgemacht lag. Den roten Schuppen, den sie näher untersuchen wollten, sobald sie Zeit hätten. Den Boden, den sie bereits durchstöbert hatten und der voller aufregender Dinge war.

»Und den Brunnen, wenn er einigermaßen gutes Wasser hat«, schlug Malin vor.

Aber Johann und Niklas fanden nicht, dass man für den extra zahlen müsse.

»Dagegen könnten ein paar Groschen für den, der das Wasser rein-
schleppen muss, gar nicht schaden«, sagte Johann und hob den ersten
Eimer an.

Pelle schrie vor Begeisterung auf.

»Guckt mal, ein kleiner Frosch, ganz unten drin!«

Malin stieß einen Schreckensschrei aus und Pelle sah sie erstaunt an.

»Was ist denn mit dir? Magst du etwa keine süßen kleinen Frösche?«

»Nicht im Trinkwasser«, sagte Malin.

Pelle zappelte vor Eifer.

»Oh, darf ich den nicht haben?«

Dann wandte er sich an Johann.

»Glaubst du, Papa hat was extra zahlen müssen, weil im Brunnen
Frösche sind?«

»Kommt darauf an, wie viele da sind«, sagte Johann. »Wenn größere
Mengen drin sind, hat er sie bestimmt ganz billig gekriegt.«

Er warf Malin einen Blick zu um zu sehen, wie viele Frösche sie ertragen
konnte. Sie schien aber gar nicht zuzuhören.

Malins Gedanken waren in eine andere Richtung geflattert. Sie musste
an den fröhlichen Schreiner und seine Frau denken. Ob sie in ihrem
Schreinerhaus zusammen glücklich gewesen waren? Ob sie wohl Kinder
bekommen hatten, die mit der Zeit auf dem Mehlbeerbaum herumge-
klettert und vielleicht manchmal ins Wasser gefallen waren? Ob damals
im Juni ebenso viele Heckenrosen im Garten geblüht hatten und ob der
Pfad zum Brunnen ebenso weiß von heruntergefallenen Apfelblüten
gewesen war wie jetzt?

Dann fiel ihr plötzlich ein, dass der fröhliche Schreiner und seine Frau
Gestalten waren, die Melcher sich ausgedacht hatte. Aber sie beschloss,
trotzdem an sie zu glauben. Sie beschloss noch etwas anderes. Mochten
noch so viele Frösche im Brunnen sein und noch so viele Fensterscheiben
zerbrochen, mochte das Schreinerhaus noch so verfallen sein – nichts
sollte sie daran hindern, gerade hier und gerade jetzt mit dem Glück-

lichsein anzufangen. Denn jetzt war Sommer. Es müsste immer Juni sein und Abend. Verträumt und still wie dieser. Und ohne einen Laut.

Draußen vor dem Steg kreisten die Möwen, eine stieß ein paar schrille Schreie aus. Aber sonst nichts als dieses unfassbare Schweigen, das einem gleichsam in den Ohren sauste. Über dem Wasser lag ein weicher Regenschleier, alles war von so wehmütiger Schönheit. Von allen Büschen und Bäumen tropfte es und die Luft roch nach noch mehr Regen und nach Erde und Salzwasser und nassem Gras.

»Im Sonnenschein vor dem Hause sitzen und essen und fühlen, dass Sommer ist« – so hatte Melcher sich ihren ersten Abend im Schreinerhaus vorgestellt. Zwar wurde es ein wenig anders, aber Sommer war es, das fühlte Malin so sehr, dass ihr die Tränen in die Augen traten. Außerdem merkte sie, dass sie Hunger hatte, und sie fragte sich, wie weit Melcher wohl mit dem Herd gekommen sei.

Ziemlich weit war er gekommen.

»Malin, wo bist du?«, schrie er, weil er immer nach seiner Tochter rief, sobald etwas schief ging. Aber Malin war außer Hörweite und er fand sich wohl oder übel damit ab, dass er allein war und sich selber helfen musste.

»Allein mit meinem Gott und einem eisernen Herd, der jetzt gleich zum Fenster rausfliegt«, murmelte er aufgebracht, aber dann musste er wieder husten und konnte nicht mehr sprechen. Er starrte den Herd an, der so bösartig Rauch über ihn hinwegblies, obwohl er ihm nichts Böses getan, nur Feuer darin angemacht hatte, behutsam und vorsichtig. Er stocherte mit dem Feuerhaken im Herdloch herum und schon paffte eine neue Rauchwolke über ihn hinweg. Heftig hustend rannte er los um alle Fenster zu öffnen. Als er das getan hatte, ging die Tür auf und es kam jemand herein. Es war das majestätische Kind, das vorhin auf der Landungsbrücke gestanden hatte. Das Kind mit dem erstaunlichen Namen – Korb oder Tjorv oder so ähnlich. Wie ein kleiner, prall gefüllter Korb sieht sie auch aus, dachte Melcher, rund und gut. Das Gesicht, das unter dem Südwester hervorsah, war, so viel er durch den Rauch sehen konnte, ein seltsam reines und schönes Kindergesicht, breit, gutartig und mit klugen, forschenden Augen. Ihren riesigen Hund hatte sie auch mitgebracht und er wirkte innerhalb des Hauses noch riesiger, er schien die ganze Küche auszufüllen.

Aber Tjorven war wohlerzogen auf der Schwelle stehen geblieben.

»Es qualmt«, sagte sie.

»Wahrhaftig?«, erwiderte Melcher mürrisch. »Das hab ich nicht bemerkt.«

Dann hustete er so sehr, dass ihm die Augen aus dem Kopf zu springen drohten.

»Doch, es qualmt«, versicherte Tjorven. »Weißt du was? Vielleicht liegt eine tote Eule im Schornstein. Das hatten wir mal bei uns zu Hause.« Dann schaute sie Melcher forschend an und lächelte breit. »Du bist schwarz im Gesicht, du siehst aus wie ein Schornsteinfeger.«

Melcher hustete.

»Schornsteinfeger? Keineswegs! Ich bin ein Bückling, mein Kind, ein ganz frisch geräucherter Bückling. Übrigens finde ich, du kannst nicht einfach du zu mir sagen. Du musst Herr Melcherson sagen.«

»Heißt du denn so?«, fragte Tjorven.

Melcher brauchte nicht zu antworten, denn nun kamen zum Glück Malin und auch die Jungen.

»Papa, wir haben einen Frosch im Brunnen gefunden«, sagte Pelle eifrig. Aber dann vergaß er sämtliche Frösche über dem fantastischen Hund, den er vorhin auf dem Bootssteg gesehen hatte und der jetzt hier in ihrer Küche stand.

Melcher machte ein gekränktes Gesicht.

»Ein Frosch im Brunnen – ist das wahr? Angenehmes Sommerhaus, hat dieser Makler gesagt. Er hat nichts davon gesagt, dass es hier einen Tierpark gäbe mit Eulen im Schornstein, Fröschen im Brunnen und

Riesenhunden in der Küche. Johann, geh und sieh nach, ob ein Elch im Schlafzimmer liegt.«

Seine Kinder lachten so, wie es von ihnen erwartet wurde. Melcher wäre sonst beleidigt gewesen. Aber Malin sagte:

»Uh, was für ein Rauch hier!«

»Kein Wunder«, sagte Melcher. Er zeigte vorwurfsvoll auf den Herd. »Es ist eine Schmach für den Lieferanten. Ich werde hinschreiben und mich beschweren: Sie haben im April 1908 einen eisernen Herd geliefert. Weshalb in aller Welt haben Sie das getan?«

Niemand hörte auf ihn außer Malin. Die anderen umdrängten Tjorven mit ihrem Hund und bestürmten sie mit Fragen.

Und Tjorven erzählte freundlich, dass sie in dem Haus wohne, das dem Schreinerhaus am nächsten lag. Dort hatte ihr Papa einen Kaufmannsladen, aber das Haus war groß, so dass sie allesamt Platz darin hatten, »ich und Bootsmann und Mama und Papa und Teddy und Freddy«, sagte Tjorven.

»Wie alt sind Teddy und Freddy?«, fragte Johann eifrig.

»Teddy ist dreizehn, und Freddy ist zwölf, und ich bin sechs Jahre alt, und Bootsmann ist zwei. Ich weiß nicht mehr, wie alt Mama und Papa sind, aber ich kann nach Hause gehen und fragen«, sagte sie bereitwillig.

Johann versicherte ihr, das sei nicht nötig. Er und Niklas sahen sich zufrieden an. Zwei Jungen in ihrem eigenen Alter im Haus nebenan, das war fast zu schön um wahr zu sein.

»Was sollen wir bloß machen, wenn wir diesen Herd nicht ankriegen?«, fragte Malin.

Melcher raufte sich das Haar.

»Ich muss wohl aufs Dach klettern und nachsehen, ob im Schornstein wirklich eine Eule liegt, wie dieses Kind da behauptet.«

»Oje«, sagte Malin. »Dann sei bitte vorsichtig. Denk daran, wir haben nur *einen* Vater.«

Melcher war jedoch schon zur Tür hinaus. Er hatte am Giebel eine Leiter stehen sehen, und für einen einigermaßen gelenkigen Kerl konnte es keine Kunst sein aufs Dach hinaufzugelangen. Seine Jungen folgten ihm auf den Fersen, auch Pelle. Selbst der größte Hund der Welt konnte ihn nicht in der Küche zurückhalten, wenn Papa Eulen aus dem Schornstein holen wollte. Und Tjorven, die sich Pelle schon zum Freund und Begleiter auserkoren hatte, wenn Pelle auch nichts davon wusste, wanderte ebenfalls gemächlich nach draußen um nachzusehen, ob hier etwas Lustiges passieren würde.

Es fing gut an, fand sie. Herr Melcher hatte den Feuerhaken mitgenommen um die Eule damit herauszuangeln, und den musste er zwischen die Zähne nehmen, während er die Leiter hinaufkletterte. Genau wie Bootsmann, wenn er einen Knochen bringt, dachte Tjorven. Etwas noch Lustigeres begehrte sie nicht. Sie lachte still in sich hinein dort unter dem Apfelbaum. Dann brach eine Leitersprosse durch, als Herr Melcher darauf trat, und er rutschte ein ganzes Stück wieder nach unten. Pelle bekam Angst und schrie auf, aber Tjorven lachte wieder still vor sich hin. Dann lachte sie nicht mehr. Denn jetzt war Herr Melcher oben auf dem Dach und das sah gefährlich aus.

Melcher fand das auch.

»Ein wirklich gutes Haus«, murmelte er. »Aber hoch.«

Er fragte sich, ob es nicht im Grunde ein bisschen *zu* hoch sei um darauf herumzubalancieren, wenn man bald fünfzig war.

»Falls ich überhaupt so alt werde«, murmelte er und wankte auf dem Dachfirst entlang, die Augen starr auf den Schornstein geheftet. Aber dann warf er einen Blick zur Erde und wäre fast hinuntergefallen, als er die ängstlichen, nach oben gewandten Gesichter seiner Söhne so tief unter sich erblickte.

»Halt dich fest, Papa!«, schrie Johann.

Melcher schwankte und wurde fast böse. Über ihm war nichts als der weite Weltraum – woran sollte er sich festhalten? Da hörte er Tjorvens durchdringende Stimme: »Weißt du was? Halt dich am Feuerhaken fest, Herr Melcher. Mach das!«

Aber jetzt war Melcher zum Glück in Sicherheit beim Schornstein. Er schaute hinein. Da drinnen war nichts als schwarze Finsternis.

»Du, Tjorven, was redest du da von toten Eulen!«, rief er vorwurfsvoll.

»Hier sind keine Eulen.«

»Ist es eine Waldeule?«, schrie Niklas.

Da donnerte Melcher in seinem Zorn: »Hier ist *keine* Eule, hab ich gesagt.«

Und wieder hörte er Tjorvens durchdringende Stimme: »Willst du eine haben? Ich weiß, wo eine ist. Es ist bloß keine tote.«

Hinterher in der Küche war die Stimmung ein wenig gedrückt. »Wir müssen eben solange kalt essen«, sagte Malin.

Sie starrten alle trübselig den Herd an, der sich nicht so benehmen wollte, wie er sollte. Eben jetzt hätten sie nichts lieber gehabt als etwas Warmes zu essen.

»Das Leben ist schwer«, sagte Pelle, denn das sagte sein Vater manchmal.

Da klopfte es an die Tür und herein trat ein wildfremder Mensch, eine Frau in rotem Regenmantel. Sie stellte schnell einen emaillierten Kochtopf auf die Herdplatte und sah sie alle mit einem freundlichen Lächeln an.

»Guten Abend! Aha, hier ist also Tjorven, das hatte ich mir ja gedacht. Puh, was ist denn hier drinnen für ein Rauch?«, sagte sie dann, und ehe ihr noch jemand beipflichten konnte, fuhr sie fort: »Ach, richtig, ich muss wohl sagen, wer ich bin. Märta Grankvist. Wir sind Nachbarn. Willkommen bei uns!«

Sie sprach schnell und lächelte die ganze Zeit und bevor einer von der Familie Melcherson noch ein Wort gesagt hatte, war sie schon am Herd und schaute in die Esse.

»Haben Sie die Klappe aufgemacht? Dann geht es nämlich besser!«

Malin lachte auf, aber Melcher machte ein beleidigtes Gesicht. »Doch, natürlich hab ich die Klappe aufgemacht. Das war das Erste, was ich getan habe«, versicherte er.

»Jetzt ist sie jedenfalls zu«, sagte Märta Grankvist. »Und jetzt ist sie offen«, fuhr sie fort und drehte den Griff halb herum. »Sie stand wahrscheinlich offen, als Sie kamen, und dann haben Sie sie zugemacht, Herr Melcherson.«

»Ordentlich, wie er ist«, sagte Malin.

Alle lachten, auch Melcher. Und am allermeisten Tjorven.

»Ich kenne diesen Herd«, sagte Märta Grankvist, »und der ist ganz ausgezeichnet.«

Malin guckte sie dankbar an. Alles schien so viel leichter geworden zu sein, seit diese wunderbare Frau in die Küche gekommen war. Sie war so heiter und strahlte Sicherheit und Freundlichkeit und Tatkraft aus. Welch ein Glück, dass wir gerade sie zur Nachbarin bekommen haben, dachte Malin.

»Ich bring Ihnen hier etwas Gulasch als Einstandsessen, wenn Sie damit vorlieb nehmen wollen«, sagte Märta Grankvist und zeigte auf den Emailtopf.

Da traten Melcher die Tränen in die Augen. Das war immer so bei ihm, wenn Leute freundlich zu ihm und den Kindern waren.

»Dass es so gute Menschen gibt«, stotterte er.

»Ja, so gut sind wir hier auf Saltkrokan«, sagte Märta Grankvist lachend. »Komm, Tjorven, wir wollen jetzt nach Hause.«

In der Tür wandte sie noch einmal den Kopf.

»Wenn Sie sonst noch Hilfe brauchen, dann sagen Sie Bescheid.«

»Ja, da drinnen ist ein Fenster kaputt«, sagte Malin schüchtern. »Aber wir können Sie doch schließlich nicht mit all solchen Dingen belästigen.«

»Ich schicke Nisse her, wenn Sie gegessen haben«, sagte Märta Grankvist.

»Ja, der setzt nämlich hier auf Saltkrokan alle Scheiben ein«, sagte Tjorven. »Und Stina und ich, wir machen sie kaputt.«

»Was höre ich da«, sagte ihre Mutter streng.

»Aber nicht mit Absicht«, beeilte sich Tjorven hinzuzufügen. »Es kommt nur so.«

»Stina, die kenn ich«, sagte Pelle.

»Soo?«, sagte Tjorven und aus irgendeinem Grund klang ihre Stimme nicht richtig erfreut.

Pelle war eine ganze Weile seltsam stumm gewesen. Warum sollte man mit Leuten reden, wenn es einen Hund wie Bootsmann gab? Pelle hing an seinem Hals und flüsterte ihm ins Ohr: »Dich mag ich.«

Und Bootsmann ließ ihn gewähren. Er sah Pelle nur mit freundlich abwesenden, ein wenig traurigen Augen an, und dieser Blick offenbarte jedem, der Augen hatte zu sehen, seine ganze treue Hundeseele.

Aber jetzt musste Tjorven nach Hause gehen, und wo Tjorven hinging, da ging auch Bootsmann hin.

»Komm, Bootsmann«, sagte sie. Und dann waren sie weg.

Aber das Küchenfenster stand offen und sie konnten alle Tjorvens Stimme hören, als sie draußen vorüberging.

»Mama, weißt du was? Als er oben auf dem Dach langging, der Herr da, hat er sich am Feuerhaken festgehalten.«

Sie hörten auch Märta Grankvists Antwort.

»Das sind Städter, Tjorven, weißt du, und die haben es sicher nötig sich am Feuerhaken festzuhalten, glaube ich.«

Die Melchersöhne sahen sich an.

»Wir tun ihr Leid«, sagte Johann. »Und das ist nun wirklich nicht nötig.«

Doch mit dem Herd, da hatte sie Recht. Der war ausgezeichnet und brannte so gut, dass er glühte und in der ganzen Küche eine wunderbare Wärme verbreitete.

»Das heilige Feuer des Hauses«, sagte Melcher. »Der Mensch hatte kein Zuhause, bis er das Feuer entdeckte.«

»Und bis er das Gulasch erfand«, sagte Niklas und stopfte sich so viel auf einmal in den Mund, dass er nicht mehr reden konnte.

Sie saßen um den Küchentisch herum und aßen, und es war ein Augenblick tiefer und warmer Traulichkeit. Das Feuer prasselte im Herd und draußen prasselte der Regen.

Als die Jungen zu Bett gehen wollten, regnete es noch schlimmer. Widerwillig verließen sie die Wärme der Küche und zogen sich in ihre Bodenkammer zurück, die kalt und feucht und richtig ungemütlich war, obwohl ein Feuer im Kachelofen brannte. Aber Pelle schlief schon, von Malin in Wolljacken eingemummelt und mit einer wollenen Mütze auf dem Kopf.

Johann stand fröstelnd am Fenster und versuchte zu Grankvists hinüberzuschauen, aber der Regen klatschte gegen die Scheiben, sodass man alles nur durch einen Vorhang rinnenden Wassers sah. Den Kaufmannsladen – Johann sah das Schild. Und das Haus – es war rot, genau wie das Schreinerhaus. Und den Garten – er fiel zum Wasser hin ab und dort unten hatten Grankvists einen Bootssteg, der ähnlich war wie der vom Schreinerhaus.

»Morgen können wir mal sehen, ob wir diese Jungs finden, die...«, sagte Johann, stockte aber plötzlich. Denn drüben auf dem Nachbargrundstück ging etwas vor sich. Eine Tür wurde geöffnet und jemand rannte in den Regen hinaus. Es war ein Mädchen. Sie trug einen Badeanzug und die hellen Haare flatterten um sie herum, als sie zum Bootssteg hinuntergaloppierte.

»Komm mal her, Niklas, da kannst du etwas Interess...«, begann Johann, stockte aber von neuem. Denn die Tür drüben ging abermals auf und in den Regen hinaus kam ein zweites Mädchen, auch sie im Badeanzug, auch ihr wehte das Haar um den Kopf, als sie zum Steg hinuntertrabte. Die Erste war schon unten angekommen. Jetzt sprang sie ins Wasser. Als sie mit der Nase wieder über Wasser war, rief sie: »Freddy, hast du die Seife?« Niklas und Johann schauten sich schweigend an.

»Da hast du die Jungs, die du morgen suchen wolltest«, sagte Niklas endlich.

»Oh«, sagte Johann.

Sie lagen an diesem Abend lange wach.

»Man kann nicht einschlafen, solange die Füße nicht einigermaßen aufgetaut sind«, versicherte Niklas.

Johann musste ihm Recht geben. Dann schwiegen sie eine ganze Weile.

»Jetzt hat's wenigstens aufgehört zu regnen«, sagte Johann schließlich.

»Im Gegenteil«, sagte Niklas. »Hier in meinem Bett fängt es erst richtig an.«

Entweder mag man es, wenn es durchs Dach regnet, oder man mag es nicht...

Niklas mochte es nicht so unbedingt, dass es auf sein Bett tröpfelte, aber so viel machte es ihm nun auch wieder nicht aus, denn er war erst zwölf Jahre alt und von Natur aus sorglos. Doch sahen sie beide ein, er und auch Johann, dass Malin eine schlaflose Nacht haben würde, wenn sie ihr über das Elend gleich jetzt Bericht erstatteten. Und da sie ihre Schwester liebten und ihr Bestes wollten, rückten sie Niklas' Bett ganz leise beiseite und stellten einen Eimer unter das Getröpfel vom Dach.

»Von diesem Geräusch wird man richtig schläfrig«, murmelte Johann, als er wieder ins Bett gekrochen war. »Blupp, blupp!«

Aber Malin saß, ohne eine Ahnung von all dem Blupp, unten in der warmen Küche und schrieb emsig in ihr Tagebuch, denn sie wollte die Erinnerung an ihren ersten Tag auf Saltkrokan festhalten.

Ich sitze hier allein, schrieb sie zuletzt. Aber ich hab das Gefühl, als schaute mir einer zu. Nicht ein Mensch! Vielmehr das Haus... das Schreinerhaus. Liebes Schreinerhaus, bitte finde uns nett. Am besten, du entscheidest dich gleich, denn du musst dich ja ohnehin jetzt mit uns herumschlagen. Du weißt noch nicht, wer wir sind, sagst du? Das kann ich dir erzählen. Dieses lange Ende von einem Mann, der da drinnen in

der kleinen Mädchenkammer liegt und laut vor sich hin Gedichte auf-
sagt um einschlafen zu können, das ist Melcher. Vor dem musst du dich
in Acht nehmen, besonders wenn du siehst, dass er einen Hammer oder
eine Säge oder sonst ein Werkzeug in Händen hat. Ansonsten ist er
wirklich lieb und ungefährlich. Die drei unordentlichen kleinen Bengels
oben in der einen Bodenkammer, von denen kann ich nur sagen, dass
sie... Ja, du bist doch hoffentlich kinderlieb? Dann wirst du nämlich
nicht so ärgerlich. Mehr brauche ich vielleicht nicht zu sagen? Und du
bist ja einiges gewohnt, nehme ich an, die Schreinerkinder sind wohl
auch nicht rücksichtsvoll gewesen, oder? Diejenige, die deine Fenster
putzt und deine Fußböden mit Liebe und mit ihren Händen scheuert,
die nach und nach immer rissiger werden, das dürfte wohl die Unter-
zeichnerin sein, Malin. Du kannst dich aber darauf verlassen, ich stelle
die anderen zum Helfen an! O ja! Wir werden unser Bestes tun um hier
Ordnung zu halten. Gute Nacht, liebes Schreinerhaus, nun werden wir
wohl schlafen. Ein kaltes Bodenkämmerchen wartet auch auf mich,
aber ich bleibe hier unten so lange, wie ich kann, in deiner ländlichen
Küche und an deinem glühenden Herd, denn hier habe ich das Gefühl,
als hättest du mich an dein warmes klopfendes Herz genommen.

So schrieb Malin und dann merkte sie plötzlich, wie spät es geworden
war. Ein neuer Tag nahte schon, einer, der hell und klar werden würde,
das sah sie, als sie zum Fenster lief. Hier blieb sie stehen. »Von allen
Küchenfenstern auf Erden«, murmelte sie und wusste, noch nie hatte sie
etwas gesehen, das ihr besser gefiel, als was sie dort draußen sah. Das
stille Wasser in der Morgendämmerung, der Steg, die grauen Steine am
Ufer, alles. Sie machte das Fenster auf und hörte den Gesang der Vögel,
der wie ein Jubel über sie hinströmte. Der kam aus vielen kleinen Kehlen,
aber lauter als alle hörte sie die Amsel im Mehlbeerbaum singen. Sie war
gerade aufgewacht, munter und voller Lebensfreude.
Und der arme Melcher in der Mädchenkammer war noch nicht mal

eingeschlafen. Aber Malin hörte, wie er gähnte, obgleich er unverdrossen und mit lauter Stimme deklamierte:

>>Herz, öffne dich dem Tag,
freu dich der Morgenstunde.
Noch glitzert Tau im Hag,
noch schimmern blass die Sunde.
Der Morgen atmet Ewigkeit
wie erster Tag uralter Zeit.<<

>>Ja, genau so ist es<<, sagte Malin.

Rudern, rudern zur Fischerinsel

Es ist ein Gefühl, als hätten wir immer auf Saltkrokan gelebt, schrieb Malin eine Woche später. Ich kenne die Menschen, die hier leben. Ich weiß ungefähr, was von ihnen zu halten ist. Nisse und Märta, ich weiß, sie sind die nettesten Menschen der Welt – besonders er – und die tüchtigsten der Welt – besonders sie. Er kümmert sich um das Geschäft. Sie kümmert sich auch um das Geschäft, außerdem aber um die Telefonvermittlung, die Post, die Kinder, den Hund und den Haushalt, und außerdem springt sie jedes Mal ein, wenn jemand anders auf der Insel Hilfe braucht. Es ist typisch für Märta, dass sie gleich mit Gulasch bei uns angestürzt gekommen ist. »Nur weil ihr so verloren ausgesehen habt«, sagt sie.

Was weiß ich sonst noch? Dass es im Bauch vom alten Söderman »ganz unverantwortlich knurrt«, das hat er mir selbst anvertraut, und er werde wohl an einem der nächsten Tage nach Norrtälje fahren und den Doktor aufsuchen.

Ferner weiß ich, dass Vesterman seinen landwirtschaftlichen Betrieb nicht so führt, wie er müsste, sondern immer nur fischt, auf die Jagd geht und »überhaupt von nichts das Geringste versteht«, das hat Frau Vesterman mir anvertraut.

Märta und Nisse, der alte Söderman, Vestermans, gibt es noch mehr? O ja, Janssons natürlich. Sie haben auch einen Hof und dort holen wir unsere Milch. Es gehört zu unserem ländlichen Vergnügen abends durchs Gehölz zu wandern und bei Janssons Milch zu holen.

Die Insel hat auch einen Volksschullehrer, einen jungen, der Björn

Sjöblom heißt. Ihn hab ich kennen gelernt, als ich Mittwochabend Milch holte, und es schien, als ob… ja, es ist zwar einerlei, aber er war kein »Quadratekel«, wie Johann es nennt, sondern machte einen sehr angenehmen und rechtschaffenen Eindruck. Irgendwie treuherzig.

Und dann die Kinder hier, dem Himmel sei Dank dafür! Pelle spielt intensiv mit Tjorven und Stina, vor allem mit Tjorven. Ich glaube, da findet ein kleiner Machtkampf um ihn statt, so etwa im Stil wie: »Rühr den Goldklumpen nicht an, ich hab ihn zuerst gesehen!« Aber Tjorven hat die Oberhand. Und wie sollte es anders sein? Sie ist ein merkwürdiges Kind, eins von denen, die immer der Liebling von allen werden, ohne dass man so recht weiß, weshalb. Es wird nur irgendwie heller, wo immer ihr gutmütiges Gesicht auftaucht. Papa behauptet, sie habe etwas von der ewigen, kindlichen Sicherheit an sich, von dem Warmen und Sonnigen, das nach Gottes Absicht eigentlich alle Kinder haben sollten, wenn die Wirklichkeit auch leider ein bisschen anders aussieht. Tjorven gehört allen auf Saltkrokan, frei streift sie auf allen Wegen herum und in allen Häusern, und überall wird sie mit einem »Sieh mal an, da ist ja unsere Tjorven« begrüßt, gerade so, als könnte man sich im Augenblick gar nichts Erfreulicheres denken als sie. Wenn sie böse wird – was vorkommt, denn sie ist kein Engel –, dann ist es, als würde eine Naturkraft entfesselt, mit Donner und Blitz, oh, oh, oh! Es geht aber schnell vorüber.

Stina ist anders, sie ist ein kleines lustiges und verschmitztes Kind mit einem auffallenden zahnlosen Reiz. Wie es zugegangen ist, weiß ich nicht, sie hat es aber fertig gekriegt sich sämtliche Vorderzähne im Oberkiefer auszuschlagen, und das verleiht ihrem Gesicht etwas Wildes und Malerisches, wenn sie lacht. Sie ist die große Märchenerzählerin der Insel, unglaublich ausdauernd. Selbst Papa, der doch im allgemeinen ganz kinderlieb ist und der sich gern mit anderen Kindern als nur seinen eigenen unterhält, ist, was Stina angeht, bereits vorsichtig geworden und macht einen kleinen Umweg, wenn er sie sieht. Obgleich er es abstreitet.

»Im Gegenteil«, sagte er neulich. »Ich kann mir nichts Besseres vorstellen, als wenn Stina kommt und mir Märchen erzählt. Es ist nämlich so ein schönes Gefühl, wenn sie aufhört.«

Johann und Niklas führen ein glückliches und ungeregeltes Leben mit Teddy und Freddy, die wirklich zwei kleine Amazonen sind, übrigens richtig hübsche. Auf diese Weise sieht man nicht viel von seinen Brüdern, besonders dann nicht, wenn abgewaschen werden soll. Ich höre nur so nebenbei davon reden, dass man »heute zum Angeln rausfahren will« oder »wir gehen heute schwimmen«, »wir bauen eine Hütte«, »wir wollen uns ein Floß machen«, »wir wollen zur Schäre hinausfahren und Netze auslegen«. Das zum Beispiel tun sie heute Abend. Morgen früh wollen sie hinaus und sie einholen, habe ich gehört. Um fünf Uhr. Falls sie so früh wach werden.

Das taten sie. Um fünf Uhr wurden sie wach und schlüpften schnell in ihre Sachen und waren ebenso schnell unten bei Grankvists Steg, wo Teddy und Freddy mit ihrem Kahn warteten. Bootsmann war auch frühzeitig wach geworden. Jetzt stand er dort auf dem Steg und guckte Teddy und Freddy mit vorwurfsvollen Augen an. Wollten sie wirklich aufs Wasser hinaus ohne ihn mitzunehmen?

»Na, dann komm schon«, sagte Freddy. »Wo soll ein Bootsmann sein, wenn nicht in einem Boot? Aber du weißt vielleicht: Tjorven wird böse, dass es nur so kracht!«

Es schien, als ob Bootsmann zögerte, als er Tjorvens Namen hörte. Aber nur einen Augenblick. Dann sprang er mit einem weichen Satz in den Kahn, der unter seinem mächtigen Gewicht erzitterte.

Freddy streichelte ihn.

»Du denkst wahrscheinlich, du kommst noch rechtzeitig nach Hause, bevor Tjorven aufsteht, aber da hast du dich geirrt, mein Bootsmännchen.«

Dann ergriff sie die Riemen und begann zu rudern.

»So was können Hunde sich doch nicht überlegen«, sagte Johann.

»Bootsmann denkt überhaupt nicht. Er springt ins Boot, nur weil er dich und Teddy da sieht.«

Doch Teddy und Freddy versicherten, dass Bootsmann denken und empfinden könne wie ein Mensch.

»Nur besser«, sagte Teddy.

»Ich möchte wetten, dass es in diesem Hundeschädel nie einen bösen Gedanken gegeben hat«, sagte sie und streichelte den riesigen Kopf.

»Wie ist es denn mit diesem Schädel?«, fragte Johann und fuhr Teddy onkelhaft über den blonden Scheitel.

»Der sitzt manchmal knüppeldick voll kleiner boshafter Gedanken«, gestand Teddy. »Freddy ist besser. Sie schlägt sicher nach Bootsmann.«

Bis zur Schäre brauchten sie fast eine Stunde und so vertrieben sie sich die Zeit damit sich zu überlegen, wie es in ihren verschiedenen Schädeln aussah und welche Gedanken es dort gab. »Was denkst du zum Beispiel, Niklas, wenn du so etwas hier siehst?«, fragte Teddy und machte eine Bewegung, die den ganzen wunderbaren, soeben erwachten Morgen mit weißen Sommerwolken am Himmel und flimmerndem Sonnengeglitzer auf dem Wasser umfing.

»Dann denke ich an Essen«, sagte Niklas.

Teddy und Freddy starrten ihn an.

»An Essen? Wieso denn?«

»Na ja, daran denke ich meistens«, sagte Niklas mit einem Grinsen.

Johann pflichtete ihm bei.

»Und außerdem hat er noch höchstens zwei Gedanken und die liegen hier drinnen und schwappen«, sagte er und klopfte an Niklas' Stirn.

»Aber in Johanns Schädel, da stehen die Gedanken so dicht wie ein Heringsschwarm«, sagte Niklas. »Manchmal quellen sie zu den Ohren heraus, wenn es drinnen zu eng wird. Das kommt bloß daher, weil er so viele Bücher liest.«

»Das tu ich auch«, sagte Freddy. »Wer weiß, eines Tages fangen die

Gedanken an auch aus mir rauszuquellen. Ich möchte mal wissen, was das für ein Gefühl ist?«

»Wenn ich Theodora bin, dann denke ich anders, als wenn ich Teddy bin«, sagte Teddy.

Johann guckte sie erstaunt an. »Theodora?«

»Denk mal, hast du das nicht gewusst? Ich heiße eigentlich Theodora und Freddy heißt Frederika.«

»Das war ein Wahnsinnseinfall von Papa«, erklärte Freddy. »Mama hat Teddy und Freddy daraus gemacht.«

»Meine Theodoragedanken sind wie ein Traum, so schön«, sagte Teddy. »Wenn die bei mir vorherrschen, dann schreibe ich Gedichte und nehme mir vor, nach Afrika zu reisen und bei den Aussätzigen zu arbeiten oder Raumforscher zu werden und als Erster auf den Mars zu kommen oder so was.«

Niklas sah Freddy an, die sich an den Riemen abrackerte.

»Und deine Frederikagedanken?«

»Hab keine«, sagte Freddy. »Ich bin die ganze Zeit nur Freddy. Aber meine Freddygedanken sind ziemlich schlau. Wollt ihr den letzten hören?«

Johann und Niklas wurden neugierig. Sie wollten gern den letzten Freddygedanken hören.

»Der lautet so«, sagte Freddy. »Ob nicht einer von diesen beiden faulen Burschen ein Weilchen rudern könnte?«

Johann beeilte sich sie an den Riemen abzulösen, aber er machte sich Sorgen, wie es wohl gehen würde. Er und Niklas hatten in dem alten, lecken Kahn des Schreinerhauses abends gerudert. Ganz im Geheimen hatten sie in Janssons Bucht geübt um nicht allzu ungeschickt zu sein, wenn sie mit Teddy und Freddy zusammen im Boot sitzen würden.

»Wir wissen auch eine ganze Menge über Boote, obwohl wir keine Schärenbewohner sind«, hatte Johann versichert, als sie die Grankvist-Mädchen kennen gelernt hatten.

Und Freddy hatte etwas verächtlich gesagt:

»Wahrscheinlich Rindenboote geschnitzt, was?«

Teddy und Freddy waren auf Saltkrokan geboren. Sie waren mit Leib und Seele Schärenmädchen. Sie wussten so gut wie alles über Schiffe und Gewässer und Wetter und Winde und wie man mit Stellnetzen fischt und mit Kiemennetzen und Grundleinen und Schleppnetzen. Sie konnten Strömlinge säubern und Barsche schuppen, sie konnten Tauwerk splissen und Schifferknoten schlingen und den Kahn mit einem Riemen wricken, genauso gut, wie sie mit zwei Riemen rudern konnten. Sie wussten, wo die Barsche standen und wo die Schilfbuchten waren, in denen man einen Hecht fangen konnte, wenn man Glück hatte; sie kannten die Eier sämtlicher Meeresvögel und deren Stimmen, und besser als daheim in der Küche ihrer Mama fanden sie sich in der ganzen verworrenen Welt von Holmen und Schäreninseln und Buchten und Sunden zurecht, die das Schärengebiet um Saltkrokan bildeten.

Sie prahlten nicht mit ihrem Wissen. Wahrscheinlich dachten sie, alles, was sie so gut konnten, war einem angeboren, wenn man ein Schärenmädchen war, so wie die Eidergans mit Schwimmhäuten zwischen den Zehen zur Welt kam und der Barsch mit Kiemen.

»Habt ihr nicht Angst, dass euch auch Kiemen wachsen könnten?«, pflegte ihre Mutter sie zu fragen, wenn sie Hilfe bei der Telefonvermittlung brauchte oder im Geschäft und wie gewöhnlich ihre Töchter aus dem Meer heraufholen musste.

Dort fand man sie bei jedem Wetter, und sie bewegten sich im Wasser genauso leicht und selbstverständlich, wie sie auf Bootsstegen und in Booten herumsprangen oder in den Mastkorb des alten Heringskutters in Janssons Bucht hinaufkletterten.

Johann hatte Blasen an den Händen, als sie auf der Schäre ankamen. Sie brannten, aber er war zufrieden. Hatte er vielleicht nicht gerudert und gut gerudert? Das genügte um ihn froh und geradezu übermütig zu machen.

»Armer kleiner Junge, er wird wie sein Vater«, sagte Melcher oft. »Ständig mal oben und mal unten.«

Eben jetzt war Johann sehr »oben« und das waren sie übrigens alle vier. Wenn Bootsmann es auch war, so verbarg er es jedenfalls gut. Er hatte die gleiche unerschütterlich besorgte Miene wie immer. Aber vielleicht war er trotzdem irgendwo in seiner Hundeseele zufrieden, als er sich auf dem Felshang zurechtlegte mit dem Rücken gegen Vestermans altes Bootshaus, dessen graue Wand die Sonne schon erwärmt hatte. Hier lag er gut und von hier aus konnte er die Kinder im Kahn sehen, wie sie die Netze heraufholten. Sie schrien und tobten derart, dass Bootsmann unruhig wurde. Waren sie etwa in Seenot und brauchten Hilfe? Es hörte sich so an, und Bootsmann konnte ja nicht wissen, dass sie vor Freude über ihr Fangglück kreischten.

»Acht Dorsche«, sagte Niklas. »Malin wird bestimmt blass. Sie hat gesagt, sie wollte gekochten Dorsch mit Senfsoße zu Mittag machen – aber nicht Tag für Tag die ganze Woche lang.«

Johann wurde immer aufgeräumter.

»Macht das Spaß!«, schrie er. »Findet etwa einer, dass Dorschefangen keinen Spaß macht? Dann soll er es nur sagen!«

»Die Dorsche wahrscheinlich«, sagte Freddy trocken.

Eine kurze Sekunde lang taten Johann die Dorsche Leid und er kannte jemanden, dem sie noch mehr Leid getan hätten, wenn er hier gewesen wäre.

»Ein Glück, dass wir Pelle nicht mitgenommen haben«, sagte er. »Dem würde das hier nicht gefallen.«

Bootsmann warf vom Bootshaus oben einen letzten forschenden Blick auf den Kahn und die Kinder. Aber als er sah, dass sie seine Hilfe nicht brauchten, gähnte er und ließ seinen Kopf auf die Vorderpfoten sinken. Jetzt wollte er schlafen.

Und wenn es stimmte, was Teddy und Freddy behaupteten, dass Bootsmann wie ein Mensch denken und fühlen konnte, dann überlegte er vermutlich, bevor er in Schlaf fiel, was Tjorven daheim wohl tat und ob sie schon wach war.

Tjorven war wach. Sehr wach. Als sie merkte, dass Bootsmann nicht wie sonst neben ihrem Bett lag, begann sie nachzudenken. Und als sie eine Weile nachgedacht hatte, wurde ihr klar, was geschehen war, und da wurde sie böse, ganz wie Freddy es vorausgesehen hatte.

Tjorven stieg mit gerunzelten Augenbrauen aus dem Bett. Bootsmann war ganz allein ihr Hund, niemand hatte das Recht mit ihm aufs Meer zu fahren. Aber Teddy und Freddy taten das andauernd ohne überhaupt zu fragen. So konnte das einfach nicht weitergehen! Tjorven ging spornstreichs ins Schlafzimmer um sich zu beschweren. Ihre Eltern schliefen, aber Tjorven marschierte ohne Erbarmen ans Bett ihres Vaters und rüttelte ihn.

»Papa, weißt du was«, sagte sie aufgebracht, »Teddy und Freddy haben Bootsmann mit auf die Schären genommen.«

Nisse öffnete widerwillig ein Auge und warf einen Blick auf den Wecker.

»Musst du morgens um sechs Uhr kommen und mir das erzählen?«

»Ja, früher konnte ich nicht kommen«, sagte Tjorven. »Ich hab es ja jetzt erst gemerkt.«

Ihre Mutter bewegte sich schlaftrunken in dem anderen Bett.

»Mach nicht solchen Krach, Tjorven«, murmelte sie. Es war bald Zeit für Märta aufzustehen und einen neuen, arbeitsreichen Tag zu beginnen. Diese letzte halbe Stunde, bevor der Wecker klingelte, war für sie so kostbar wie Gold, aber das begriff Tjorven nicht.

»Ich mach keinen Krach, ich bin nur böse«, sagte sie.

Niemand würde in einem Zimmer schlafen können, in dem Tjorven böse war, es sei denn, er war stocktaub. Märta merkte, wie grausam hellwach sie wurde, und sie sagte ungeduldig:

»Warum machst du so ein Theater? Bootsmann darf doch wohl auch mal ein bisschen Spaß haben.«

Jetzt ging es aber erst richtig los.

»Und ich?«, rief Tjorven. »Soll ich etwa nie ein bisschen Spaß haben? Pfui, ist *das* ungerecht!«

Nisse stöhnte und bohrte den Kopf in das Kissen.

»Geh raus, Tjorven! Geh woanders hin, wenn du böse sein musst! Wir wollen das nicht mitanhören.«

Tjorven stand stumm da. Sie schwieg eine Weile, und ihre Eltern hatten schon fast die Hoffnung, dass diese selige Stille anhalten würde. Sie bemerkten nicht, dass Tjorven nur einen neuen Anlauf nahm. »O ja, das ist fein«, schrie sie schließlich. »Aber ich geh schon. Ich gehe und komme nie wieder zurück. Ich will aber hinterher kein Gejammer hören, wenn ihr keine Tjorven mehr habt.«

Nun sah Märta ein, dass dies eine ernste Angelegenheit war, und sie streckte Tjorven versöhnlich die Hand hin.

»Du willst doch nicht etwa ganz und gar verschwinden, Hummelchen?«

»Doch, das ist sicher das Beste«, sagte Tjorven. »Dann könnt ihr immerzu schlafen und schlafen und schlafen.«

Märta erklärte ihr, dass sie ihre liebe kleine Tjorven um jeden Preis behalten wollten, nur vielleicht nicht gerade im Schlafzimmer um sechs Uhr morgens. Aber Tjorven hörte gar nicht hin. Sie ging hinaus und knallte die Tür hinter sich zu.

Im bloßen Nachthemd lief sie ins Freie.

»Immerzu schlafen und schlafen«, knurrte sie und Tränen des Zorns standen in ihren Augen. Aber nach und nach wurde ihr klar, dass sie zu früh aufgewacht war. Dieser Tag wirkte so neu. Sie spürte es an der Luft und an dem betauten Gras, das ihre nackten Füße kühlte, und sie konnte es an der Sonne sehen, die nicht ganz dort stand, wo sie sollte. Nur die Möwen waren wach und kreischten wie gewöhnlich. Eine davon saß auf der Spitze des Fahnenmastes und sah aus, als gehörte ihr ganz Saltkrokan.

So übermütig war Tjorven nicht, im Augenblick nicht. Sie stand nachdenklich da und zupfte mit den Zehen Grashalme aus. Dies war eine finstere Sache. Sie ärgerte sich schon, dass sie eben so kindisch gewesen war. So von zu Hause wegzulaufen, das taten ja nur kleine Kinder, und das wussten Mama und Papa ebenso gut wie sie selber. Aber es wäre so schmachvoll jetzt zurückzugehen. Sie konnte das nicht so ohne weiteres tun. Es musste eine ehrenhafte Art und Weise geben um aus dieser Klemme herauszukommen. Sie dachte angestrengt nach und rupfte viele Grashalme aus, bis sie plötzlich wusste, was sie machen sollte. Da rannte sie zum offenen Schlafzimmerfenster und steckte den Kopf hinein. Ihre Eltern waren dabei sich anzuziehen und waren so wach, wie sie es sich nur wünschen konnte.

»Ich gehe zu Söderman in Stellung«, sagte Tjorven und sie fand selber, dass das ein guter Einfall sei. Nun musste es Mama und Papa klar werden, dass sie das die ganze Zeit gemeint hatte und nicht irgendwas Kindisches. Söderman wohnte allein in seiner Kate unten am Wasser. Und er klagte ständig darüber, wie schwer er es habe so ohne Hilfe im Haushalt.

»Kannst du nicht zu mir in Stellung kommen, Tjorven?«, hatte er einmal gesagt. Aber da hatte Tjorven gerade keine Zeit gehabt. Wie gut, dass ihr das jetzt eingefallen war. Eine Stellung im Haushalt, die brauchte man nicht so furchtbar lange zu behalten. Später konnte man zu Mama und Papa nach Hause gehen und wieder ihre Tjorven sein, als wäre nichts gewesen.

Nisse streckte seine väterliche Hand durchs Fenster und klopfte Tjorven auf die Wange.

»Dann bist du also nicht mehr böse, Hummelchen?«

Tjorven schüttelte verlegen den Kopf.

»Nee.«

»Das finde ich aber schön«, sagte Nisse. »Es hat keinen Sinn böse zu werden, denn siehst du, man wird so jähzornig davon.« Da musste Tjorven ihm Recht geben.

»Glaubst du, Söderman will dich als Hausangestellte haben?«, fragte Märta. »Er hat ja Stina.«

43

Daran hatte Tjorven nicht gedacht. Es war im letzten Winter gewesen, als Söderman sie gefragt hatte. Da hatte es Stina nicht gegeben, da wohnte sie in der Stadt bei ihrer Mama. Tjorven überlegte, aber nicht lange.

»Hausangestellte müssen stark sein«, sagte sie, »und das bin ich.« Dann lief sie los, um Söderman so schnell wie möglich von seinem Glück wissen zu lassen. Aber ihre Mutter rief sie zurück.

»Hausangestellte können nicht im Nachthemd arbeiten«, sagte sie. Und das sah Tjorven ein.

Söderman saß hinter seiner Kate und entwirrte seine Strömlingsnetze, als Tjorven angelaufen kam.

»Die müssen stark sein, tralala«, sang sie. »Ganz infernalisch stark, tralala...« Sie brach ab, denn sie entdeckte Söderman. »Söderman, weißt du was«, sagte Tjorven, »rate mal, wer heute dein Geschirr abwäscht?«

Bevor Söderman noch mit Raten anfangen konnte, tauchte in dem offenen Fenster hinter ihm ein strubbeliger Kopf auf.

»Ich«, sagte Stina.

»Nee«, versicherte Tjorven, »du bist nicht stark genug.«

Es dauerte eine Weile, bis Stina davon überzeugt war, aber zuletzt musste sie sich widerwillig damit abfinden. Tjorven hatte nur verschwommene Vorstellungen von Hausangestellten, so was hatte noch nie seinen Fuß auf Saltkrokan gesetzt. Ihr schwebte vor, dass es starke, eisenharte Geschöpfe seien, die ungefähr vorgingen wie ein Eisbrecher, der im Winter die Fahrrinne für die Dampfer aufbricht. Und mit ungefähr gleicher Kraft machte Tjorven sich ans Abwaschen in Södermans Küche.

»Ein bisschen *darf* man kaputtmachen«, versicherte sie, als Stina wegen ein paar Tellern jammerte, die auf den Fußboden gefallen waren.

Tjorven goss großzügig Spülmittel in die Abwaschwanne, sodass sich der herrlichste Schaum bildete. Sie wusch mit Schwung ab und sang, dass es bis zu Söderman hinaustönte, während Stina ziemlich übel gelaunt auf einem Stuhl saß und zuschaute. Sie war jetzt die Frau des Hauses, »denn die brauchen nicht so stark zu sein«, hatte Tjorven erklärt.

»Jedenfalls nicht so infernalisch stark«, sang Tjorven, aber dann fiel ihr etwas anderes ein. »Ich backe auch gleich Pfannkuchen«, sagte sie.

»Wie macht man das?«, wollte Stina wissen.

»Ganz einfach: Man rührt und rührt und rührt«, sagte Tjorven. Sie war mit dem Abwaschen fertig und nun goss sie das Abwaschwasser rasch aus dem Fenster. Aber darunter lag Matilda, Södermans Katze, und sonnte sich. Sie fuhr mit einem erschrockenen Miauen hoch und kam in die Küche gerast, dass der Schaum um sie herumspritzte.

»Katzen darf man nicht abwaschen«, sagte Stina streng.

»Das war nur ein Unfall«, sagte Tjorven. »Aber wenn man sie abgewaschen hat, dann muss man sie auch abtrocknen.«

Sie nahm das Geschirrtuch, und gemeinsam trockneten sie Matilda ab und versuchten sie zu beruhigen. Man sah es Matilda an, dass sie sich schmählich behandelt fühlte, denn sie miaute ärgerlich von Zeit zu Zeit und hinterher wollte sie nichts als schlafen.

»Wo habt ihr das Mehl stehen?«, fragte Tjorven, als sie endlich wieder an ihre Pfannkuchen denken konnte. »Hol es mal her!« Stina kletterte gehorsam auf einen Stuhl und zog die Schublade mit dem Mehl aus dem Küchenschrank. Es war schwierig, sie musste sich sehr recken um heranzulangen, und schwer war es auch. Und tatsächlich, Tjorven hatte Recht, Stina war nicht stark genug. »Au wei, ich lasse es fallen«, rief sie. Das Schubfach schwankte in ihren kleinen Händen, sodass der größte Teil vom Mehl herausflog. Und es flog auf Matilda hinab, die auf dem Fußboden darunter lag und gerade eingeschlummert war.

»Sieh mal, das ist eine ganz andere Katze geworden«, sagte Tjorven verdutzt.

Matilda war für gewöhnlich schwarz, aber das Tier, das jetzt mit einem Satz zur Tür hinausschoss, war weiß wie ein Gespenst und hatte wilde, weit aufgerissene Augen.

»Sie wird allen Katzen auf ganz Saltkrokan einen Todesschrecken einjagen«, sagte Tjorven. »Arme Matilda, sie hat auch einen richtigen Unglückstag.«

Kalle Hüpfanland kreischte in seinem Käfig, es hörte sich an, als lache er über Matildas Unglück. Stina öffnete den Käfig und ließ den Raben heraus.

»Ich bring ihm gerade das Sprechen bei«, erzählte sie Tjorven. »Ich will ihm beibringen zu sagen: ›Zum Kuckuck mit dir!‹«

»Wozu das?«, fragte Tjorven.

»Na, weil Pelles Großvater das kann«, sagte Stina, »und sein Papagei auch.«

Da stand jemand in der Tür und das war niemand anders als Pelle selbst.

»Was macht ihr?«, fragte er.

»Pfannkuchen«, sagte Tjorven. »Aber Matilda ist mit dem ganzen Mehl weggelaufen. Ich glaub, es gibt doch keine.«

Pelle kam herein. Er fühlte sich bei Söderman wohl, das taten alle Kinder. Auf der ganzen Insel gab es keine kleinere Kate: nur eine Küche und eine kleine Kammer, aber viel Trödel, eine Menge Sachen zum Ansehen. Nicht nur Kalle Hüpfanland, der allerdings für Pelle am wichtigsten war. Außerdem gab es da noch eine ausgestopfte Eidergans und zwei gebundene Jahrgänge alter Witzblätter und ein aufregendes Bild, auf dem Leute, in Schwarz gekleidet, Särge auf Schlitten übers Eis fuhren. »Die Cholera wütet« stand darunter. Und dann besaß Söderman eine Flasche, in der ein ganz kleines Segelschiff war. Pelle wurde nicht müde es anzusehen, und Stina wurde nicht müde es zu zeigen.

»Wie haben sie das eigentlich gemacht, dass sie das Schiff in die Flasche kriegten?«, erkundigte sich Pelle.

»Ja, du«, sagte Stina. »Das kann dein Großvater nicht.«

»Nee, das ist nämlich das Allerschwerste«, sagte Tjorven. »Seht mich mal an«, sagte sie dann.

Und da vergaßen sie das Schiff in der Flasche, weil sie Tjorven ansehen mussten. Sie stand mitten in der Küche und auf ihrem Kopf saß der Rabe. Es war ein merkwürdiger, märchenhafter Anblick, der sie verstummen ließ.

Tjorven fühlte, wie sich die Vogelkrallen in ihrem üppigen Haarschopf festklammerten, und sie lachte selig.

»Stellt euch vor, wenn der Eier in meinem Haar legt.«

Doch diese Hoffnung nahm ihr Pelle.

»Das kann er gar nicht. Dafür braucht man ein Weibchen, weißt du.«

»O doch«, sagte Tjorven, »wenn er ›Zum Kuckuck mit dir‹ sagen lernt, dann kann er auch Eierlegen lernen.«

Pelle schaute den Raben sehnsuchtsvoll an und sagte mit einem Seufzer: »Ich möchte so gern ein Tier haben. Ich hab bloß ein paar Wespen.«

»Wo hast du die denn?«, fragte Stina.

»Bei uns im Schreinerhaus. Gleich unterm Dach ist ein Wespennest. Papa ist schon gestochen worden.«

Stina lächelte ein zufriedenes zahnloses Lächeln.

»Ich, ich hab viele Tiere. Einen Raben und eine Katze und zwei Lämmer.«

»Ach was, das sind ja gar nicht deine«, sagte Tjorven. »Die gehören deinem Großvater.«

»Ich darf aber trotzdem so tun, als ob es meine wären, wenn ich bei ihm bin«, sagte Stina. »So!«

Da umdüsterte sich Tjorvens Gesicht und sie sagte finster: »Aber ich, ich habe einen Hund. Wenn diese Schufte bloß endlich mit ihm nach Hause kommen wollten.«

Ihr Hund, ja, ihr Bootsmann! Der unternahm gerade einen kleinen Spaziergang auf eigene Faust um die ganze Schäre herum, und diese sogenannten Schufte merkten nicht einmal, dass er fort war.

Sie hatten einen herrlichen Morgen gehabt, ach, wie herrlich! »Zuerst baden wir«, hatte Teddy gesagt, und das taten sie dann. Das Wasser war wie immer im Juni. Nur junge Toren von zwölf, dreizehn Jahren stürzen sich freiwillig in ein so bitterkaltes Nass. Aber genau solche jungen Toren waren sie ja, und sie starben nicht daran, im Gegenteil, sie lebten und sie glühten. Und sie stürzten sich jubelnd von den Felsen und tauchten und schwammen und spielten und platschten im Wasser herum, bis sie vor Kälte blau waren. Da zündeten sie sich auf einem geschützten Felshang ihr Lagerfeuer an und setzten sich drum herum, und in ihrem Blut spürten sie sämtliche Indianer und Neusiedler und Pelztierjäger und Steinzeitmenschen, die um Lagerfeuer gesessen haben, seit das Menschengeschlecht auf dieser Erde lebt. Sie waren jetzt Fischer und Jäger und Fänger, sie führten das freie Leben der Wildnis und grillten ihre Beute über der Glut, während Seeschwalben und Mantelmöwen und Silbermöwen kreischend über ihnen kreisten und versuchten ihnen zu sagen, dass aller gegrillte Dorsch auf dieser Insel eigentlich ihnen gehöre.

Aber die Eindringlinge blieben unbekümmert sitzen und aßen und aßen ihren vorzüglichen Dorsch und machten den widerwärtigsten Lärm. »Kra, kra, kra«, schrien sie und hörten sich an wie Krähen, ja, denn sie hatten gerade einen geheimen Klub gegründet, dem sie den geheimen Namen »Die Vier Salzkrähen« geben wollten und der für ewig geheim bleiben sollte. Ihr Kampfruf war *nicht* geheim, alle Seeschwalben und Mantelmöwen und Silbermöwen hörten ihn und mochten ihn gar nicht. »Kra, kra, kra«, tönte es über Felsinseln und Schären und Fjorde, aber mehr erfuhr keiner, denn alles Übrige war ganz geheim, ganz geheim, ganz geheim.

Die Glut ihres Feuers wurde zu Asche, sie aber blieben auf dem sonnenheißen Felsen liegen und unterhielten sich über all das Geheime, das sie miteinander unternehmen wollten, sobald sie Zeit dafür hatten.

Und die Stunden vergingen, die Junisonne ließ weiterhin verschwenderisch ihre Strahlen über sie hinfluten, und sie lagen dort und spürten den Sommer im ganzen Körper als etwas wunderbar Schönes und Unbeschreibliches, zum Faulenzen geschaffen.

Bis Freddy draußen auf dem Fjord einen treibenden Kahn entdeckte. Er war so weit entfernt, dass sie ihn kaum noch erkennen konnten, aber dass er leer war, das sahen sie.

»Wie vertäuen eigentlich die Leute ihre Boote?«, fragte Johann.

Da fuhr Teddy hoch, als ob ihr ein entsetzlicher Gedanke gekommen wäre. »Ja, das möchte ich auch mal wissen«, sagte sie, als sie nachgeguckt hatte. In der Felsspalte, in die sie den Kahn hineingezogen hatten, lag kein Kahn mehr. Teddy sah Johann streng an.

»Das möchte ich tatsächlich wissen – wie vertäust du eigentlich ein Boot?«

Johann war es gewesen, der gesagt hatte, *er* wollte das Festmachen übernehmen, damit es ordentlich gemacht werde.

»Ist es nicht sonderbar, dass ein Kind seinem Vater aufs i-Tüpfelchen gleichen kann?«, pflegte Malin von Johann zu sagen. Und es war wirklich sonderbar.

Sie konnten den Kahn noch immer weit draußen im Sonnenschein erkennen. Freddy stand auf einem Stein und winkte dem Boot mit beiden Händen nach.

»Leb wohl, leb wohl, mein kleines Boot, grüß Finnland von uns!«

Aber Johann war rot geworden. Er sah die anderen beschämt an.

»Es ist alles meine Schuld. Seid ihr jetzt böse auf mich?«

»Ach was«, sagte Teddy. »So was passiert schon mal.«

»Wie kommen wir aber jetzt hier weg?«, fragte Niklas und versuchte, seine Stimme nicht genauso ängstlich klingen zu lassen, wie ihm zumute war.

Teddy zuckte mit den Schultern.

»Wir müssen eben warten, bis jemand vorbeikommt. Das kann natürlich einige Wochen dauern«, fügte sie hinzu. Es war zu verführerisch ihm ein bisschen Angst einzujagen.

»Na, dann wird zum mindesten Bootsmann verhungert sein«, sagte Johann. Er wusste, was für Portionen Tjorvens Hund sich einverleiben konnte.

49

Da fiel ihnen Bootsmann ein. Wo war er eigentlich? Sie erinnerten sich jetzt, dass sie ihn seit langem nicht mehr gesehen hatten.

Freddy rief nach ihm, aber er kam nicht. Da schrien sie alle, dass die Möwen erschrocken davonflatterten; aber es kam kein Hund.

»Kein Hund und kein Boot, gibt es sonst noch etwas, was wir nicht haben?«, sagte Teddy.

»Etwas zu essen«, sagte Niklas.

Aber da wies Freddy triumphierend auf ihren Rucksack, den sie in eine Felsspalte gestellt hatte.

»Stellt euch vor, zu essen haben wir doch! Einen ganzen Rucksack voller Butterbrote. Und sieben Dorsche!«

»Acht«, sagte Johann.

»Nein, einen haben wir ja gegessen«, erinnerte Freddy.

»Trotzdem acht«, sagte Johann. »Mich dazugerechnet, der größte Dorsch im nördlichen Schärengebiet.«

Sie standen unschlüssig herum. Der Glanz dieses Tages fing an zu verblassen und nun hatten sie Sehnsucht nach zu Hause.

»Übrigens«, sagte Freddy und machte plötzlich ein besorgtes Gesicht, »übrigens glaube ich, da draußen kommt Nebel auf.«

Aber im selben Augenblick hörten sie das vertraute Tuckern eines Benzinmotors auf dem Fjord, zunächst schwach, nach und nach aber immer lauter.

»Guckt mal, das ist Björns Boot«, rief Freddy und sie und Teddy begannen, wie wild zu hopsen und zu schreien. »Und guckt mal, er hat unseren Kahn im Schlepp.«

»Wer ist Björn?«, fragte Niklas, während sie dastanden und warteten und zusahen, wie das Motorboot immer näher kam.

Teddy winkte dem im Boot zu. Es war ein braungebrannter junger Mann mit einem angenehmen, kräftig geschnittenen Gesicht. Er sah fast aus wie ein Fischer, sein Boot sah auch aus wie ein richtiges Fischerboot.

»Hej, Björn!«, rief Teddy. »Du kommst uns gerade recht! Das ist unser Lehrer«, erklärte sie Niklas.

»Sagt ihr einfach Björn zu ihm?«, fragte Johann erstaunt.

»So heißt er doch«, versicherte Teddy, »und wir kennen ihn ja schließlich.«

Das Boot fuhr jetzt langsamer und steuerte auf den Felsen zu, auf dem die Kinder standen.

»Hier habt ihr euren alten Kahn«, rief Björn und schleuderte Teddy die Fangleine zu. »Wie vertäut ihr eigentlich?«

Teddy lachte. »Ach, das ist verschieden.«

»Soso«, sagte Björn. »Aber mit dieser Art solltet ihr lieber aufhören. Es ist nämlich nicht sicher, dass ich dauernd vorbeikomme und eure Siebensachen aufsammle.« Und dann fügte er noch etwas hinzu. »Fahrt auf der Stelle nach Hause. Es kommt Nebel auf und ihr müsst euch beeilen, wenn ihr vor ihm nach Saltkrokan kommen wollt.«

»Na, und du?«, fragte Teddy.

»Ich muss raus nach Harskär«, sagte Björn, »sonst hätte ich euch ins Schlepptau genommen.«

Dann fuhr er davon und sie hörten, wie sich das Motorengetucker in Richtung von Harskär entfernte.

Wäre Bootsmann da gewesen, hätten sie sofort aufbrechen können, und dann hätte Melcher an diesem Abend keine Beruhigungstabletten zu schlucken brauchen. Doch das Leben besteht aus einer Kette von kleinen und großen Geschehnissen und die hängen zusammen wie Erbsstroh. Ein einziger kleiner Hecht kann viel Unfug anrichten und erwachsene Männer wie Melcher zwingen Beruhigungstabletten zu nehmen.

So klein war er übrigens gar nicht, dieser Hecht. Es war ein richtig unheimlicher alter Bursche von annähernd vier Pfund, dessen Bekanntschaft Bootsmann bei seinem Spaziergang rund um die Schäre gemacht hatte. Die Bekanntschaft beschränkte sich darauf, dass sie einander über eine Stunde lang ins Auge starrten, Bootsmann auf einer felsigen Uferböschung, der Hecht im seichten Wasser dicht davor. Bootsmann war einem Blick wie diesem aus kalten, starren Hechtaugen noch nie begegnet, er hatte noch nie ein so erstaunliches Tier zu Gesicht bekommen und er konnte sich nicht davon losreißen. Der Hecht seinerseits sah aus, als ob er dächte: Glotz du nur, du Ungetüm, mir jagst du keine Angst ein und ich stehe hier, solange es mir passt.

Mit diesem Hecht aber gingen viele kostbare Minuten verloren. Es dauerte viel zu lange, bis Hund und Kinder und Dorsche und Netze und Badeanzüge und Rucksäcke endlich eingesammelt und ins Boot gebracht waren. Unterdessen kam der Nebel immer näher. Große, formlose Nebelbänke wallten vom Meer heran und die Kinder waren noch nicht weit von der Schäre weg, als sie auch schon von Nebel umfangen waren wie von weichen, grauen, wolligen Armen.

»Das ist, wie wenn man träumt«, sagte Johann.

»So einen Traum hab ich nicht besonders gern«, versicherte Niklas.

Irgendwo in weiter Ferne hörten sie ein Nebelhorn dumpf tuten, sonst war alles still. Ob Niklas es nun gern hatte oder nicht, aber es war genau so still wie in einem Traum.

Verirrt im Nebel

Daheim auf Saltkrokan schien noch immer die Sonne, und Melcher war dabei, die Gartenmöbel anzustreichen. Er habe seit seiner Kindheit nichts mehr anstreichen dürfen, seit er einmal einen bösen kleinen Mann in roter Farbe auf die Tapete im Salon gemalt habe, beklagte er sich bei Malin. Das war eine Ungerechtigkeit und die sollte jetzt sofort aus der Welt geschafft werden. Heutzutage sei das Streichen leicht, erklärte er ihr. Man brauche sich nicht mit Pinseln und Farbtöpfen abzumühen, jetzt brauche man nur eine handliche kleine Spritze, rasch ginge es und gut würde es, versicherte Melcher.

»Das denkst du«, sagte Malin.

Sie hatte Nisse Grankvist auf verschiedene Dinge vorbereitet, die Melcher wahrscheinlich bei ihm kaufen wollte und die er auf keinen Fall in die Hand bekommen dürfte.

»Keine Sense, kein Beil, kein Brecheisen«, hatte sie gesagt.

»Kein Brecheisen?«, sagte Nisse. »Mit einem Brecheisen kann er doch aber kein Unheil anrichten.«

»Du würdest nicht so reden, wenn du neunzehn Jahre mit ihm zusammengelebt hättest«, versicherte Malin. »Na ja, dann gib ihm nur das Brecheisen, aber sorge bitte dafür, dass deine Regale voll Verbandstoff ›für erste Hilfe‹ und schmerzstillender Mittel sind.«

Eine Farbenspritze hatte sie vergessen zu erwähnen, und daher stand Melcher nun hier, glücklich wie ein Kind, und bespritzte einen Gartenstuhl, der sicher nicht mehr gestrichen worden war, seit es der fröhliche Schreiner getan hatte.

Tjorven hatte nach zwei Stunden ausdauernder und treuer Dienste ihre Stellung gekündigt. Jetzt scharten sie sich um Melcher, sie und Pelle und Stina. Das sah so lustig aus, diese Anstreicherei, am liebsten hätten sie alle drei mitgeholfen.

»Untersteht euch«, sagte Melcher. »Dies ist mein Spielzeug, jetzt hab ich ausnahmsweise mal Spaß.«

»Bist du ein Spritzmaler, Herr Melcher?«, fragte Tjorven.

Melcher ließ einen Strom von Farbe über den Stuhl rinnen.

»Nein, das bin ich nicht. Aber, siehst du, ein tüchtiger Mann muss so gut wie alles können.«

»Bist du das denn?«, fragte Tjorven.

»Ja, das ist er«, versicherte Pelle.

»Das bin ich«, sagte Melcher zufrieden. »Ein sehr tüchtiger Mann, wenn ich das von mir selber sagen darf.«

In diesem Augenblick kam eine von Pelles Wespen angesurrt, und da Melcher schon einmal gestochen worden war, fuchtelte er jetzt mit der Spritze herum um sie zu verscheuchen. Wie er es angestellt hatte, war hinterher nicht festzustellen. Das war fast nie möglich bei Melchers Missgeschicken, es blieb stets ein Geheimnis. Malin in der Küche hörte jedenfalls den Aufschrei und als sie ans Fenster stürzte, sah sie Melcher draußen stehen, die Augen fest zusammengekniffen und das Gesicht verkleistert. Tüchtig wie er war, hatte er sich selber mit der Spritze bemalt und er war weiß im Gesicht wie eine Sahnetorte.

Oder wie Matilda, dachte Tjorven und lachte leise vor sich hin.

Aber Pelle weinte.

Nun war es nicht so schlimm mit Melcher, wie Pelle dachte. Er hatte so viel Verstand besessen die Augen rasch zusammenzukneifen, und er hielt sie noch immer fest geschlossen, als er auf die Küchentür zuwankte um sich von Malin helfen zu lassen. Er tastete mit den Händen und den Kopf hielt er vorgestreckt, so weit er konnte, einmal, weil die Farbe nicht aufs Hemd hinunterrinnen sollte, und andererseits, damit Malin sofort erkennen konnte, um welchen Körperteil es sich diesmal handelte. Da stieß er gegen einen Baum.

Einen Apfelbaum, den der fröhliche Schreiner wahrscheinlich mit Liebe und Freude gerade hier eingepflanzt hatte. Melcher hatte Apfelbäume auch sehr gern, aber jetzt waren seine Klagerufe so wild und verzweifelt, wie Malin sie noch nie von ihrem Vater gehört hatte. Und sie hatte schon viele gehört.

Pelle weinte noch mehr und Stina fing ebenfalls an. Aber als Tjorven Herrn Melchers Sahnetorte-Gesicht sah, das nun noch mit Moos und Flechte garniert war wie andere Torten mit Mandelsplittern, da war sie so gescheit um die Hausecke zu laufen. Denn sie merkte, dass ein lautes Lachen aus ihr heraus wollte, und sie wollte Herrn Melcher nicht noch trauriger machen, als er schon war.

Hinterher – nachdem Malin ihn gesäubert und seine Augen mit Borwasser ausgewischt hatte – wollte Melcher den Apfelbaum umhauen.

»Hier stehen zu viele Bäume«, rief er, »ich lauf zu Nisse und kauf eine Axt.«

»Nein, danke«, sagte Malin, »jetzt möchte ich ein bisschen Ruhe und Frieden haben.«

Ach, wenn sie gewusst hätte, wie wenig Ruhe und Frieden sie an diesem Tage haben würden!

Es fing damit an, dass Melcher plötzlich Johann und Niklas vermisste.

»Wo stecken die Jungen?«, fragte er Malin.

»Draußen auf der Schäre, das weißt du doch«, sagte Malin. »Aber ich finde, sie müssten jetzt bald zu Hause sein.«

Das hörte Tjorven und sie verzog böse den Mund.

»Das finde ich auch. Die Dummköpfe! Ich finde, sie könnten endlich Bootsmann bringen. Bloß sie können wohl nicht wegen dem Nebel.«

Melcher hatte beschlossen ein paar Tage mit den Gartenmöbeln zu warten. Jetzt saß er auf der Treppe des Schreinerhauses und blinzelte unaufhörlich. Trotz der Behandlung mit Borwasser hatte er ein Gefühl, als hätte er Sand in den Augen.

»Was redest du von Nebel?«, fragte er Tjorven. »Die Sonne scheint ja, dass einem die Augen brennen.«

»Ja, hier«, sagte Tjorven. »Aber hinter Lillasken liegt der Nebel so dick wie Brei.«

»Ja, das hat Großvater auch gesagt«, erklärte Stina. »Und Großvater und ich, wir wissen alles, wir hören immer Radio.«

Es dauerte etwa zwei Stunden, bis das, was Malin das Große Beben nannte, bei Melcher ausbrach. Es war genau wie immer und genau so, wie sie es erwartet hatte.

Malin wusste, ihr Vater war ein mutiger Mann. Wie mutig, das wusste wahrscheinlich nur sie allein, denn sie hatte ihn in entscheidenden Augenblicken des Lebens gesehen. Andere sahen vielleicht nur den nachgiebigen und kindlichen, manchmal geradezu lächerlich kindischen Melcher; aber hinter all seinem Gebaren verbarg sich ein anderer Mensch, der stark war und völlig furchtlos, das heißt in allem, was ihn selbst betraf.

»Aber sobald es um deine Kinder geht, benimmst du dich geradezu läppisch«, sagte Malin.

Das sagte sie, als er dasaß und wegen Johann und Niklas jammerte. Aber bevor es so weit gekommen war, war er dreimal bei Nisse und Märta gewesen.

»Es ist nicht so, dass ich unruhig bin«, hatte er mit verlegenem Lächeln versichert, als er das erste Mal hingegangen war.

»Eure Kinder sind ja mit dem Meer vertraut, ihretwegen sorge ich mich kein bisschen«, beteuerte er das zweite Mal. »Aber Johann und Niklas draußen in dieser dicken Milchsuppe...« Denn jetzt hatte der Nebel Saltkrokan erreicht und er flößte ihm Furcht ein.

»Meine Kinder stecken in genau derselben Milchsuppe«, sagte Nisse. Als Melcher zum dritten Mal in den Kaufmannsladen kam, lachte Nisse und sagte: »Was darf es denn heute sein? Ich hab prima Brecheisen, mit denen kannst du dir eins auf den großen Zeh hauen, damit du zur Abwechslung mal über etwas anderes zu jammern hast.«

»Danke, ich brauch kein Brecheisen«, sagte Melcher. Dann lächelte er wieder sein verlegenes Lächeln.

»Wie gesagt – es ist nicht, weil ich unruhig bin, hätte man aber nicht allen Grund den Seerettungsdienst zu alarmieren?«

»Weshalb denn?«, fragte Nisse.

»Na ja, weil ich so wahnsinnig unruhig bin«, sagte Melcher.

»Das ist kein Grund«, meinte Nisse. »Der Seerettungsdienst kann in dieser Waschküche auch nichts sehen. Und was kann den Kindern zustoßen? Der Nebel lichtet sich wohl bald und das Wasser ist ja völlig still.«

»Ja, das Wasser schon«, sagte Melcher. »Ich wünschte, ich wäre es auch.«

Missgestimmt ging er zum Bootssteg hinunter, und als er dieses Graue, Formlose sah, das wie in Wogen auf ihn zurollte, da packte ihn ein Grauen, und er schrie, so laut er konnte:

»Johann! Niklas! Wo seid ihr? Kommt nach Hause!«

Aber Nisse, der ihm gefolgt war, schlug ihm freundlich auf die Schulter. »Mein guter Melcher, man kann nicht in den Schären wohnen, wenn man sich so anstellt. Und es wird auch nicht das kleinste bisschen besser, weil du hier stehst und wie ein Nebelhorn heulst. Komm mit zu Märta hinein, wir wollen Kaffee trinken und Wecken essen, komm nur.«

Aber Melcher war von Kaffee und Wecken so weit entfernt, wie ein Mensch davon entfernt sein konnte. Er sah Nisse mit verzweifelten Augen an.

»Sie sind vielleicht noch draußen auf der Schäre – glaubst du nicht auch? Sie sitzen vielleicht in Vestermans Bootsschuppen und haben es warm und schön und gemütlich. Sag, dass du das glaubst«, bat er beschwörend.

Nisse sagte, er glaube es. Aber gerade da kam ein Motorboot durch den

Nebel getöfft und machte am Ponton fest. Es war Björn, der von Harskär zurückkam, und der verdarb alles. Auf der Schäre seien keine Kinder, beteuerte er, denn er sei eben da vorbeigefahren und habe nachgesehen. Da ging Melcher murmelnd fort. Er traute sich nicht zu sprechen, weil niemand die Tränen in seiner Stimme hören sollte.

Auch als er zu Malin hineinkam, sagte er nichts. Sie saß mit Pelle im Wohnzimmer. Pelle zeichnete. Malin strickte. Und die alte Amerikaner-uhr an der Wand tickte leise, die Glut vom abendlichen Feuer leuchtete im Kamin, der ganze Raum war voll tiefstem Frieden.

So ruhig, so friedvoll, so wunderbar könnte das Leben sein, dachte Melcher, wenn man nur nicht zwei Kinder in Seenot draußen auf dem Meer hätte.

Melcher sank aufs Sofa und seufzte schwer. Malin warf ihm einen forschenden Blick zu. Sie wusste genau, wie es um ihn stand, und das Große Beben würde nicht lange auf sich warten lassen. Dann brauchte er sie, aber bis dahin saß sie schweigend da und strickte.

Und Melcher nahm sie nicht mehr wahr. Weder sie noch Pelle, sie gingen ihn nichts an. In diesem Augenblick hatte er nur zwei Kinder und die kämpften draußen auf dem Meer um ihr Leben. Er sah sie viel deutlicher vor sich als Malin und Pelle. Aber sie verhielten sich dauernd anders. Mal lagen sie halbtot vor Hunger und Kälte auf dem Boden des Kahns und riefen mit schwacher Stimme nach ihrem Vater. Mal lagen sie im Wasser und versuchten mit letzter Kraft eine kleine Felsinsel zu erklim-men. Sie krallten sich mit den Nägeln fest und schrien voller Angst nach ihrem Vater. Nun aber kam eine riesige Woge – wo die nun herkommen mochte, da es doch ganz still war? –, aber sie kam und riss seine beiden Kinder mit sich und sie versanken und ihre Haare wogten wie Seegras unter Wasser, ach Herrgott, weshalb konnten Kinder nicht für immer drei Jahre alt bleiben und auf dem Sandhaufen sitzen mit Eimer und Schaufel, damit einem solche Qual erspart blieb!

Er seufzte schwer ein über das andere Mal, da endlich erinnerte er sich an

Malin und Pelle und er sah ein, dass er sich zusammennehmen musste. Er sah Pelles Zeichnung an. Sie stellte ein Pferd vor, das sah er; das Pferd sah aber im Gesicht genauso aus wie der alte Söderman. Normalerweise hätte Melcher gelacht, jetzt sagte er nur:

»Na, Pelle, du zeichnest? Und du, Malin – was strickst du denn da?«

»Einen Pullover für Niklas«, antwortete Malin.

»Da wird er sich aber freuen«, sagte Melcher; er schluckte jedoch heftig, denn er wusste ja, dass Niklas auf dem Meeresgrund lag und nie mehr einen Pullover brauchen würde. Niklas, Niklas, sein lieber Junge! Wenn man bedenkt, wie er damals, als er zwei Jahre alt war, aus dem Fenster gefallen war. Schon damals hatte Melcher begriffen, dass er so ein engelhaftes Kind war, dem kein langes Leben beschieden sein würde. Ach, das war ja Pelle gewesen, fiel ihm plötzlich ein, und er warf dem armen Pelle, dessen einziger Fehler der war, dass er nicht auf dem Meeresgrunde lag, einen missbilligenden Blick zu.

Aber Pelle war ein gescheiter kleiner Kerl, der mehr verstand, als Melcher und Malin jemals klar wurde. Nachdem er sich lange genug die stummen Seufzer angehört hatte, die sein Vater in regelmäßigen Abständen ausstieß, legte er die Zeichnung beiseite. Er wusste, erwachsene Menschen brauchten auch manchmal Trost, und so ging er denn ohne ein Wort zu Melcher und schlang die Arme um seinen Hals.

Da fing Melcher an zu weinen. Er drückte Pelle heftig an sich und weinte stumm und verzweifelt und mit abgewandtem Gesicht, damit Pelle es nicht merkte.

»Es wird schon alles gut werden«, sagte Pelle tröstend. »Ich geh jetzt raus und seh nach, ob der Nebel sich verzogen hat.«

Das war nicht der Fall, eher das Gegenteil. Aber Pelle fand unten am Ufer einen Stein, einen kleinen, feinen braunen Stein, der ganz rund war und sich seidig anfühlte. Den zeigte er Tjorven.

Sie war auch draußen im Nebel. Es war ein aufregendes und dramatisches Wetter und sie mochte es eigentlich, nur heute nicht ganz so gern, da Bootsmann nicht bei ihr war, sondern irgendwo draußen in dieser dicken, grauen Watte.

»Vielleicht ist es ein Wunschstein«, sagte Pelle. »Man nimmt ihn in die Hand und wünscht sich etwas und dann geht es in Erfüllung.«

»Und das soll ich glauben?«, sagte Tjorven. »Wünsch dir, dass wir zwei Kilo Bonbons kriegen, dann wirst du ja sehen.«

Pelle schnaubte. »Man muss sich etwas Richtiges wünschen, wenn man sich etwas wünscht.«

Und er hielt den Stein in seiner ausgestreckten Hand und *wünschte* so feierlich und richtig, wie er nur konnte.

»Ich *wünsche*, dass meine Brüder bald von dem unendlichen Meer zurückkommen.«

»Und Bootsmann auch«, sagte Tjorven. »Tja, und Freddy und Teddy natürlich auch. Aber sie sind ja im selben Boot, das braucht man sich nicht extra zu wünschen.«

Es war Abend geworden. Aber nicht wie Juniabende sonst sind, nicht hell und glasklar und ein Wunder Gottes, sondern schummrig und unnatürlich. Nebel über allen Fjorden und über allen Inseln und Schären, Nebel über Söderöra und Kudoxa, Nebel über Rödlöga und Svartlöga und Blidö und Möja, Nebel über allen Fahrrinnen und allen Schiffen, die ganz langsam dahinkrochen und mit ihren Nebelhörnern Warnrufe aussandten. Und Nebel über Grankvists kleinem Kahn, der längst schon hätte an seinem heimatlichen Steg liegen müssen, was er aber nicht tat.

> »Büsche büsche boll,
> kocht den Kessel voll,
> drei Schiffe fuhren übers Meer...«

sang Freddy.

»Ich seh kein einziges«, sagte Teddy und ruhte sich auf den Riemen aus.

»Hab noch nie so wenig Schiffe gesehen. Was glaubt ihr, wie lange wir gerudert haben?«

»Eine Woche ungefähr«, sagte Johann. »So kommt es einem jedenfalls vor.«

»Aber es ist bestimmt schön nach Russland zu kommen«, sagte Niklas. »Wir sind wohl bald da.«

»Das glaub ich auch«, sagte Teddy. »So wie wir gerudert haben! Hätten wir bloß den richtigen Kurs gehalten, dann wären wir gegen zwei Uhr am Bootssteg zu Hause in voller Fahrt vorbeigezischt und wären jetzt bei Janssons Kuhweide auf Grund gelaufen.«

Darüber lachten sie alle vier. Gelacht hatten sie in den letzten fünf Stunden ziemlich viel. Gerudert und gerudert hatten sie, gefroren hatten sie, sich ein bisschen gezankt, ein bisschen vor sich hin gedämmert, Butterbrote gegessen, gesungen, um Hilfe gerufen, gerudert und gerudert und den Nebel gehasst und sich nach Hause gesehnt, aber trotzdem hatten sie ziemlich viel gelacht.

Es war Melcher, der im Augenblick ein großes Unglück auf See erlebte, und nicht die Kinder.

Jetzt aber kam der Abend und da fiel ihnen das Lachen schwerer. Sie froren mehr als zuvor und wurden immer hungriger und sahen kein Ende von all dem Jammer. Dieser Nebel war unnatürlich, ein normaler Juninebel hätte sich schon längst lichten müssen; dieser aber lag noch immer da und hielt sie in seinem grauen, gespenstischen Griff, als ob er sie nie loslassen wollte. Um sich warm zu halten hatten sie sich an den Riemen abgewechselt, aber das half nichts mehr, und das Rudern kam ihnen jetzt auch so trostlos vor, da man nicht wusste, wohin es ging. Vielleicht trug jeder Riemenschlag sie nur weiter ins offene Meer hinaus, und dieser Gedanke machte ihnen Angst. Das Meer lag zwar völlig still da, aber sollte sich der Nebel, den sie jetzt so sehr hassten, dass sie ihn am liebsten mit den bloßen Händen zerfetzt hätten, sollte sich dieser Nebel jemals lichten, dann war Wind nötig. Und wenn Wind aufkäme – und kräftig genug – und sie waren weit draußen auf dem Meer in einem kleinen Kahn, dann gäbe es wirklich nicht mehr viel zu lachen.

»Dieses ganze Schärengebiet ist mit Inseln übersät«, sagte Freddy. »Dass wir aber auch nur über eine einzige stolpern – kein Gedanke!«

Sie sehnten sich sehr danach festen Boden unter den Füßen zu spüren. Kaum zu glauben, dass man danach eine solche Sehnsucht haben konnte! Eine einzige kleine Insel, das war alles, was sie begehrten. Sie brauchte nicht besonders groß oder schön zu sein oder sonst irgendwie bemerkenswert, versicherte Teddy, es durfte ruhig eine kleine, verstrüppte sein, aber immerhin so, dass man an Land gehen und ein Feuer anmachen und vielleicht erkennen konnte, wo man war, und vielleicht eine Art Dach über dem Kopf bekommen konnte, vielleicht sogar Menschen begegnete, vielleicht sogar unnatürlich freundlichen Menschen, die einem mit heißem Kakao und warmen Pfannkuchen entgegenkamen.

»Jetzt fängt sie an zu spinnen«, sagte Johann.

Aber es war schön von Essen zu spinnen, das merkten sie. Sie fingen alle miteinander an und unterstützten sich gegenseitig große Mengen von Fleischklößen und Kohlrouladen und Beefsteaks und Schweinekoteletts und Bratwürsten zusammenzuspinnen.

»Und vielleicht ein kleines Pilzomelett«, schlug Freddy vor.

Dem Pilzomelett stimmten sie alle begeistert zu. Auch Bootsmann, wie es schien, denn er bellte kurz auf. Mehr hatte er ja die ganze Zeit nicht von sich gegeben. Ihm gefiel dieses Unternehmen nicht, wie es keinem gescheiten Hund gefallen konnte. Aber er lag dort auf der Ducht, schweigend und geduldig, wie es sich ebenfalls für einen gescheiten Hund gehörte, wenn diese unbegreiflichen Menschen auf solche unbegreiflichen Zerstreuungen verfielen.

»Armer Bootsmann«, sagte Freddy, »er ist hungriger als wir, denn er hat einen viel größeren Magen zum Hungrigsein.«

Sie hatten ihre Butterbrote mit ihm geteilt, und als die Brote alle waren, hatten sie ihm Dorsch angeboten, aber den hatte er dankend abgelehnt.

»Das wundert mich gar nicht«, sagte Johann. »Ich würde lieber verhungern als ungekochten Dorsch essen.«

»Ist nichts, nichts, nichts mehr im Rucksack?«, fragte Teddy.

»Eine Flasche Wasser«, sagte Freddy.

Eine Flasche Wasser! Nach all ihren lieblichen Träumen von heißem Kakao und Beefsteaks und Pfannkuchen empfanden sie es als unerträglich armselig nur eine Flasche Wasser zu haben.

Sie saßen lange Zeit schweigend und mutlos da. Niklas überlegte, was schlimmer sei, zu erfrieren oder zu verhungern. Im Augenblick war es die Kälte, die ihn am meisten plagte. Die dicke Jacke nützte nichts, er fror bis ins Mark und er erinnerte sich plötzlich an ihr Lagerfeuer draußen auf der Schäre. Dies Lagerfeuer musste lange her in einem anderen Leben gewesen sein, so fern wirkte es jetzt. Aber ihm fiel die Streichholzschachtel ein, die er in der Tasche hatte, und er holte sie heraus. Mit klammen Fingern riss er ein Streichholz an. Es brannte mit einer klaren, tröstlichen kleinen Flamme und er bog seine Hand drum herum um für einen Augenblick zu spüren, was Wärme war.

»Spielst du das kleine Mädchen mit den Schwefelhölzern?«, fragte Freddy.

»Wie konntest du das erraten?«, sagte Niklas. Aber in dem Augenblick fiel sein Blick auf etwas.

»Was ist das, was ihr da unter der Achterducht habt? Ist das nicht ein Spirituskocher?«

»Ja, tatsächlich«, sagte Teddy. »Wer um Himmels willen hat denn den da vergessen?«

»Papa wahrscheinlich«, sagte Freddy. »Als er und Mama vorgestern abend draußen waren und Grundnetze ausgelegt haben. Er hatte Mama damit gelockt, dass er ihr im Boot Kaffee kochen würde, wenn sie mitkäme, weißt du noch?«

»Hört mal, könnten wir nicht auch...«, sagte Niklas.

»Wir haben keinen Kaffee«, sagte Freddy. »Nur Wasser.«

Niklas überlegte. Heißes Wasser würde sie trotzdem wärmen, und im Augenblick hatten sie Wärme nötiger als irgendetwas anderes. Er sah sich nach der Kelle um, die sie als Schöpfgefäß im Kahn benutzten. Es war ein gewöhnlicher Blechschöpfer, den konnte man als Kochtopf verwenden. Niklas sagte den anderen, was er vorhatte, und sie schauten gespannt zu, wie er den Spirituskocher anzündete und Wasser aus Teddys Flasche in die Kelle füllte.

»Büsche büsche boll, kocht den Kessel voll«, sang Freddy und da kam Johann auf eine Idee.

»Wir könnten doch Dorsch da drin kochen«, sagte er.

Freddy warf ihm einen aufrichtig bewundernden Blick zu.

»Johann, du bist ein Genie«, sagte sie.

Jetzt bekamen sie alle Hände voll zu tun. Sie reinigten und spülten in wahnsinniger Eile alle ihre sieben Dorsche, schnitten sie in Scheiben und hatten eine fast glückliche Stunde, während sie den Fisch in der Kelle kochten. Die Prozedur nahm lange Zeit in Anspruch, denn es passten immer nur vier Scheiben auf einmal in den Blechschöpfer. Aber schließlich war aller Fisch gekocht und auch mit großer Befriedigung verzehrt. Den größten Teil verschlang Bootsmann, aber auch die anderen bekamen reichlich genug.

»Könnt ihr begreifen«, fragte Freddy, »dass man vier Scheiben Dorsch essen kann ohne das kleinste Krümchen Salz und dann auch noch finden kann, es wäre fast das Beste, was man je gegessen hat?«

»Wieso nicht?«, sagte Johann. »Wenn man Fischbrühe trinken kann und *das* gut findet? Aber dann hat man sie natürlich nicht mehr alle.«

Es war aber, als kehre wieder Leben in sie zurück, nachdem sie die kräftige, dampfend heiße Fischsuppe getrunken hatten. Oh, die wärmte bis in die Zehen hinunter! Alles war mit einemmal leichter zu ertragen. Sie fingen wieder an zu hoffen, auf irgendetwas, dass der Nebel weichen oder dass ein Dampfer kommen und sie auflesen würde oder dass sie daheim erwachten und alles nur geträumt hätten.

Aber die Stunden verrannen und der Nebel lag nach wie vor über dem Wasser. Es kam kein Dampfer und es war kein Traum, denn im Traum konnte man nicht so frieren. Die Fischbrühe hielt nur ein kurzes Weilchen vor und der Spirituskocher war endgültig ausgegangen. Jetzt kam die Kälte wieder angekrochen und mit ihr die Müdigkeit und Mutlosigkeit. Es hatte keinen Sinn noch weiter zu hoffen. Sie würden die ganze Nacht hindurch hier wie Gefangene im Nebel sitzen müssen, vielleicht bis in alle Ewigkeit.

Da zuckte Freddy plötzlich zusammen und fuhr hoch.

»Hört mal!«, sagte sie. »Hört mal!«

Und sie hörten: Irgendwo weit weg im Nebel tuckerte ein Motor. Sie horchten, als hinge das Leben davon ab, und dann schrien sie. Es konnte Björns Boot sein und es konnte das Boot von jemand anders sein, aber wessen es auch war, sie *mussten* versuchen es heranzurufen.

Und tatsächlich, es kam näher. Immer näher. Jetzt war es nahe – nahe. Und sie schrien sich heiser. Zuerst in wildem Jubel, aber dann vor Verzweiflung und Wut. Keuchend vor Verbitterung saßen sie da und hörten, wie das Motorengetucker wieder leiser wurde und langsam erstarb. Und schließlich nichts mehr. Nichts mehr als Nebel. Da gaben sie auf und krochen schweigend zusammen auf der Ducht neben Bootsmann, damit er ihnen ein wenig von seiner Wärme abgab.

Nisse Grankvists Kaufmannsladen auf Saltkrokan war wohl einer der friedlichsten Orte der Welt. Nicht dass es dort etwa still und ausgestorben war, im Gegenteil. Hier versammelten sich die Leute von Saltkrokan und von den Inseln rundum. Hierher kamen sie um einzukaufen und um sich zu unterhalten und Neuigkeiten zu erfahren und um Post zu holen und zu telefonieren. Hier war das Herz von Saltkrokan. Die Leute hatten Nisse und Märta gern, weil sie vergnügt waren und anständig und hilfsbereit, und in ihrem engen kleinen Laden war es gemütlich, wo es so gut nach Kaffee und Backobst und Hering und Seife und allerlei anderen

Dingen roch. Es war hier Tag für Tag von früh bis spät ein Summen und Schwatzen und mitunter gab es gewaltige Wortgefechte über die Angelegenheiten der Insel. Aber immer ging es friedfertig zu, es war ein Ort des Friedens, dieser Kaufmannsladen.

An diesem Abend allerdings nicht. Heute herrschte hier Jammer und Angst und Verzweiflung. Denn Melcher Melcherson hatte das Große Beben und machte mehr Lärm, als die gesamte Bevölkerung der Insel jemals zustande gebracht hatte.

»Jetzt muss etwas getan werden«, schrie er. »Ich will, dass alle Zollboote und Lotsenstationen und Leuchtturmwärter und Helikopter und Flugzeugambulanzen im ganzen Norden *jetzt* eingesetzt werden! Jetzt auf der Stelle!«

Er starrte Nisse an, als ob dieser die Pflicht hätte für all das zu sorgen. Malin nahm ihren Vater flehentlich am Arm.

»Lieber Papa, beruhige dich ein bisschen!«

»Wie soll ich mich beruhigen, wenn ich im Begriff bin vaterlos zu werden!«, brüllte Melcher. »Ich meine – ach was, ihr wisst, was ich meine! Im Übrigen ist es wohl schon zu spät. Ich glaube, dass keins von ihnen noch am Leben ist.«

Die anderen standen dabei, stumm und bedrückt, und hörten zu, Nisse und Märta und Malin und Björn Sjöblom. Selbst Nisse und Märta waren jetzt ängstlich. Sie waren keine unnatürlichen Eltern. Unnatürlich war dieser dichte Nebel im Monat Juni, so etwas war seit Menschengedenken nicht vorgekommen.

»Ich war ein Rindvieh! Weshalb hab ich die Kinder nicht gleich mitgenommen, als ich ihnen ihren Kahn wiederbrachte«, sagte Björn.

Deswegen hatte er ein schlechtes Gewissen und das hielt ihn hier im Laden von Saltkrokan bei den Eltern zurück, obgleich er längst schon nach Hause hätte aufbrechen müssen, nach Norrsund.

Übrigens waren nicht nur sein Gewissen und die armen Eltern der Grund, weshalb er blieb. Von dieser Malin, die jetzt so ernst und der fröhlichen, die er neulich Abend kennen gelernt hatte, gar nicht mehr ähnlich war, konnte er nur schwer den Blick wenden. Stumm und hilflos stand sie da und hörte dem Ausbruch ihres Vaters zu. Mit einer müden Bewegung strich sie sich das blonde Haar aus der Stirn und er sah ihre Augen, dunkel und gequält. Sie tat ihm Leid. Weshalb konnte ihr Vater sich nicht ein wenig mehr beherrschen, da *sie* es doch konnte?

Nisse hatte den Zollkreuzer in Furusund alarmiert, nicht weil er an eine unmittelbare Lebensgefahr glaubte, doch es war schon schlimm genug, wenn die Kinder die Nacht draußen im Nebel zubringen mussten.

»Ein einzelner Zollkreuzer, was kann der schon ausrichten?«, schrie Melcher, der verlangte, dass der Seerettungsdienst des ganzen Nordens an diesem nebligen Juniabend ins Schärengebiet um Saltkrokan beordert werden sollte. Nachdem er aber lange Zeit getobt und gewettert hatte, war es, als ginge ihm die Luft aus. Er ließ sich auf einen Sack mit Kartoffeln niedersinken und blieb dort sitzen, so bleich und verstört, dass Märta Mitleid mit ihm hatte.

»Möchtest du eine Beruhigungstablette haben, Melcher?«, fragte sie freundlich.

»Ja, bitte«, sagte Melcher. »Eine ganze Schachtel!«

Es fiel ihm im Allgemeinen schwer Tabletten einzunehmen, und er hatte auch kein Vertrauen zu ihnen, aber im Augenblick war er bereit, Fuchsgift zu schlucken, falls ihm das eine Weile Ruhe und Gelassenheit verschaffen könnte.

Märta holte eine kleine weiße Tablette und ein Glas Wasser für ihn. Und er legte, wie immer, die Tablette auf die Zunge, trank einen Schluck Wasser und schluckte heftig. Und richtig, das Wasser rann hinunter und die Tablette blieb liegen. Er war nicht weiter erstaunt, denn so machten seine Tabletten es immer. Er versuchte es noch einmal, aber die verdammte Tablette lag nach wie vor auf der Zunge, bitter und widerlich.

»Nimm einen Riesenschluck«, sagte Malin. Da tat Melcher es. Er nahm einen Riesenschluck und er schaffte es, dass ihm das Ganze in

den falschen Hals geriet. Auch die Tablette, denn diesmal war sie mit-
gegangen.

»Rrrkkss«, machte Melcher. Er prustete wie ein Seehund und da
rutschte die Tablette hoch und blieb irgendwo stecken. Und da blieb
sie den ganzen Abend. Aber man merkte nicht, dass sie ihn sonderlich
beruhigte.

Malin hatte sich den ganzen Tag sehr zusammengenommen, jetzt aber
fühlte sie plötzlich, dass sie anfangen würde zu weinen. Nicht gerade
wegen der Beruhigungstablette hinter Melchers Nase, sondern weil alles
so zum Verzweifeln war. Sie durfte ihren Vater nichts merken lassen und
deswegen lief sie nach draußen. Die Tränen kamen, sobald sie zur Tür
hinaus war, und jetzt durften sie kommen. Sie lehnte den Kopf gegen
die Wand und weinte leise.

Dort fand Björn sie.

»Kann ich irgendetwas tun?«, fragte er teilnahmsvoll.

»Ja – rede bitte nicht so freundlich mit mir«, murmelte Malin ohne
aufzublicken, »sonst weine ich, dass es hier eine Überschwemmung
gibt.«

»Dann werde ich nichts mehr sagen«, antwortete Björn. »Nur, dass du
ziemlich hübsch bist, wenn du weinst.«

Er machte sich auf den Heimweg nach Norrsund. Dort war die Schule,
in die die Kinder von allen Inseln ringsum kamen, damit er ihnen ein
wenig Wissen eintrichtern konnte, und dort im oberen Stock des Schul-
hauses hatte er seine einsame Junggesellenbude. Von Saltkrokan aus
brauchte er nicht mehr als zehn Minuten bis dorthin. Malin sah ihn zum
Bootssteg hinunter verschwinden.

»Morgen wird es besser«, rief er, »glaub mir!«

Gleich darauf hörte sie das Tuckern von seinem Boot draußen auf dem
Sund.

Und es war dasselbe Tuckern, das die Kinder im Kahn ein paar Minuten
später hörten und das auf so schändliche Weise verschwand.

»Nein, jetzt kriege ich aber die Wut«, sagte Johann und richtete sich von der Ducht auf, wo er in der letzten halben Stunde gehockt hatte, dicht an Bootsmann gedrückt.

»Willst du ins Wasser springen?«, fragte Niklas und seine Zähne schlugen so sehr aufeinander, dass er kaum sprechen konnte.

»Nein, ich will euch nur bis zum nächsten Bootssteg rudern und euch absetzen«, sagte Johann finster.

Freddy hob ihr blaugefrorenes Gesicht.

»Ach bitte, ja, das wäre schön. Und wo liegt dieser kleine Steg?«

Johann biss die Zähne aufeinander.

»Das weiß ich nicht. Ich werde ihn aber jetzt suchen oder tot umfallen. Ich lass doch nicht irgendeinen ekelhaften alten Nebel darüber bestimmen, wie lange ich auf dem Wasser sein soll.«

Er setzte sich an die Riemen. Der Nebel lag nach wie vor so dick wie Watte. Oh, wie er ihn verabscheute! Weshalb machte er nicht, dass er auf die Nordsee hinauskam oder wo er hingehören mochte? »Ich werd's dir zeigen«, murmelte er erbost. Es schien fast so, als wäre der Nebel sein persönlicher Feind.

Er machte fünf kräftige Ruderschläge. Da stieß der Kahn gegen einen Stein.

»Peng«, sagte Teddy, »da hätten wir den Steg!«

Es war kein Steg. Aber es war Land. Sie hatten mindestens zwei Stunden lang nur fünf Ruderschläge vom Land entfernt gelegen.

»Von so was wird man verrückt«, sagte Teddy und wie die Verrückten stürzten sie ans Ufer. Sie schrien und hüpften und Bootsmann bellte, sie waren völlig außer Rand und Band. Dass sie wirklich wieder festen Boden unter den Füßen hatten! Was für ein fester Boden es nun sein mochte. War es so eine Insel, wo die Leute mit heißen Pfannkuchen ankamen, oder ein unbewohnter Holm, wo sie unter einer Tanne schlafen mussten?

Teddy hatte ja gesagt, es dürfe ruhig eine kleine hässliche und verstrüppte Insel sein, und das passte sehr gut auf diese hier. Verstrüppt war es hier und steinig, so weit sie im Nebel und im Halbdunkel sehen konnten. Aber bevor sie ein Lager für die Nacht aufschlugen, wollten sie erforschen, ob es hier vielleicht irgendetwas Dachähnliches gab.

Johann vertäute den Kahn und schwor, er werde niemals mehr seinen Fuß dahinein setzen. Und dann begannen sie ihre mühevolle Wanderung. Sie gingen am Ufer entlang, so gut es zwischen den vielen Steinen und all dem Gestrüpp gehen wollte, das sie aufzuhalten suchte.

»Schön wär's, wenn wir einen alten Strandschuppen fänden«, sagte Teddy.

»Gibt's denn in Russland auch solche?«, fragte Johann. Er war jetzt aufgedreht und übermütig. War er es denn nicht gewesen, der sie an Land gebracht hatte?

»Ihr braucht es nur zu sagen, dann finde ich auch noch ein kleines Blockhaus, wo wir übernachten können«, rief er.

Er ging voran und fühlte sich als Anführer. Dies war eine Expedition durch eine unerforschte Wildnis mit unbekannten Gefahren, die hinter jeder Biegung lauerten. Ein Anführer war vonnöten und das war er.

Allen voran bog er um eine Landspitze und da sah er etwas, das ihn jäh stehen bleiben ließ. Er sah ein Hausdach, das genau vor ihm über einige Bäume hinwegragte.

»Dieses Blockhaus zum Beispiel«, sagte er.

Die anderen hatten ihn eingeholt und er zeigte stolz auf seinen Fund.

»Bitte schön! Dort habt ihr euer Haus! Wahrscheinlich voller warmer Pfannkuchen.«

Da fingen Teddy und Freddy an zu lachen. Unbändig und befreiend. Dieses Gelächter setzte gewissermaßen den Schlusspunkt für ihr ganzes schauriges Abenteuer im Nebel, und Johann und Niklas mussten mitlachen, obgleich sie nicht wussten, worüber.

»Ich möchte mal wissen, was das für ein Haus ist«, sagte Niklas, als sie sich endlich satt gelacht hatten.

»Mach deine Augen tüchtig auf, dann wirst du es erfahren«, sagte Teddy. »Es ist unsere Schule.«

Niemand bei Grankvists und niemand bei Melchersons kam an diesem Abend vor Mitternacht ins Bett. Das heißt, Pelle und Tjorven waren zur gewohnten Zeit eingeschlafen, aber sie wurden aus ihren Betten gezerrt, damit sie bei dem Schmaus dabei sein konnten, der in Grankvists Küche abgehalten wurde um den glücklichen Ausgang dieses unruhigen Tages zu feiern.

Unruhig war er bis zuletzt gewesen. Als Björn mit seinem Boot bei Grankvists Steg anlegte und Melcher seine verlorenen Söhne, wohlbehalten und in Decken eingewickelt, darin sitzen sah, da liefen ihm die Tränen übers Gesicht und er sprang mit einem Satz an Bord um sie in seine Vaterarme zu schließen. Er war jedoch etwas zu forsch abgesprungen und nach einer kurzen Zwischenlandung auf der Achterducht schoss er auf der anderen Seite ins Wasser hinein, und da nützte es ihm nichts, dass er eine Beruhigungstablette hinter der Nase hatte.

»Das hat mir noch gefehlt«, rief er. »Jetzt ist es aber genug!«

Malin wimmerte, als sie ihn wütend auf den Steg zuschwimmen sah. Nur Melcher konnte an einem einzigen Tag so viel passieren.

Tjorven stand dabei, sie war nicht so richtig wach.

»Weshalb badest du in deinen Sachen, Herr Melcher?«, murmelte sie. Aber dann entdeckte sie Bootsmann und da vergaß sie alles andere.

»Bootsmann, komm her, Bootsmann!«

Sie rief ihn mit ihrer zärtlichsten Stimme und er sprang an Land und stürzte auf sie zu, und sie schlang die Arme um ihn, als wollte sie ihn nie wieder loslassen.

»Siehst du nun, dass mein Wunschstein etwas genützt hat?«, sagte Pelle. Sie hatten sich gerade um den großen Klapptisch in Grankvists Küche niedergelassen.

Der ganze Pelle strahlte. Oh, was für eine Nacht! Was für ein Leben sie hier auf Saltkrokan führten! Was für Einfälle! Mitten in der Nacht Leute aus den Betten zu zerren, damit sie aufstanden und Schweinekoteletts aßen, was für ein fantastischer Einfall! Und außerdem waren Johann und Niklas auch nach Hause gekommen.

»Man sollte es nicht glauben, dass einem ganz schwindlig im Kopf werden kann vom Essen«, sagte Teddy mit vollem Mund.

Freddy hatte ein Schweinekotelett in jeder Hand. Sie biss abwechselnd in das eine und in das andere.

»Herrlich finde ich das«, sagte sie. »Ich *will* schwindlig im Kopf sein vom Essen.«

»Von *richtigem* Essen«, sagte Johann, »nicht von solchem, das man sich zusammenschmort, wenn man draußen auf dem Wasser ist.«

»Aber eigentlich war das auch gar nicht so übel«, sagte Niklas.

Sie aßen und genossen und fanden immer mehr, dass dies trotz allem wohl ein schöner Tag gewesen war.

»Hauptsache, man bewahrt die Ruhe«, sagte Melcher und nahm sich noch ein Kotelett. Er hatte sich umgezogen und war trocken und so glücklich, dass es um ihn herum leuchtete.

»Soso, findest du«, sagte Malin.

Melcher nickte nachdrücklich. »Ja, sonst kann man nicht in den Schären leben. Ich geb zu, ich war nahe daran ein bisschen unruhig zu werden, aber dank deiner Beruhigungstablette, Märta...«

»Da bist du wenigstens hinter der Nase ruhig geworden«, sagte Nisse. »Aber im Übrigen...«

»Im Übrigen bin ich voll des Dankes«, sagte Melcher. Und wahrlich, das war er. Das Gemurmel um den Tisch nahm zu, die Kinder waren berauscht vom Essen und der Wärme und davon, dass sie wieder daheim waren nach dem Nebel, der wie ein Alptraum gewesen war. Melcher hörte die Stimmen seiner Kinder und deshalb war er voller Dank. Er hatte sie alle um sich, keines war untergegangen und trieb unter Wasser mit Haaren wie wogendes Seegras.

>Und alle atmen sie, froh und gesund,
und keiner fehlt in unserem Kreis«,

sprach er leise vor sich hin. Malin guckte schräg über den Tisch zu ihm
hinüber.
»Was murmelst du da vor dich hin, Papa?«
»Nichts«, sagte Melcher.
Erst als Malin sich wieder Björn zuwandte, sprach er leise die Fortset-
zung:

>Der Tag geht zur Neige, das Feuer verglimmt,
bald ist es erloschen.
Schnell ist sie vorüber, die glückliche Zeit,
da keiner fehlt in unserem Kreis.«

Und dann wurde es Mittsommer...

Mittsommer war es, ein strahlend heller Mittsommertag, und was fiel Malin ein? Den ganzen langen Vormittag saß sie hinter der Fliederhecke im Gras und schrieb in ihr Tagebuch, und als Johann sich ihr einschmeichelnd näherte, sagte sie kalt und ohne auch nur aufzublicken: »Geh weg!«

Worauf Johann kleinlaut zu seinen Brüdern zurückging und berichtete: »Sie ist noch immer böse!«

»Tsss, sie sollte lieber dankbar sein«, sagte Niklas. »Jetzt hat sie ja was zu schreiben gekriegt. Aus dem Tagebuch würde nie etwas werden, wenn sie uns nicht hätte.«

Aber Pelle machte ein reuevolles Gesicht.

»Dann hätte sie aber vielleicht lustigere Sachen reinzuschreiben. Was *sie* so lustiger findet, mein ich.«

Sie schauten betrübt in Malins Richtung und Johann sagte:

»Diesmal schmiert sie bestimmt was Schreckliches rein.«

Gestern war Mittsommerabend*, schrieb Malin. Und ein Mittsommerabend, den ich nie vergessen werde. Aber sicherheitshalber will ich in einem kleinen Nachruf festhalten, was geschehen ist. Diese Zeilen werde ich meiner jungen Tochter aushändigen, falls ich einmal eine kriege und sie vielleicht an einem Mittsommerabend glühend vor Glück nach Hause kommt und fragt: »Hast du es auch so schön gehabt, als du jung warst,

* Der Tag vor der Sommersonnenwende

74

Mama?« Dann werde ich unmutig auf ein paar vergilbte Tagebuchblätter zeigen und sagen: »Hier kannst du sehen, wie es deiner armen Mutter erging, nur wegen deiner kleinen, abscheulichen Onkel.«

Aber um der Wahrheit die Ehre zu geben – die abscheulichsten kleinen Onkel der Welt können den lieblichen Glanz über einem Mittsommer auf Saltkrokan nicht trüben. Den Glanz und die Schönheit und die Freude eines Sommers, der jetzt um uns herum blüht, das kann keiner kaputtmachen. Über der ganzen Insel liegt der Duft von Steinbrech und Kälberkropf und Mädesüß und Klee, Margeriten schwanken an jedem Grabenrand und Butterblumen leuchten im Gras, der rosa Schaum der Heckenrosen legt einen Schleier über unsere armseligen grauen Felsbuckel, und in den Spalten sprießen wilde Stiefmütterchen. Alles duftet, alles blüht, alles ist Sommer und jeder Kuckuck ruft, alle Vögel zwitschern und singen, die Erde freut sich und ich freue mich auch. Hoch über meinem Kopf fliegen die Schwalben in schnellen Bögen, während ich hier sitze und schreibe. Sie nisten unter den Dachziegeln des Schreinerhauses und sind die nächsten Nachbarn von Pelles Wespen; ich glaube allerdings nicht, dass sie näher miteinander verkehren. Die Gesellschaft der Schwalben mag ich und die der Hummeln und Schmetterlinge, die um mich herumfliegen und flattern, ich wäre aber dankbar, wenn du es unterließest, Johann, die Nase hinter der Hausecke hervorzustecken, denn ich bin auf euch alle böse und gedenke das auch noch eine ganze Weile zu sein, wenn ich es über mich bringe. Mindestens aber so lange, bis ich diese Erinnerungen an meinen ersten Mittsommerabend auf Saltkrokan fertig geschrieben habe.

Ich wurde durch Gesang geweckt. Papa war frühzeitig aufgestanden und legte letzte Hand an die Gartenmöbel – diesmal mit einem gewöhnlichen Malerpinsel, nicht mit dieser vertrackten Spritze. Er stand im Garten dicht unter meinem Fenster und ich wurde wach, weil er wirklich hübsch sang von Mittsommer und »blühender Insel« und dergleichen. Und ich fuhr hoch und in die Kleider und lief nach draußen und sah, dass der

Fjord blau und blank dalag und dass meine liebenswerten Brüder wach waren und nichts zu tun hatten, und ich zwang sie mit in Janssons Kuhwäldchen zu gehen. Die Arme voller Feldblumen und grüner Zweige, kamen wir nach Hause und verwandelten das ganze Schreinerhaus in eine Laubhütte mit sommerlichen Düften in jedem Winkel.

Und als die »Saltkrokan I« draußen auf dem Fjord angedampft kam, da sahen wir, dass auch sie einer schwimmenden Laubhütte glich mit jungen Birken von vorn bis hinten. An Bord wurde Harmonika gespielt, sommerlich gekleidete Menschen sangen von Mittsommer und »blühender Insel« genau wie Papa, nur nicht so schön.

Ganz Saltkrokan war auf dem Anleger. Du liebe Zeit, es ist ja das größte Vergnügen, das wir hier haben, hinunterzulaufen und den Dampfer zu empfangen – und dann noch dazu den Mittsommerdampfer! Ja, wir waren alle dort. Nur Björn nicht!

Ich hatte mich fein gemacht, riesig fein war ich in meinem Hellblauen, das so schön schwingt. Johann und Niklas pfiffen beide durch die Zähne, als sie mich sahen, und das will etwas heißen. Wenn einem die eigenen Brüder nachpfeifen, dann kann man sein dürftiges Selbstvertrauen darauf stützen. Ich stand da und war zufrieden und wie von ungefähr ein bisschen erwartungsvoll.

Pelle war nicht ganz so zufrieden.

»Muss man so blödes Zeug anhaben, bloß weil Mittsommer ist?«, sagte er. Ja, ja, sicher ist es nicht richtig die Kinder mit einem Sonntagsanzug und weißem Hemd und Schlips zu plagen, aber man hat all diese dreckigen Jeans satt und möchte wenigstens *einmal* etwas anderes sehen.

»Ja, das muss man«, sagte Papa, »und so gefährlich ist es doch nicht. Du brauchst dich nur vorzusehen, dass du dich nicht schmutzig machst und nicht nass wirst, dann kann dir gar nichts passieren.«

»Sag doch gleich, ich soll mich vor allem vorsehen, was Spaß macht, dann kann dir und Malin gar nichts passieren«, sagte Pelle.

Dann entdeckte er Tjorven, diese selbe Tjorven, die kein Mensch bisher in anderen Sachen gesehen hatte als in karierten langen Hosen und Pulli. Jetzt hatte sie ein weißes Stickereikleid an mit Falten und allen Finessen und ihre Miene war nicht zu beschreiben. Es war ihr von weitem anzusehen, was sie dachte: »Da staunt ihr, was?« Und eins ist sicher, sogar Bootsmann war über dieses funkelnagelneue Frauchen verwundert. Selbst Pelle wurde scheu und verstummte. Da stieg Tjorven von der Höhe ihres Triumphes herab und sagte:

»Weißt du was, Pelle? Wir schmeißen Stöckchen für Bootsmann. Das ist das Einzige, was man machen kann, wenn man so verflixt fein ist.« Schon möglich, dass sie sich das ausgedacht hatte um Pelle vor Stina zu retten.

Stina und der alte Söderman waren nämlich auch auf dem Anleger. Söderman erzählte, sein Magenknurren sei jetzt besser geworden, was uns alle freut, denn hier auf Saltkrokan nehmen wir Anteil an den Freuden und Leiden und Krämpfen des anderen.

»Jaja, nun kommen die Sommergäste, achach, jaja«, sagte Söderman. Und als Papa ihn fragte, ob er die Sommergäste nicht möge, machte er ein verdutztes Gesicht. Dieser Gedanke war ihm offensichtlich noch nie gekommen.

»Nicht mögen, tjaa«, sagte er. »Aber die meisten von denen sind ja Stockholmer und die Übrigen, die sind eigentlich auch bloß Gesindel.« Papa lachte und fühlte sich nicht im Geringsten getroffen. Er zählt sich schon zu den Ureinwohnern. Das tut er immer, wohin er auch kommt, und ich glaube, das ist der Grund, weshalb er überall so viele Freunde findet. Außerdem merken die Menschen wohl, dass er mit all seiner Kindlichkeit und seinen Schrullen und seiner Hilflosigkeit Wärme und Schutz braucht, ja, wie er es anstellt, weiß ich nicht, aber alle mögen ihn. Ich hab gehört, wie der alte Söderman im Laden sagte – er hatte nicht gemerkt, dass ich auch da war –: »Dieser Melcherson, der ist nicht ganz bei Trost, aber das ist eigentlich das Einzige, was ich an ihm auszusetzen habe.«

Na, das gehört nicht hierher, zurück zum Anleger! Die Grankvist-Amazonen – so nennt Papa Teddy und Freddy –, die Grankvist-Amazonen waren auch da in neuen Jeans und roten T-Shirts. Sie saßen mit Johann und Niklas auf ein paar leeren Benzinfässern und krächzten ab und zu wie Krähen. Sie haben offenbar irgendeine Art geheimen Klub, diese vier, und laufen herum und sind von morgens bis abends geheim, was die Kleineren bis zur Weißglut ärgert, weil sie nicht mit dabei sein dürfen. Pelle rächt sich, indem er seine Brüder »geheimer Johann« und »geheimer Niklas« nennt und hämisch grinst, wenn er es sagt. Tjorven versichert, der Klub sei ganz albern, und nach dem Verhalten der Klubmitglieder gestern Abend glaube ich ihr aufs Wort.

Als wir auf dem Anleger standen und warteten, dass der Dampfer festmachte, kamen Johann und Niklas plötzlich auf mich zugerannt und packten mich jeder an einem Arm.

»Komm, Malin, jetzt gehen wir nach Hause«, sagte Johann. Ich sträubte mich natürlich und fragte, was wir denn zu Hause sollten. »Wir können irgendein schönes Buch lesen oder so«, sagte Niklas. »Du hast doch Vorlesen so gern«, sagte Johann.

Das habe ich allerdings, aber nicht mitten am schönsten Sommertag, und das hab ich ihnen gesagt.

Ich bekam die Erklärung fast sofort. Sie kam in all ihrer Herrlichkeit den Laufsteg heruntergegangen, und es war niemand anders als Krister, der damals, als wir herkamen, auch auf dem Dampfer gewesen war.

Ich bin es gewohnt, dass meine Brüder jeden, aber auch jeden ablehnen, der »ankommt und mit Malin schöntut« – so drücken sie sich aus, nicht ich. Aber dieser arme Krister hat es offenbar schon von Anfang an geschafft sich beliebter zu machen als irgendein anderer. Ich finde nicht, dass er besondere Mängel hat. Er ist vollkommen selbstsicher, aber das werde ich ihm schon noch austreiben, falls es nötig wird. Er sieht gut aus und ist, wie Papa sagt, »gut angezogen«. Kaum war er ausgestiegen, da kam er auf mich zu, und als er lächelte, fand ich, er sah wirklich gut aus, denn er hat auch hübsche Zähne. Aber Johann und Niklas starrten ihn an, als hätte er ein Wolfsgrinsen aufgesetzt – und kein Wolf sollte hier etwa ankommen und ihre Schwester verschlingen, besten Dank!

»Arme kleine Malin«, sagte Krister, »steht da so allein an einem Mittsommerabend. Komm, jetzt kehren wir beide auf Saltkrokan das Unterste zuoberst.«

Das machte ihn bei Johann und Niklas nicht gerade beliebter.

»Sie ist nicht allein«, sagte Johann wütend. »Wir sind ja bei ihr.« Krister klopfte ihm auf die Schulter.

»Jaja, aber nun nehmt euren Eimer und eure Schaufel und geht wieder zu eurem Sandhaufen. Ich kümmere mich schon um Malin.«

Ich glaube, in diesem Augenblick erklärten sie Krister ernstlich den Krieg. Ich konnte sehen, wie sie mit den Zähnen knirschten, als sie sich zu Teddy und Freddy zurückzogen, und gleich darauf ertönte aus ihrer Richtung ein fürchterliches Krähengekrächze, das sehr rachsüchtig und schicksalsschwer klang.

»Malin, heute Abend gehen wir tanzen, das hab ich entschieden«, sagte Krister, und als ich ihm klarmachte, ich würde allein entscheiden, mit wem ich tanzen wollte, da sagte er: »Dann entscheide dich für mich, dann brauchen wir uns nicht weiter darüber zu streiten.«

Björn war nicht zu sehen, und ich weiß auch nicht, ob er tanzt. Und ich *wollte* tanzen, in meinem Hellblauen und am Mittsommerabend, und so sagte ich zu Krister: »Wir wollen mal sehen.«

Aber wenn noch so sehr Mittsommer ist, höhere Gewalten haben ein für alle Mal bestimmt, dass ich meinen drei Brüdern eine Mutter zu sein habe, und das kleinste Brüderchen hätte ich offenbar nicht Tjorven überlassen dürfen, nicht, wenn er seine Sonntagssachen anhatte. Ich hörte plötzlich die Leute lachen und sagte zu Krister: »Komm, ich möchte sehen, was da so lustig ist.«

Und das sah ich dann. Was ich sah, war Pelle, der sich nicht nass machen sollte. Jetzt stand er bis zum Bauch im Wasser, Tjorven ebenfalls, und sie bespritzten sich, so sehr sie nur konnten. Sie waren wassertoll – es gibt kein Wort, das besser passt, und Tjorven schrie: »Jetzt können wir genauso gut gleich baden!« Und das taten sie. Sie warfen sich ins Wasser und kamen wieder hoch und jauchzten und schrien und bespritzten sich noch mehr. Eben wassertoll und so ganz ihrer eigenen Freude hingegeben, dass sie die Umwelt völlig vergessen hatten. Aber sie erwachten aus ihrem Rausch, als Märta und ich angestürzt kamen. Erwachten und merkten, dass sie durchweicht waren, etwa so wie Adam und Eva sahen, dass sie nackt waren. Pelle und Tjorven waren leider nicht nackt, sondern in höchstem Maß bekleidet, das stand fest, und ich hatte nie zuvor erlebt, dass ein ehemals steif gestärktes Stickereikleid aussehen konnte wie ein kleiner, weicher Lappen.

»Wir konnten nichts dafür«, sagte Tjorven, »es kommte bloß so.« Sie versuchte Märta zu erklären, wie es so »kommte«, und soviel ich mich erinnere, erklärte sie es ungefähr so:

»Wir wollten nur mal die Füße baden und wir haben uns ganz doll vorgesehen, wir waren doch so fein. Aber Pelle hat gesagt, bis zu den Knien können wir reingehen, und da haben wir das gemacht und dann ging Pelle noch ein bisschen weiter rein. ›So weit trau *ich* mich jedenfalls zu gehen‹, sagte er und da ging ich noch weiter rein und sagte: ›So weit trau *ich* mich jedenfalls zu gehen!‹ Aber da wurde ich ein bisschen unten am Kleid nass und da sagte Pelle: ›Ich, ich bin nicht nass!‹ Und da spritzte ich ihn ein bisschen mit Wasser, damit er nass wird, und da spritzte er mich ein bisschen und dann spritzte ich ihn noch ein bisschen und da spritzte er mich noch ein bisschen und dann spritzten wir immer doller und doller und dann badeten wir, das kommte bloß so.«

»Für heute habt ihr aber genug gebadet«, sagte Märta streng.

Wir mussten nach Hause gehen, jeder mit seinem nassen Kind. Hinter dem Schreinerhaus habe ich zwischen zwei Apfelbäumen eine Wäscheleine. Dort hängte ich Pelles Sachen auf und dort tanzten sie mit dem Südwind ihren Mittsommertanz, den einzigen, den sie erleben sollten.

Aber zum nächsten Mittsommer, falls wir dann noch leben, werde ich dafür sorgen, dass ich eine doppelt so lange Wäscheleine habe – denn das ist ohne Frage nötig. Darüber später mehr!

Märta und ich kamen mit unseren gewohnten Alltagskindern zur Quellwiese und Märta sagte:

»Es wird eine Weile dauern, bis ich Tjorven wieder ein Stickereikleid anziehe.«

»Prima«, sagte Tjorven.

Märta selbst war ungemein hübsch und fein in ihrem Trachtenkleid mit dem baumwollenen Faltenrock und dem weißen Tuch mit den Zipfeln. Oh, diese Märta! Wer sorgt dafür, dass Saltkrokan einen Mittsommerbaum bekommt und Mittsommerspiele gemacht werden – Märta! Wer ist Wortführerin im Hausfrauenverein – Märta! Wer leitet den Frauenchor – Märta! Und wer bringt ganz Saltkrokan, jede einzelne Seele, dazu um den Mittsommerbaum zu sprinten und das Lied von den Fröschen zu singen – Märta und immer wieder Märta!

Unser Mittsommerbaum steht auf der Quellwiese hinter Södermans Wiese und als wir hinkamen, Märta und ich, hatte es angefangen zu regnen. O doch, es war ja schließlich Mittsommerabend und das Wetter konnte Märta nicht bestimmen. Aber ihre Hausfrauen versammelten sich tapfer unter ihren Regenschirmen und sangen trotzdem getreulich: »Ich schaukle auf höchstem Zweige von Harjulas höchstem Berg.« Und ich merkte, dass das auch auf mich passte, ich schaukelte auf dem höchsten Zweig und sah, dass die Erde lieblich war und der Himmel schön, obwohl es regnete. Aber oh, erhöre des kleinen Vogels Gebet und lass es zum Abend aufklaren, denn hier ist ein kleiner Vogel, der gern auf dem Anleger tanzen möchte!

Das durfte ich auch. Aber bevor es so weit war, passierte noch eine ganze Menge, und die Wäscheleine zwischen den Apfelbäumen hängte sich beinahe durch. Denn hier hingen schließlich außer Pelles Hemd und Jackett und Hose auch ein Hemd von Krister, ferner Papas Hemd und

Hose, ferner Johanns Hemd und Hose. Ich weiß nicht, was Niklas' Hose verbrochen hatte, die gestern den ganzen Tag nicht hat baden dürfen, wo es doch alle anderen Hosen durften; aber das Leben ist nun einmal voller Ungerechtigkeiten.

Kristers Hemd hatte nicht gebadet. Das hatte ich für ihn gewaschen. Er war beim Eierlaufen hingefallen und auf dem Bauch im Gras gelandet, genau da, wo Papa eine Sekunde vorher sein Ei hatte fallen lassen.

»Man kann nicht den ganzen Mittsommerabend mit einem weich gekochten Ei auf der Brust rumlaufen«, sagte Papa. Und gutmütig, wie er ist, ging er nach Hause und holte eins von seinen Hemden für Krister.

»Danke«, sagte Krister, »ich geh inzwischen baden.«

Johann und Niklas und die Grankvist-Amazonen standen dabei und feixten. Niemand kann behaupten, dass sie wegen Kristers Missgeschick mit dem Ei besonders unglücklich waren. Ich hörte, wie Krister sie fragte, wo man baden könnte, und Teddy zeigte es ihm.

»Ist es dort flach?«, fragte Krister.

»Ja, da ist es flach, du kannst bis nach Finnland spazieren«, sagte Johann mit einem Grinsen.

»Und das solltest du auch tun, finde ich«, sagte Niklas. Aber da war Krister schon gegangen und so hörte er das nicht mehr.

Für die Kleinen sollte gerade das Sacklaufen anfangen, und ich ging hin um zuzugucken. Aber plötzlich kam Johann angerannt, ganz blass im Gesicht. Er packte mich am Arm.

»Weißt du, ob Krister schwimmen kann?«, fragte er. »Wenn aber nicht, was dann? Da drüben ist es ja gleich ganz tief!«

Ich wusste auch, dass es an der Stelle steil abwärts ging, aber ebenso wenig wie Johann war mir der Gedanke gekommen, dass es tatsächlich Menschen gibt, die nicht schwimmen können, und ich hatte keine Ahnung, ob Krister dazugehörte.

»Komm«, sagte ich und dann rannten wir hin, so schnell wir konnten, Johann und Niklas und Teddy und Freddy und ich.

Wir kamen gerade rechtzeitig um zu sehen, wie Krister ins Wasser hineinstapfte.

»Halt!«, schrie Johann.

Krister hörte offenbar nicht. Er ging rasch weiter, als ob er wirklich nach Finnland hinüberstrebte, aber nach wenigen Schritten war er schon im tiefen Wasser und dort verschwand er einfach, mein Gott, er verschwand einfach, und von dem Schrecken habe ich mich noch immer nicht erholt.

Johann streifte die Schuhe ab und tauchte sofort, und ich rief den anderen zu:

»Lauft und holt Leute!«

Niklas und Freddy rannten los, Teddy und ich blieben zitternd stehen, und der kalte Schweiß brach uns aus. Johann blieb lange unter Wasser und jede Sekunde war eine Qual. Ich wäre beinahe hinterhergesprungen, aber da kam er endlich wieder hoch. Allerdings ohne Krister. Er schüttelte verzweifelt den Kopf.

»Ich kann ihn nicht finden!«

»Du musst mehr in dieser Richtung suchen«, rief Teddy. »Dort ist er untergegangen.«

Da streckte jemand hinter mir einen Zeigefinger vor und sagte: »Stimmt nicht! Es war da drüben. Und da hinten bei dem Stein ist er wieder rausgeklettert.«

Ich drehte mich um und vor mir stand Krister. Triefend nass und sehr zufrieden mit seinem albernen Scherz.

Aber Teddy zeigte noch immer in dieselbe Richtung und beteuerte: »Nein, dort ist er untergegangen, ich hab es doch selber gesehen!«

»Ich auch«, versicherte Krister, und jetzt endlich ging es Teddy auf, mit wem sie sich stritt.

Sie wurde wütend.

»So was darf man einfach nicht machen«, sagte sie und ich pflichtete ihr bei.

»Nein«, sagte Krister, »und man darf auch keinen ins Tiefe schicken, bevor man weiß, ob er schwimmen kann.«

Johann war von neuem getaucht und hatte wieder gesucht. Jetzt tauchte er auf und entdeckte Krister. Man sah ihm an, wie erleichtert und gleichzeitig verblüfft er war – einen retten zu wollen, der schon auf dem Trockenen stand! Wenn irgendetwas ein bisschen peinlich ist, dann zieht Johann es mit aller Macht ins Komische, und das tat er auch jetzt. Er stieß ein Geheul aus und ließ sich rücklings wieder unter Wasser sinken, ungefähr so, als wäre er ohnmächtig geworden vor Glück Krister zu sehen.

Das hätte er lieber nicht tun sollen, denn in diesem Augenblick kam die gesamte Bevölkerung von Saltkrokan angestürzt, mit Papa an der Spitze. Sie wussten ja, dass irgendjemand am Ertrinken war, und Papa kam gerade noch rechtzeitig um einen Schimmer von Johann zu erhaschen, bevor dieser verschwand.

»Johann!«, schrie Papa und stürzte sich ins Wasser, ehe ich ihn daran hindern konnte. Es war wie in einem Film. Zuerst tauchte Johanns Kopf auf und dann Papas. Sie starrten einander schweigend an.

»Was willst du?«, fragte Johann schließlich.

»Ich will an Land«, sagte Papa ärgerlich und er ging an Land.

»Herr Melcher, weshalb badest du immer mit allen deinen Sachen an?«, fragte Tjorven. Nichts kann sie zurückhalten, wenn etwas passiert.

»Es ›kommte‹ bloß so«, sagte Papa und da schwieg Tjorven.

Aber Papa zupfte Freddy am Ohr.

»Hattest du nicht gesagt, da wäre jemand am Ertrinken?«

Teddy kam ihr zu Hilfe.

»Es war alles nur ein Missverständnis.«

Krister begann zu erklären, aber alle waren böse auf ihn und ich hörte, was Niklas zu Freddy sagte.

»Dieser Kerl da ist ein Missverständnis, so lang, wie er ist.«

Ich glaube, Björn war derselben Ansicht. Er hatte sich schließlich auch eingefunden, aber er ging mit finsterer Miene herum und kam nie in meine Nähe.

Jedenfalls wurde es ein ungeheuer schöner Mittsommerabend und auf dem Bootsanleger war Tanz, genau wie ich gehofft hatte. Der alte Söderman spielte Ziehharmonika und wir tanzten, alle tanzten, oh, wie wir tanzten, während die Sonne im Fjord versank und die Mücken uns umschwirrten. Björn tanzte nicht – er kann vielleicht nicht. Aber Krister konnte – oh! Mein Hellblaues stand wie eine Glocke um mich, wenn wir dahinflogen, und ich amüsierte mich großartig.

»Malin«, sagte Söderman in einer seiner kleinen Bierpausen, »versprich mir eins: Werde nie alt!«

Er sollte bloß wissen, wie alt ich manchmal bin.

Der geheime Johann und sein geheimer Anhang lehnten am Geländer und bewachten mich. Jedes Mal, wenn wir vorübertanzten, Krister und ich, schrie Johann:

»Reiß dich zusammen, Malin!«

Schließlich hatte ich es satt und fuhr ihn an: »Wieso soll ich mich zusammenreißen?«

»Dass du nicht drüberhaust«, rief er und die anderen drei kicherten. Krister kümmerte sich nicht darum, seinetwegen mochten sie ruhig lachen. Und so wahr ich Malin heiße, wirklich, der Junge wusste, wie man es anstellt! Völlig unbekümmert und ohne sich etwas daraus zu machen, ob diese kleinen Banditen es hörten, deklamierte er in einer von Södermans Bierpausen für mich:

> »Wie altschwedisches Leinen schimmert dein Scheitel
> mit der hellroten Rose im flachsblonden Haar.«

O ja, ich hatte nämlich eine Heckenrose in die Haarspange gesteckt und fühlte mich leinengelb und altschwedisch wie noch nie, bis Johann das verdarb.

»Doch, doch, es ist verschieden mit so Haaren«, sagte er. »Manche haben Borsten wie ein altschwedisches Schwein.«

Und dann guckten alle vier Banditen auf Kristers Borstenschnitt und kicherten lange. Wo kommt nur all das Gekicher her, das in Dreizehnjährigen steckt?

Aber noch war ich nicht so weit, dass ich böse auf sie war. Das wurde ich erst, als sie meinen Mittsommernachtstraum an Janssons Bucht störten. Ich hatte ihn allein träumen wollen, ohne Krister und unter allen Umständen ohne die Banditen, aber das durfte ich nicht.

Janssons Bucht ist ein einsamer und seltsamer Ort. Dorthin gingen wir, Krister und ich, nachdem der Tanz zu Ende war. Hier liegt ein altes Bootshaus mit ein paar Einbäumen darin und einem verfallenen Steg, aber sonst nichts, was verrät, dass es Menschen auf der Welt gibt. Alles dort ist Geheimnis und Schönheit und Schweigen. Heute Nacht schwammen ein paar Schwäne auf dem dunklen Wasser. Sie leuchteten unwirklich weiß, als wären es Märchenvögel. Vielleicht waren sie es auch, denn alles war wie verzaubert und märchenhaft und irgendwie urzeitlich, und jeden Augenblick konnten diese Schwäne ihr Schwanengefieder fallen lassen und zu heidnischen Göttern werden, die tanzten und auf der Flöte bliesen. Das Wasser lag schwarz unter den hohen Uferfelsen jenseits der Bucht, aber draußen zum Meer hin waren die Fjorde fahl und die Nacht war keine Nacht, sondern nur eine armselige kleine Dämmerung, die den Versuch machte Nacht zu werden.

Wir saßen auf einem Felsen, Krister und ich, und ich wollte, dass er schwieg. Aber das begriff er nicht. Er dachte, alles müsse nach seinem gewohnten Rezept gehen, und daher fing er an mir in die Augen zu schauen und zu fragen, ob sie grün oder grau seien, meine Augen also. Da hörte man hinter einem Felsen ganz in der Nähe eine Stimme, gefolgt von einem Kichern: »Die sind ganz lila.«

Jetzt wurde ich endlich böse und schrie: »Was habt ihr da zu suchen? Könnt ihr mir das mal sagen?«

86

»Klar«, sagte Niklas und steckte den Kopf hervor. »Wir sitzen hier und schwärmen ein bisschen, wie andere Leute auch.«

Darüber kicherten Teddy und Freddy mehrere Minuten lang und ich wurde noch wütender.

»Jetzt hab ich's aber satt«, sagte ich und da sagte Johann:

»Dann geh doch einfach nach Hause. Du brauchst doch nicht da zu sitzen und so zu schwärmen, dass du davon satt wirst.«

Die Ungeheuer! Sie hatten von Papa die Erlaubnis bekommen, so lange aufzubleiben, wie sie wollten, weil Mittsommerabend war.

»Ich finde, hier sind reichlich viele Brüder«, sagte Krister. »Gibt es denn nirgendwo einen Ort, wo man vor ihnen Ruhe hat?«

»Vielleicht zu Hause«, sagte ich, »denn da wollen sie bestimmt nicht hin.«

So zogen wir uns ins Schreinerhaus zurück. Im Wohnzimmer, wo es nach Maiglöckchen und Birkenlaub duftete, tischte ich Krister etwas Abendbrot auf.

Papa schlief, Pelle schlief, alles war still und ruhevoll. Wir saßen auf dem Sofa, im Rücken das offene Fenster, vor dem die Dämmerung stand, die bald weichen sollte.

»Wie hältst du es aus ständig diese Kinder um dich zu haben?«, fragte Krister. Und ich antwortete wahrheitsgemäß, dass ich es sehr gut aushielt, weil ich sie liebte, und wenn sie auch noch so albern seien.

»Jaja, im Augenblick liebe ich sie auch ganz ungemein«, sagte Krister, »nur weil sie nicht hier sind.«

Dachte er. Und dachte ich. Bis ich wieder dieses bezaubernde Kichern hörte, diesmal draußen vorm Fenster. Hier ging in der sommerlichen Dämmerung eine kleine Prozession von kichernden Kindern vorbei, die gräulichsten alten Hüte der Welt auf dem Kopf – es gibt wunderbare Sachen auf unsrem Dachboden! Jedes Mal, wenn sie am Fenster vorüberkamen, lüfteten sie höflich die Hüte und lachten so über ihre Witze, dass sie sich an die Apfelbäume lehnen mussten um nicht umzufallen.

»Guten Abend! Haben Sie schon gehört, dass die Butter um mehrere Pfunde gestiegen ist?«, sagten sie. Oder: »Entschuldigen Sie, geht hier der Weg zur nächsten Insel?« Oder: »Habt ihr nicht zufällig ein bisschen Schnupftabak für Opa?«

Als Johann dies sagte, kicherte Niklas derart, dass er tatsächlich umfiel und wie ein Käfer im Gras lag und vor Lachen nur noch quietschte.

Aber da kam zum Glück Nisse um seine Töchter heimzuholen, und es schien, als ob Johann und Niklas auch müde geworden wären und schlafen gehen wollten. Ich hörte sie die Bodentreppe hinauf in ihr Zimmer stapfen und seufzte erleichtert auf.

Krister war jedoch verärgert und das wunderte mich nicht. Ich bot ihm noch ein Butterbrot an und schenkte ihm mehr Tee ein und versuchte auf jede Art und Weise das niederträchtige Benehmen meiner Brüder wieder gutzumachen.

»Verflixt viele Brüder hast du«, sagte Krister. »Dein jüngstes Brüderlein hast du wohl narkotisiert, weil es sich so ruhig verhält?«

»Der ist Gott sei Dank so ein goldiges Kind, der schläft nachts«, sagte ich.

Da hörte ich plötzlich Pelles Stimme: »Denkst du, ja!«

Papa hatte im Giebelzimmer der Jungen eine Feuerleine angebracht. An dieser Feuerleine baumelte jetzt draußen vor dem Fenster das goldige Kind, das nachts schläft, und aus dem Giebelfenster darüber hörte man ein wildes Gekicher. Da war ich den Tränen nahe.

»Pelle«, sagte ich stöhnend, »weshalb hängst du da?«

»Um nachzusehen, ob es hier unten manierlich zugeht«, sagte Pelle.

»Johann sagt, das soll ich.«

Da stand Krister auf und ging zur Tür. Wenn draußen vor dem Fenster an einem Seil Brüder baumelten, dann sei er am Ende, sagte er, dann gebe er auf.

»Tschüs, Malin«, sagte er und verschwand in den dämmernden Morgen hinaus. Und dann war mein Mittsommerabend zu Ende.

Ja, ja – aber es war trotzdem ein ganz schöner Mittsommerabend, finde ich.

»Ja, Johann, ich weiß, dass ihr hinter der Hecke liegt«, sagte Malin und legte das Buch neben sich ins Gras. »Kommt her, wir wollen das jetzt mal bereden! Wenn ihr den ganzen Tag Holz und Wasser holt, dann verzeihe ich euch vielleicht.«

Dieser Tag ein Leben

Und der Sommer nahm seinen Lauf, Sonnenschein und Regen wechselten miteinander ab. Manchmal stürmte es. Der Fjord hatte weiße Schaumkronen und alle Häuser und Fensterscheiben der Insel klapperten. Tjorven musste sich ganz krumm machen, wenn sie zum Anleger hinunter wollte um den Dampfer zu empfangen, und Stina wäre beinahe ins Wasser geweht worden. Södermans Katze weigerte sich nach draußen zu gehen, und Söderman selbst hatte drei Tage lang zu tun um seine Strömlingsnetze zu säubern. Manchmal gab es auch ein Gewitter. Melchersons saßen einmal eine ganze Nacht in der Küche des Schreinerhauses und beobachteten, wie die Blitze zischend ins Wasser niedergingen und der Fjord erleuchtet war wie am hellichten Tag. Mit dumpfem, fürchterlichem Knall rollte der Donner über die Inseln weit draußen im Meer dahin, es hörte sich an wie das Jüngste Gericht. Und wer traute sich da ins Bett zu gehen?

»Ich kriege dieses Nachtleben allmählich satt«, sagte Pelle schließlich. Nachts herrschte hier auf Saltkrokan überhaupt keine Ordnung. Es mochte noch angehen, dass man aufblieb, weil ein Festessen stattfand oder weil Mittsommer war, aber eine ganze lange Nacht hindurch Gewitter, das fand Pelle anstrengend.

Nisse Grankvist hatte ihm allerdings erklärt, jedes Wetter sei schönes Wetter, und Pelle glaubte Onkel Nisse blindlings. Nur wenn es durchs Dach regnete, zweifelte er ein bisschen. Aber das hörte auch auf, denn eines schönen Tages kletterte sein Vater hinauf und legte Dachpappe und neue Ziegel auf die schlechteste Stelle. Malin hatte verlangt, dass die ganze Familie Melcherson eine Schweigeminute einlegte, während Papa auf dem Dach war. Und wahrhaftig, es half. Er schaffte es ohne jeglichen Zwischenfall.

Ganz so gut ging es aber am folgenden Tage nicht, als er im Mehlbeerbaum einen Nistkasten anbringen wollte; denn kaum war er oben, da krachte er auch schon wieder herunter, den Nistkasten in den Armen. Seine Kinder stürzten ängstlich herbei, Melcher versicherte ziemlich kurz angebunden, es sei nichts passiert. Ihm sei nur plötzlich eingefallen, dass es nicht die rechte Zeit sei um Nistkästen anzubringen.

»Muss dir das denn *so* plötzlich einfallen, dass du runterkrachen und dir die Knie aufschlagen musst?«, fragte Malin, als sie ihm hinterher Pflaster auf die Wunde klebte.

Im Allgemeinen aber war alles schön und der ganze Sommer eine einzige lange Wonne. Pelle fing schon an sich vor dem grässlichen Tag zu graulen, da sie wieder in die Stadt zurückmussten. Er besaß einen alten Kamm mit ebenso vielen Zähnen, wie der Sommer Tage hatte. Jeden Morgen brach er einen Zahn ab und er sah voller Besorgnis, wie die Zahnreihe Stück für Stück kürzer wurde.

Melcher entdeckte den Kamm eines Morgens, als sie beim Frühstück saßen, und er nahm ihn und warf ihn weg. Es sei verkehrt sich vor etwas zu graulen, was doch kommen musste. Man sollte das Jetzt genießen, einen sonnigen Morgen wie diesen, dann sei das Leben nur Glück, fand Melcher. Im Schlafanzug schnurstracks in den Garten hinauszugehen, Gras unter den Füßen zu spüren, am Steg schnell einmal unterzutauchen und sich hinterher an seinen eigenhändig gestrichenen Gartentisch zu setzen, sein Buch oder seine Zeitung zu lesen und seinen Kaffee zu trinken, während die Kinder um einen herumsummten, mehr begehrte er nicht vom Leben. Und da sollte Pelle gefälligst nicht mit einem alten Kamm ankommen. Melcher nahm ihn mit den Fingerspitzen und warf ihn in den Mülleimer. Pelle ließ es ohne Widerspruch geschehen und als das erledigt war, kehrte sein Vater zu seinem Buch zurück, und Johann und Niklas stritten sich weiter darüber, wer mit dem Abwaschen an der Reihe sei.

Sie waren beide der Meinung, dass ihre Abwaschtage viel zu dicht aufeinander folgten, aber Malin versicherte ihnen, jedes Mal, wenn hier im Hause abgewaschen werden sollte, gebe es keine Jungen auf der Welt, die so gründlich verschwunden waren wie Johann und Niklas. Ihre Abwaschtage seien so selten, dass sie eigentlich auf ganz Saltkrokan durch allgemeines Flaggen gefeiert werden müssten, behauptete Malin.

»Jetzt bist du aber ungerecht«, sagte Niklas. »Wer hat zum Beispiel gestern abgewaschen?«

»Das hat Malin getan, wer sonst?«

Niklas konnte das nicht verstehen. »Komisch. Ich dachte ganz bestimmt, ich wäre es gewesen.«

»Hast du das nicht gemerkt?«, fragte Pelle und strich sich Marmelade auf sein Brötchen. »Hast du nicht gemerkt, während du abgewaschen hast, dass du es gar nicht warst, sondern Malin?«

Eine seiner Wespen kam angeschwirrt und wollte auch Marmelade. Pelle hielt ihr freundlich sein Brötchen hin. Er musste doch seine Haustiere füttern. Pelle war sicher, dass die Wespen allmählich wussten, zu wem sie gehörten. Er saß oft in seinem Giebelfenster und pfiff sie herbei und unterhielt sich mit ihnen und er hatte ihnen versprochen, sie sollten so lange im Schreinerhaus wohnen dürfen, wie sie wollten.

Interessiert beobachtete er die kleine Wespe, die jetzt angefangen hatte sich an einigen Körnchen verschütteten Zuckers gütlich zu tun und er überlegte, was sie wohl dachte und wie es wäre Wespe zu sein. Waren Wespen traurig oder manchmal ängstlich, so wie Menschen, ja natürlich nicht wie Erwachsene, sondern wie Jungen, die so ungefähr sieben Jahre alt waren? Und wie viel *wussten* Wespen eigentlich?

»Papa, glaubst du, die Wespen wissen, dass heute der 18. Juli ist?«, fragte Pelle. Sein Vater war jedoch in Gedanken vertieft und gab ihm keine Antwort.

»Dieser Tag ein Leben«, murmelte Melcher. »Ja, aber das ist ja ganz ausgezeichnet.«

»Was ist denn da so Ausgezeichnetes dran?«, fragte Johann.

»Das steht hier im Buch«, sagte Melcher begeistert. »Dieser Tag ein Leben. Deswegen hab ich ja gerade Pelles Kamm weggeworfen.«

»Steht in dem Buch, dass du meinen Kamm wegschmeißen solltest?«, fragte Pelle erstaunt.

»Hier steht ›Dieser Tag ein Leben‹ – das bedeutet, man soll gerade an diesem Tag so leben, als hätte man nur diesen einen. Man soll auf jeden einzigen Augenblick Acht geben und spüren, dass man wirklich lebt.«

»Und da findest du, ich soll abwaschen«, sagte Niklas vorwurfsvoll zu Malin.

»Weshalb nicht«, antwortete Melcher darauf. »Zu merken, dass man etwas ausrichtet, etwas mit seinen eigenen Händen tut, so etwas steigert ja gerade das Lebensgefühl.«

»Dann möchtest du vielleicht abwaschen?«, schlug Niklas ihm vor. Aber Melcher sagte, er habe einen ganzen Haufen anderes zu tun, genug, dass sein Lebensgefühl sich den ganzen Tag lang auf der Höhe befinden werde.

»Was ist denn das, Lebensgefühl?«, fragte Pelle. »Sitzt so was in den Händen?«

Malin schaute ihren kleinen Bruder zärtlich an.

»Bei dir sitzt es, glaube ich, in den Beinen. Wenn du sagst, du hast so viel Gerenne in den Beinen, dann ist das Lebensgefühl.«

»Tatsächlich?«, sagte Pelle erstaunt; wie viel es doch gab, was man nicht wusste, und dabei war man doch ein Mensch und keine Wespe.

Die Wespen wussten vielleicht nicht, dass heute der 18. Juli war, es war ihnen aber völlig klar, dass ihnen auf einem Tisch an der Giebelseite des Schreinerhauses Marmelade in einer Schale angeboten wurde, und sie kamen in solchen Mengen angeschwirrt, dass Malin sie ärgerlich verscheuchte. Eine davon beschloss sich zu rächen. Anstatt sich aber auf Malin zu stürzen, ging sie ungerechterweise auf den armen, unschuldigen Melcher los und stach ihn in den Nacken. Melcher fuhr mit Gebrüll hoch und versuchte, ebenso ungerecht, eine Wespe totzuschlagen, die auf dem Tisch herumkroch und nichts Böses getan hatte. Aber Pelle hielt ihn zurück.

»Lass das«, schrie er, »lass meine Wespen in Ruhe! Die möchten doch auch so leben, so, wie du sagst.«

»Was hab ich gesagt?«, fragte Melcher. Er konnte sich nicht erinnern, dass er etwas über Wespen geäußert hätte.

»Dieser Tag ein Leben oder wie es gleich war«, sagte Pelle.

Melcher ließ das Buch sinken, mit dem er gerade die Wespe hatte totschlagen wollen.

»Na ja, natürlich, ich mag es aber nicht, wenn sie den Tag damit beginnen ihren Stachel in mein Genick zu bohren.«

Aber dann klopfte er Pelle liebevoll auf die Wange.

»Du bist zweifellos der tierliebendste kleine Bengel der Welt«, sagte er. »Schade, dass du nicht ein bisschen nettere Haustiere hast.«

Er griff sich ans Genick. Es brannte, aber er wollte sich nicht durch eine Wespe den Morgen verderben lassen. Entschlossen stand er vom Tisch auf. Dieser Tag ein Leben, genau, und er wusste auch, was er machen wollte!

In dem Augenblick brauste ein großes Motorboot auf den Bootssteg zu. Als Johann und Niklas sahen, wer es lenkte, guckten sie einander finster an.

»Ich dachte, wir hätten ihn in der Mittsommernacht endgültig vergrault«, sagte Johann.

Aber Krister hatte offensichtlich alles vergessen, außer dass Malin das hübscheste und blondeste Mädchen in Reichweite hier in den Schären war. Hätte es auf einer anderen Insel eine gegeben, die hübscher und blonder gewesen wäre, so hätte er sein Motorboot vielleicht dorthin gelenkt. Jetzt aber war Melchersons Bootssteg der beste Ankerplatz, den er sich denken konnte.

»Hej, Malin!«, rief er. »Kommst du ein bisschen mit raus aufs Wasser?«
Ihre drei Brüder hielten den Atem an. Wollte sie wirklich im Motorboot abhauen? Wie sollten sie sie dann bewachen?

Malins Miene hellte sich auf. Man merkte, dass sie nichts gegen eine Bootsfahrt einzuwenden hatte.

»Was meinst du, wie lange wir wegbleiben?«, rief sie zurück.

»Den ganzen Tag«, schrie Krister. »Nimm den Badeanzug mit, falls wir eine passende kleine Badeinsel finden.«

Johann schüttelte warnend den Kopf.

»Überleg dir's. Dieser Tag ein Leben – willst du wirklich ein ganzes Leben mit diesem Kerl zubringen?«

Malin lachte. »Es ist natürlich lustiger zu Hause zu bleiben und abzuwaschen und zu kochen, aber ich muss doch dafür sorgen, dass ihr hin und wieder auch mal Spaß habt.«

»Nett von dir«, sagte Niklas.

Malin schaute fragend zu ihrem Vater hinüber.

»Meinst du, ihr könnt allein fertig werden?«

»Und ob«, sagte Melcher. »Überlass nur alles deinem begabten Vater. Was gibt's zu essen?«

»Nichts«, gestand Malin. »Aber du kannst ja ein bisschen Hackfleisch bei Märta kaufen und Frikadellen machen, die lassen das Lebensgefühl um etliche Meter in die Höhe schnellen.«

Melcher nickte. Manchmal hatte er ein schlechtes Gewissen wegen Malin. Sie hatte wahrscheinlich mehr zu tun und eine größere Verantwortung, als man einer Neunzehnjährigen zumuten konnte. Er gönnte ihr jedes Vergnügen, das sich ihr bot. Außerdem passte es gut, dass sie gerade heute nicht zu Hause sein würde, wo er allein sein musste.

»Fahr nur los, mein Kind«, sagte er. »Leg den Haushalt getrost auf meine Schultern. Ich finde, das macht gerade Spaß.«

Aber lange bevor Malin sich selbst und ihre Badesachen zusammenge-
sucht hatte, stand Pelle unten auf dem Steg. Er knöpfte sich seine
Schwimmweste zu und guckte sauer Krister an.

»Hej«, sagte Krister. »Warum ziehst du die Schwimmweste an?«

»Das muss man, wenn man aufs Wasser will«, sagte Pelle kühl.

»Aha, du willst aufs Wasser. Mit wem denn?«

»Mit dir und Malin«, sagte Pelle. »Damit es manierlich zugeht.«

In dem Augenblick kam Malin und sie warf Krister einen bittenden
Blick zu.

»Ach bitte, er darf doch mit, nicht wahr?«

Es war Krister anzusehen, dass ihm eine bösartige kleine Kreuzotter im
Boot lieber gewesen wäre, und Malin sagte vorwurfsvoll: »Besonders
kinderlieb bist du wohl nicht, wie?«

Da packte Krister Pelle und setzte ihn auf die Ruderbank.

»Doch«, versicherte er, »und *ob* ich kinderlieb bin! Es müssen aber
Mädchen sein und die müssen neunzehn Jahre alt sein, sonst können sie
mir gestohlen bleiben.« Er streckte die Hand aus um Malin an Bord zu
helfen. »Andererseits muss ich dankbar sein, dass du nicht *alle* deine
Brüder mitnimmst.«

Die beiden, die sie nicht mitnahm, standen oben auf dem Hang und
guckten dem Boot nach, bis es nur noch ein kleiner Punkt draußen auf
dem Wasser war. Dann machten sie sich an die Arbeit, die getan werden
musste. Sie räumten den Tisch ab und trugen alles in die Küche, machten Wasser heiß, wuschen ab und stellten das Geschirr weg. Sie machten
es schnell und gut, weil sie es gewohnt waren, solche Sachen schnell und
gut zu machen, wenn ihnen nichts anderes übrig blieb, und außerdem
saßen Teddy und Freddy auf einem Floß vor Grankvists Steg und warteten ungeduldig auf sie.

Und Melcher wartete ebenso ungeduldig darauf, dass sie verschwanden.
Er wollte allein sein, o ja, denn nun wollte er seine Erfindung ausprobieren, seine geheime Wasserrinne, die ihn aus der Sklaverei befreien sollte.

Es gab gewisse Dinge, die man eigenhändig machen musste und die das Lebensgefühl kein bisschen steigerten. Dazu gehörte nach Melchers Ansicht die ewige Wasserschlepperei. Die Götter mochten wissen, was Malin mit all dem Wasser machte, das ihr hineingetragen wurde. Möglich, dass sie ganz im Geheimen andauernd kalte Abreibungen machte. Auf alle Fälle waren die Wassereimer ständig leer und sahen einen vorwurfsvoll an, wenn man in die Küche kam. Es verstand sich von selbst, dass Malin mit vier Mannsbildern im Haus nicht Wasser tragen musste. Das taten Johann und Niklas, falls sie zufällig einmal in der Nähe waren, wenn man gerade welches brauchte und wenn man es ihnen sagte. Aber allzu oft war außer Melcher keiner zur Hand um die leeren Eimer zu füllen.

Doch das sollte sich jetzt ändern. Von diesem Tag an, dem 18. Juli, sollten hier keine Eimer mehr geschleppt werden, und zwar, weil Melcher Melcherson wusste, wozu eine Wasserrinne da war, wenn er eine sah. Er hatte sie im Schuppen gefunden, in diesem herrlichen alten Schuppen, der so viel Gerümpel enthielt, und in aller Stille hatte er die Rinne mit Sand gescheuert, damit sie sauber wurde. Nun brauchte er sie nur noch anzubringen.

»Nichts einfacher als das«, versicherte Melcher sich selber und er überlegte auch genau, wie es zu bewerkstelligen wäre.

»Punkt 1. Du errichtest am Brunnen ein Gestell, so dass die Rinne das richtige Gefälle hat. Punkt 2. Du befestigst dieses Gestell mit Draht an einem der untersten Äste des Mehlbeerbaumes. Punkt 3. Du bringst die Rinne in dem Gestell an, machst sie ebenfalls fest und ebenfalls mit Draht und führst sie zum Küchenfenster hinein, o ja, denn du hast sorgfältige Messungen vorgenommen und kontrolliert, dass sie lang genug ist. Punkt 4. Du stellst in der Küche eine große, prächtige Wassertonne unter die Rinne. Punkt 5 und 6. Das Wasser läuft fröhlich blubbernd in die Küche und du selbst liegst fröhlich blubbernd im Grase draußen und tust keinen Handschlag.«

Das heißt, heraufziehen musste man das Wasser ja nach wie vor mit Handkraft, aber die Brunnenwinde zu handhaben war nicht anstrengend. Man konnte sich morgens eine bestimmte Zeit vornehmen und fünfzehn, zwanzig Eimer Wasser auf einmal heraufwinden, dann hatte man für den Rest des Tages frei, und Malin konnte kalte Abreibungen machen – wenn sie wollte, alle Viertelstunde eine.

Melcher machte sich mit frischem Mut ans Werk. Es war mühsamer, als er erwartet hatte, aber er redete sich sanft und ermunternd zu, während er beschäftigt war.

»Zwei Dinge gibt es, die sind eine wahre Wonne«, sagte er, als er die Rinne an Ort und Stelle angebracht hatte, »ja, drei Dinge weiß ich, die alle Vorstellungen übertreffen: diese schlau ersonnene Holzrinne, der Weg des Wassers in die Küche und Melcher Melchersons Weg zu immer größerer Weisheit.«

Es verlief alles prima, es sah genau so aus, wie er es sich vorgestellt hatte, und es würde auch genauso funktionieren, das wusste er. Eine Wassertonne hatte er noch nicht besorgen können und das war schade. Nun musste er es mit einem einzelnen Eimer ausprobieren, aber dazu brauchte er jemanden, der in der Küche stand und meldete, wenn der Eimer voll war.

Da kam gerade Tjorven wie vom Himmel gesandt und Melcher lachte, als er sie sah.

»Tjorven, du bist genau zur rechten Zeit gekommen.«

»Wirklich?«, sagte Tjorven begeistert. »Hast du Sehnsucht nach mir gehabt?«

Zwischen Melcher und Tjorven war eine Freundschaft entstanden, wie man sie bisweilen zwischen einem Kind und einem Erwachsenen antrifft, eine Freundschaft zwischen zwei Ebenbürtigen, die vollkommen aufrichtig miteinander sind und das gleiche Recht haben zu sagen, was sie denken. Melcher hatte genügend von einem Kind in sich und Tjorven genügend von etwas anderem, nicht gerade etwas Erwachsenem, aber eine merkwürdige innere Kraft, die es ermöglichte, dass sie tatsächlich als Ebenbürtige oder jedenfalls als beinahe Ebenbürtige miteinander umgehen konnten. Tjorven sagte Melcher mehr bissige Wahrheiten als irgendjemand sonst und hin und wieder zuckte er auch zusammen und hätte sie am liebsten angeschnauzt; aber er sah schnell ein, dass es bei Tjorven vergeblich wäre. Sie war, wie sie war, und sagte geradeheraus, was sie dachte. Meistens war sie ja auch freundlich, denn sie mochte Herrn Melcher sehr gern.

Er erklärte ihr, was diese Rinne für ein glänzender Einfall sei. Von nun an würde Malin das Wasser geradewegs in die Küche kriegen.

»Das kriegt Mama auch«, sagte Tjorven, »sie kriegt das Wasser auch geradewegs in die Küche.«

»Das stimmt aber doch gar nicht«, sagte Melcher.

»Doch«, sagte Tjorven, »Papa trägt's rein.«

Da lachte Melcher überlegen. Dies hier sei etwas anderes. Und er habe es sich als eine hübsche kleine Überraschung für Malin ausgedacht, sagte er.

Tjorven sah ihn ernsthaft an.

»Und außerdem, weil du dann nicht so viel schuften musst, was?«

Darauf gab Melcher keine Antwort.

»Jetzt stellst du dich hier neben den Eimer«, erklärte er Tjorven, »und wenn Wasser kommt, dann rufst du. Und wenn der Eimer voll ist, dann rufst du auch. Verstanden?«

»Ja, ich bin doch nicht dumm«, sagte Tjorven.

Melcher lief hinaus zum Brunnen, eifrig wie ein Kind, und ebenso eifrig zog er einen Eimer Wasser herauf und goss ihn in die Rinne. Er lachte vor Freude, als er sah, wie das Wasser zur Küche floss, und er hörte Tjorven dort drinnen schreien. O ja, o ja, wahrhaftig, es funktionierte, wie er es sich vorgestellt hatte!

Jedoch nicht so ganz – leider nicht so ganz! Die Rinne war undicht, das meiste Wasser lief auf die Erde, das sah er zu seinem Gram. Aber so was konnte behoben werden. Tonnen, die undicht waren, legte man ins Wasser, damit sie aufquollen. Das konnte er mit seiner Wasserrinne auch machen, aber Himmel, sie wieder herunterzunehmen, das ging über seine Kraft! All diesen prächtigen Draht – es mochten ungefähr zwei Kilometer sein, die er herumgewickelt hatte –, den kriegte man nicht so im Handumdrehen wieder ab. Ob es nicht ebenso gut ging, wenn er eine Menge Wasser durch die Rinne fließen ließ, so wie sie da stand? Auf diese Weise musste sie ja auch allmählich dicht werden.

Er legte los mit all dem Eifer und der Kraft, die er auf alles anwendete, was er machte, und nachdem er ungefähr zehn Eimer Wasser durch die Rinne geschickt hatte, schien es ihm, als ob sie ein bisschen mehr dicht hielte. Oder war es vielleicht nur Einbildung? Da stand er und kratzte sich am Hinterkopf und sah das Wasser auf die Erde strömen, als ihm plötzlich zum Bewusstsein kam, dass Tjorven in der Küche schrie und tobte. Er hatte ein Gefühl, als hätte sie es schon ziemlich lange getan, ohne dass er es gemerkt hätte, und er rief eifrig: »Ist es da jetzt voll?«

Tjorvens grimmiges Gesicht tauchte am Fenster auf.

»Nee«, sagte sie, »nicht die ganze Küche! Bloß bis zur Schwelle.« Und dann sagte sie: »Bist du schwerhörig, Herr Melcher?« Es stand außer Zweifel, dass die Rinne besser funktionierte, als Melcher angenommen hatte. Wenn auch das meiste Wasser auf die Erde geflossen war, so langte der Rest doch noch, den Eimer wie auch den Küchenfußboden zu füllen.

Johann und Niklas kamen eine Weile später ins Haus. Sie fanden ihren Vater auf dem Fußboden, einen Scheuerlappen in der Hand, und fragten erstaunt:

»Scheuerst du die Küche?«

»Nee«, sagte Tjorven, die auf der Holzkiste kauerte und zuguckte, »er hat nur eine hübsche kleine Überraschung für Malin gemacht. Jetzt hat sie das Wasser direkt in die Küche gekriegt.«

»Raus«, brüllte Melcher, »alle miteinander raus!«

Aber fern von Melchers netten Überraschungen genoss Malin ihren Sommertag, dass sie es bis in die Zehenspitzen spürte. Dieser Tag ein Leben – o ja, da war es ihr geglückt, ein bisschen vom Nötigsten mitzukriegen. Die Sonne und das Wasser und der sanfte Sommerwind, der gute, harte, warme Fels, auf dem sie lag, der Blumenduft, der über sie hinwegstrich und sich mit den Gerüchen vom Meer mischte, oh, alle diese kleinen, wunderbaren grünen Holme mit ihren kahlen grauen Uferfelsen, ihren Blumen und ihren Seevögeln – wie konnte man einen Tag und ein Leben besser verschwenden als auf so einem Felsen? Konnte es etwas Seligeres geben als so in der Sonne zu liegen und Vögel fliegen zu sehen und dem Schwappen der Dünung gegen den Felsen zu lauschen? Natürlich, ohne Krister wäre die Seligkeit vielleicht größer gewesen, denn sein Geschwafel übertönte das leichte Wellengeplätscher. Dieses Geschwafel begann sie zu reizen, nicht sehr, nur ein wenig, es war nur wie ein unbestimmter Wunsch, dass er bald still sein möge, aber sie wusste, er würde nicht still sein. Als sie am Mittsommerabend an Janssons Bucht saßen, hatte sie ihm zu verstehen gegeben, wie gern sie ganz stumm dasaß und ganz allein war. »Nicht immer, Gott behüte, und nicht gerade jetzt«, hatte sie rasch versichert, aber trotzdem – manchmal fühlte sie, dass sie allein sein *müsse*. Das hatte sie gesagt.

»Ich kann auch allein sein«, hatte Krister ihr versichert, »aber es kommt ganz darauf an, mit wem. Mit dir könnte ich wer weiß wie lange allein sein.«

Armer Krister, er durfte auch jetzt nicht mit Malin allein sein. Pelle mochte sein Geschwafel auch nicht. Trotzdem hatte er sich so nah neben den beiden niedergelassen, wie er nur konnte, damit ihm nicht ein einziges Wort entging. Er sammelte Steine am Ufer und schaute kleinen Ukeleien im Wasser zu, hielt aber die ganze Zeit die Ohren weit aufgesperrt.

»Ich hatte vor für eine Woche nach Åland hinüberzuspritzen«, sagte Krister. »Mit dem Motorboot. Willst du mit?«

Pelle guckte auf. »Meinst du mich?«

Krister konnte Pelle wahrheitsgemäß versichern, dass er ihn nicht meinte. Die er aber meinte, die lächelte nur und antwortete nicht.

»Ach, komm doch mit, Malin, ja?«, sagte Krister eifrig. »So gescheit und verständig, wie du aussiehst, wirst du doch die Gelegenheit wahrnehmen, wenn sie sich dir bietet.«

»Nein, ich werde nicht mit dir nach Åland fahren«, sagte Malin, »nein, denn, siehst du, ich *bin* so gescheit und verständig, wie ich deiner Meinung nach aussehe.«

»Schön abgeblitzt, was?«, sagte Pelle und hob einen hübschen kleinen weißen Stein auf.

»Wie lustig das doch ist, wenn Brüder alles hören, was man sagt«, sagte Krister. Er schlug Pelle vor, ein bisschen weiter am Ufer entlangzugehen. Es sah aus, als gäb es dort viel schönere Steine. Aber Pelle schüttelte den Kopf.

»Nee, dann höre ich ja nicht alles, was du sagst.«

»Weshalb willst du denn alles hören, was ich sage?«, fragte Krister. »Findest du es so interessant?«

Pelle schüttelte wieder den Kopf.

»Nee, ich finde es dumm.«

Krister war daran gewöhnt, dass die Leute ihn mochten, Kinder natürlich nicht, denn aus denen machte er sich nichts. Aber jetzt ärgerte er sich trotzdem, dass dieser kleine Knirps hier ihn überhaupt nicht mochte, und er wollte gern wissen, warum.

»Aha, du findest mich also dumm«, sagte er in freundlicherem Ton, als er ihn bisher Pelle gegenüber angeschlagen hatte. »Es hat doch aber sicher dümmere Jungs gegeben als mich, die mit Malin ausgegangen sind?«

Pelle sah ihn schweigend und forschend an und gab keine Antwort.

»Oder etwa nicht?«, fragte Krister.

»Ich denke gerade nach«, sagte Pelle.

Malin lachte, und das tat Krister auch, wenn auch nicht ganz so herzlich. Pelle gab nach einigem Nachdenken zu, dass es vielleicht einen oder zwei gegeben habe, die dümmer gewesen seien als Krister.

»Wie viele sind es denn überhaupt gewesen, so alles in allem?«, fragte Krister neugierig. »Kann man sie zählen?«

»Ja, stell dir vor, man kann sie zählen«, sagte Malin. Sie erhob sich rasch und sprang kopfüber ins Meer.

»Darüber erfährst du übrigens nichts«, sagte sie, als sie die Nase wieder über Wasser hatte. Aber Pelle hatte nichts dagegen Auskunft zu geben.

»Zwei Dutzend mindestens«, sagte er. »Die rufen an, ewig und immer, Tag für Tag... wenn wir also in der Stadt sind. Dann antwortet Papa am Telefon: ›Dies ist der automatische Anrufbeantworter der Familie Melcherson. Malin ist nicht zu Hause.‹« Malin machte die Hand hohl und bespritzte Pelle mit Wasser.

»Jetzt finde ich, du könntest ein Weilchen den Mund halten.«

Dann legte sie sich auf den Rücken und ließ sich treiben, und während sie so lag und in den blauen Himmel hinaufsah, überlegte sie, wer die zwei seien, die dümmer gewesen waren als Krister. Aber sie konnte sich an keinen einzigen erinnern. Und da wurde ihr plötzlich klar, wie viel schöner dieser Tag wäre ohne ihn. Dieser Tag und alle anderen Tage. Und sie beschloss, jetzt und hier, dass sie heute zum letzten Mal mit Krister ausgewesen sei.

Dann dachte sie an Björn und seufzte ein bisschen. Ihn hatte sie in der letzten Zeit ziemlich häufig gesehen. Bei Grankvists war er wie ein Kind im Hause, er ging dort aus und ein, wie er wollte, und das Schreinerhaus lag nur einen Steinwurf entfernt. Augenblicklich kam er fast täglich. Unter den verschiedensten Vorwänden und manchmal ganz ohne Vorwand. Er kam mit frisch gefangenen Barschen oder mit Pfifferlingen, die er gerade gesammelt hatte und wortlos auf den Küchentisch legte; er half Johann und Niklas die Grundleinen nachzusehen, er saß auf der Treppe zum Schreinerhaus und unterhielt sich mit Melcher. Aber Malin wusste nur zu gut, um wessentwillen er kam, und sicher kam er heute Abend auch. Malin seufzte wieder. Er war so nett, der Björn, und so grundehrlich und ganz offensichtlich in sie verliebt. Sie versuchte nachzufühlen, ob sie nicht auch ein wenig in ihn verliebt sei. Sie wollte es so gern sein, aber sie konnte nicht das geringste Herzklopfen spüren. Wenn dieser Tag ein Leben war, dann musste sie das Leben zubringen ohne auch nur ein bisschen verliebt zu sein, oh, was war das eigentlich für ein Jammer!

Irgendetwas ist mit mir nicht in Ordnung, dachte Malin und starrte auf ihre Zehen, die sie aus dem Wasser herausstreckte. Warum sich ihre Brüder so aufregten? Sie verliebte sich ja höchstens mal ein bisschen, sie brauchten sich wirklich nicht zu beunruhigen.

Sie seufzte, dann schaute sie wieder zur Sonne hinauf und sah, dass dieser Tag schon zur Hälfte, dieses Leben zur Hälfte vorüber war. Und sie fragte sich, wie weit ihr Vater wohl mit den Frikadellen war.

Aber Melcher hatte nicht vor an diesem Tag sein Lebensgefühl weiter zu steigern, indem er Frikadellen rollte.

»Nicht, wenn wir uns an unserem eigenen Steg ein Essen holen können«, sagte er zu Johann und Niklas. »Barschfrikassee ist eine Delikatesse, die alle Frikadellen weit übertrifft.«

Er schickte die Jungen aus nach Würmern zu graben, und dann saß er zwei Stunden lang auf dem Bootssteg ohne auch nur so viel wie eine Plötze zu ergattern. Johann und Niklas dagegen holten einen großen Barsch nach dem anderen heraus. Das war eine Freude, die er ihnen gönnte, aber mit der Zeit machte er ein bedrücktes Gesicht. Die Sache war nämlich die, dass er die Jungen vorher gewarnt hatte. Sie sollten für sich nicht allzu viel beim Angeln erwarten, wenn er, Melcher, dabei sei. Er brauchte nur zu pfeifen, dann kämen die Barsche an, hatte er versichert, und da er eine viel bessere Technik und größere Erfahrung im Angeln habe, müssten sie es verstehen und nicht traurig werden, wenn er mehr Fische finge als sie.

Und jetzt saßen sie hier und zogen vor seinen Augen Barsche heraus. Er gönnte es ihnen, das *tat* er, aber es war doch … ja, es war vielleicht doch ein bisschen ungerecht, dass bei ihm nicht auch etwas anbiss.

»Dieser Tag nicht ein Leben«, sagte er und starrte finster auf seinen Schwimmer.

Jedes Mal, wenn bei ihnen etwas anbiss, guckten Johann und Niklas ihren Vater fast schuldbewusst an. Papa durfte nicht enttäuscht werden, darüber waren sich alle Melchersonschen Kinder rührend einig. Keines von ihnen konnte es ertragen, wenn seine fröhlichen blauen Augen plötzlich dunkel wurden, und sie wurden so leicht dunkel und aus so kindischen Anlässen. Die Jungen merkten, wie seine Stimmung sank. Er hatte eine Art sich mit der Hand übers Kinn zu fahren, die sie kannten, und das war kein gutes Zeichen. Tatsächlich warf er den Angelstock schließlich auch hin.

»Jetzt sollen die Barsche zusehen, wie sie fertig werden«, sagte er. »Ich hab keine Lust mehr ihnen eine Angel hinzuhalten.« Er legte sich auf den Steg und zog die Baskenmütze über die Augen.

»Wenn jetzt ein Barsch ankommt und Krach schlägt und rausgezogen werden will, dann sagt, dass ich schlafe. Er soll gegen drei Uhr wiederkommen.«

Dann schlief er auf der Stelle ein und sein Schwimmer lag weiterhin im Wasser und hüpfte auf und nieder. Trotz inständiger Bitten seiner Söhne kam kein Barsch und verlangte rausgezogen zu werden. Da beschlossen sie die Angelegenheit selbst zu regeln. Einer sollte wenigstens bei ihrem Vater anbeißen. Sie holten Melchers Leine ein und steckten ihren größten Barsch an seinen Haken. Dann weckten sie ihn mit lautem Hallo.

»Papa, bei dir hat einer angebissen!«

Melcher fuhr hoch und riss so heftig an seiner Angel, dass er beinahe ins Wasser gefallen wäre, und er jubelte, als er den Barsch herauszog.

»Habt ihr schon mal so einen Riesen gesehen? Der ist doppelt so groß wie einer von euren.«

Aber dieser Barsch war keiner von denen, die ankamen und Krach schlugen. Unnatürlich still und fromm hing er am Haken. Melcher guckte ihn lange schweigend an und seine Söhne beobachteten ihn mit Bangen.

»Der arme Kerl scheint unter Schock zu stehen«, sagte Melcher.

Er strich sich ein paarmal übers Kinn, aber plötzlich lächelte er und es war, als wenn die Sonne unverhofft durch düstere Wolken bricht.

Er schaute seine Söhne liebevoll an. Dass er so gute und umsichtige Kinder hatte, das war mehr wert als alle Barsche der Ostsee!

»Ich geh jetzt rein und dämpfe diesen Barsch und noch vier dazu«, sagte Melcher. »Nach meinem eigenen kleinen Rezept. Von dieser Kunst versteh ich jedenfalls mehr als ihr.«

Johann und Niklas gaben ihm zu verstehen, dass er der beste Barschdämpfer der Welt war, und Melcher zog sich in die Küche zurück. Malin hätte es gegraust, wenn sie gesehen hätte, wie er die Barsche schuppte. Melcher und ein großes Messer und ein kleiner, glitschiger Barsch – diese drei Dinge zusammen und die Folge müsste ein grässliches Blutvergießen sein. Aber das war das Komische mit Melcher, manchmal kam er mit heiler Haut davon, wenn eine Katastrophe unvermeidlich zu sein schien, mit tiefen Fleischwunden und ersten Verbänden.

Er war jetzt blendender Laune. Sachkundig schichtete er die Barsche in einem emaillierten Schmortopf übereinander und sang dazu sein Rezept, als wäre es eine Opernarie.

»Barschtopf auf Melchers Art…«, sang er, »…fünf prima Fische – und dann Butter – reichlich Bu-u-utter«, sang er und klackste diese im Takt zu den Worten in den Topf. »Und Petersilie – und Dill – ordentlich viel Di-illeri-dill – und dazu noch ein Löffelchen Mehl – und ganz, ganz wenig Wasser – gewöhnliches Wasser – und Salz nach Belieben – nach Belieben – nach Belie-ie-ie-ben – nach Belie-ie-ben!«

Das klang so bezaubernd, dass er sich fragte, ob er nicht eigentlich hätte Opernsänger werden sollen.

Ach nein, lieber Straßen- und Wasserbauer! Hin und wieder warf er einen Blick auf seine Rinne, die zum Küchenfenster hereinragte, und jedes Mal lächelte er zufrieden. Das war doch etwas zum Vorzeigen, wenn Malin nach Hause kam.

Gleich darauf hörte er das Motorboot am Steg anlegen und er stürzte zum Brunnen hinaus um bereitzustehen und sein Werk vorzuführen.

Malin sah übrigens aus, als ob sie eine Aufmunterung brauchte. Sie hängte ihren Badeanzug mit einer sonderbar nachdenklichen Miene auf die Wäscheleine, aber als sie merkte, dass Melcher sie anschaute, lächelte sie. Und dann sah sie die Wasserrinne.

»Was ist denn das?«, fragte sie und Melcher erklärte ihr und Krister und Pelle, was für eine einfache und geniale Einrichtung es war, die ihr Leben im Schreinerhaus von nun an so viel angenehmer machen werde.

»Hast du sie ausprobiert?«, fragte Malin.

»Hmm – wie ist es euch denn ergangen?«, fragte Melcher. Dann aber sah er Niklas und Johann ebenfalls dort stehen, und die wussten ja das eine oder andere. So rückte er denn mit der Wahrheit heraus.

»Doch, ich hab sie ausprobiert – und einiges floss auf die Erde – und anderes kam auf den Küchenfußboden, aber das kommt alles in Ordnung, wenn ich eine Wassertonne besorgt habe.«

Melcher strahlte über das ganze Gesicht. Er war so hingerissen von seiner Rinne, so stolz darauf, sie war so prächtig, er wollte sie streicheln und das tat er auch. Aber genau da, wo er die Hand hinlegte, saß eine von Pelles Wespen, und als Melcher den Stich spürte, geriet er völlig außer sich. Zweimal an ein und demselben Tag, das war zu viel! Er stieß ein Gebrüll aus, bei dem Krister, der nicht daran gewöhnt war, zusammenzuckte. Ja, Melcher brüllte wie ein Löwe und sah sich nach einer Mordwaffe um. Im Gras lag einer von den Krocketschlägern der Jungen, den hob er auf, und als er die Wespe, ganz zufrieden mit ihrer Tat, auf der Rinne sitzen sah, hob er den Schläger hoch über seinen Kopf und schlug so kräftig zu, wie er konnte.

Hinterher war er wie gelähmt, als er sah, was er angerichtet hatte. Die Wespe hatte er nicht getroffen, die saß bestimmt schon zu Haus in ihrem Nest und prahlte vor den anderen Wespen mit ihrer Tat. Aber die Rinne, seine prächtige Wasserrinne, die war in der Mitte durchgebrochen und am Draht hing nur noch ein Stumpf. Kein Zweifel, sie war nicht nur undicht, sie war auch morsch.

Endlich erwachte Melcher aus seiner Betäubung und da schnaubte er: »Ratet mal, was ich jetzt tun werde!«

»Fluchen«, schlug Pelle vor.

»Nein, das werde ich nicht tun, das ist nämlich hässlich und ungebildet. Aber jetzt verschwindet entweder das vertrackte Wespennest aus dem Schreinerhaus oder ich!«

Er hob den Krocketschläger, aber Pelle hängte sich an seinen Arm und schrie:

»Nein, Papa, nein, nein, rühr nicht meine Wespen an!«

Da schleuderte Melcher ärgerlich den Schläger fort. Er drehte sich auf dem Absatz um und ging zum Bootssteg hinunter. Das war ja wohl die Höhe: Pelle wollte lieber, dass sein Vater von oben bis unten mit Wespenstichen durchlöchert war, als diese gemeinen Wespen zu opfern! Pelle rannte hinter ihm her um zu erklären und zu trösten, und darum bemerkte er nicht, was für eine Freveltat Krister vorhatte. Das Wespennest saß nur gerade so hoch, dass man mit dem Krocketschläger heranreichen konnte, wenn man sich ein bisschen anstrengte, und Krister wollte sich gern ein wenig anstrengen für dieses Vergnügen den großen grauen Klumpen, der voll von Wespen saß, zu Mus zu schlagen. Er hob den Krocketschläger, zielte und führte einen fürchterlichen Schlag gegen das Nest, verfehlte es aber und traf dicht daneben die Wand. Einen solchen Donner hatten die Wespen in ihrem ganzen Leben bestimmt noch nicht gehört, und er gefiel ihnen nicht. Die ganze Heeresmacht rückte aus um sich zu rächen. Eine Wolke von kleinen, bösen Wespen quoll hervor, die nachsehen wollten, wer sich unterstanden hatte so zu donnern. Der Erste, den sie sahen, war Melcher. Voller Kampfeslust stürzten sie auf ihn los. Melcher hörte das Summen, als sie kamen.

»Nein, nun soll doch aber...«, sagte er.

Dann rannte er davon. Im Zickzack wie ein Hase und die ganze Zeit brüllend vor Zorn.

»Lauf, Papa, lauf!«, schrie Pelle.

»Ich dachte, das tu ich schon«, brüllte Melcher und raste zum Bootssteg hinunter, als gälte es das Leben. Krister und Malin und die Jungen rannten hinterher und Krister lachte, dass er erstickte, ohne zu ahnen, dass Malin ihn deswegen aus tiefstem Herzen verabscheute.

Melcher fuchtelte wild mit den Armen um sich gegen die Quälgeister zu schützen, aber er hatte schon ein paar Stiche abbekommen, und in seiner Not sah er nur einen einzigen Ausweg zur Rettung. Er sprang geradewegs ins Wasser. Ein lautes Platschen und seine Kinder sahen ihn unter der Wasseroberfläche verschwinden. Dort schien er eine Weile bleiben zu wollen. Die Wespen schwirrten verwirrt herum und suchten. Wo war er nur so rasch hingekommen, ihr Feind? Sie sahen sich um und da entdeckten sie Krister. Er stand noch immer auf dem Steg und lachte noch mehr als vorher, aber es war merkwürdig, wie schnell er ernst wurde, als der Wespenschwarm jetzt auf ihn zusauste.

»Haut ab!«, schrie er. »Lasst mich, kommt bloß nicht hierher!«

Aber die Wespen ließen ihn nicht. Sie kamen, oh, wie sie kamen! Da stieß er einen Schrei aus, als wäre er in Seenot, und stürzte sich kopfüber ins Wasser. Er war noch wütender als die Wespen, als er wieder auftauchte. Aber Melcher, der ein Stück von ihm entfernt Wasser trat, begrüßte ihn freundlich.

»'n Abend! Sieh mal an, bist du auch unterwegs?«

»Ja, aber auf dem Nachhauseweg, das kannst du schriftlich haben«, sagte Krister. Mit wenigen Schwimmstößen war er an seinem Boot.

»Auf Wiedersehen, Malin!«, rief er. »Ich fahre jetzt los. Diese Insel ist ja lebensgefährlich. Aber wir sehen uns vielleicht ein andermal wieder!«

»Das glaube ich kaum«, murmelte Malin. Doch das hörte Krister nicht. Als Melcher auf das Schreinerhaus zuplatschte, begegnete er Tjorven und sie lächelte begeistert, als sie ihn sah.

»Hast du schon wieder in deinen Sachen gebadet? Warum tust du das bloß immerzu? Hast du keine Badehose?«

»Doch, die hab ich«, sagte Melcher.

»Aber ich glaub, mit der platscht es wohl nicht so gut, nicht?«

»Nein, auf diese Weise platscht es besser«, gab Melcher zu.

Dann aber kam der herrliche Augenblick, da er seinen Kindern Barsch nach Melchers Art vorsetzen wollte. Malin stand am Küchenherd und hob den Deckel vom Kochtopf. Sie atmete den sagenhaften Duft ein. Oh, wie roch das gut und wie war sie hungrig!

»Papa, du bist fantastisch«, sagte sie.

Melcher hatte sich umgezogen und seine Wespenstiche gekühlt. Jetzt saß er am Küchentisch, von neuem glänzender Laune. Das Leben war trotz allem reich. Er lächelte verlegen über Malins Lob und sagte:

»Tja, man behauptet ja, wenn Männer sich wirklich mit Kochen abgeben, so können es Weibsleute nicht mit ihnen aufnehmen. Ja, ja, ich meine damit nicht unbedingt, dass *ich* ... aber wir werden ja sehen. Nun wollen wir jedenfalls probieren!«

Der Reihe nach füllte er seinen Kindern Barsch nach Melchers Art auf und gestattete nicht, dass einer anfing, bevor nicht jeder Einzelne seine Portion bekommen hatte. Als er sich auch seinen Teller gefüllt hatte, schmunzelte er und schaute hungrig auf den weißen Fisch, der zwischen Dill und Petersilie in seiner Buttersoße schwamm. Er schmunzelte noch, als er den ersten Bissen zum Mund führte, aber gleich darauf stieß er ein kleines, hilfloses Gurgeln aus.

Malin und die Jungen hatten auch schon gekostet und sie saßen wie gelähmt.

»Wie viel Salz hast du drangetan?«, fragte Malin und legte die Gabel hin.

Melcher sah sie an und seufzte. »Nach Belieben«, sagte er mühsam. Dann stand er auf und ging zum Entsetzen seiner Kinder zur Tür hinaus und durchs Fenster sahen sie, wie er sich am Gartentisch niedersinken ließ, wo er den Tag mit so viel Erwartung begonnen hatte. Ihr Herz schnürte sich zusammen vor Mitgefühl, und ohne ein Wort zu sagen stürzten sie alle zur Tür hinaus.

»Aber Papa, weshalb bist du denn so traurig?«, fragte Malin, als sie Melcher, die Hände vors Gesicht geschlagen, dasitzen sah.

»Weil ich wertlos bin«, sagte Melcher und sah sie mit Tränen in den Augen an. »Dieser Tag ein Leben – und was habe ich getan? Ich kann auch nicht *das Geringste* ordentlich machen, alles misslingt mir. Ich schreibe auch sicher schlechte Bücher, das ist mir jetzt klar. Doch, widersprecht mir nicht, das tue ich! Arme Kinder, ihr habt einen wertlosen Vater.«

Da warfen sie sich alle auf ihn. Sie drängten sich an ihn und umarmten ihn und sie versicherten ihm, es gebe kein Kind, das einen so tüchtigen und so liebenswerten und so guten Vater habe wie sie, und sie hätten ihn so gern, sie liebten ihn so grenzenlos, weil er so lieb und so tüchtig und so gut sei, versicherten sie.

»Hmmm«, machte Melcher. Er wischte sich die Tränen mit der Rückseite der Hand ab und lächelte ein bisschen. »Bin ich nicht auch stark und hübsch? Davon habt ihr nichts gesagt!«

»Doch«, sagte Malin, »du bist auch stark und hübsch und dann macht es nichts, wenn du ein bisschen zu viel Salz ins Essen tust.«

Aber Johann und Niklas hatten die übrigen Barsche, die sie gefangen hatten, verschenkt und sie hatten nichts zu essen im Haus, der Laden hatte geschlossen und sie hatten Hunger.

»Ist Knäckebrot da?«, fragte Niklas.

Aber bevor noch jemand antworten konnte, kam Tjorven mit Bootsmann auf den Fersen und sagte:

»Papa lädt zum Bücklingessen ein unten in der Räucherei. Möchte einer was haben?«

Dieser Tag ein Leben – und wenn es köstlich gewesen ist, so ist es Heulen und Zähneklappern gewesen, dachte Melcher. Nun aber kam der Abend mit Frieden und Klarheit und Melcher hatte sich alle seine Dummheiten verziehen. Das Leben war doch eine schlau erdachte Einrichtung mit seiner ständigen Abwechslung, im einen Augenblick Heulen und Zähneklappern, im nächsten die rosigste Freude und allerlei Köstlichkeiten, dachte Melcher, wie frisch geräucherter Bückling, Butter und neue Kartoffeln.

Sie saßen vor Nisses Räucherei auf den Ufersteinen und die Sonne ging draußen im Fjord unter mit roten Wangen von der sommerlichen Wärme. Nisse reichte ihnen Bücklinge, goldbraune, duftende Bücklinge, so viel sie essen konnten. Märta stiftete Butter und Kartoffeln und selbstgebackenes Graubrot und Melcher hielt eine Rede. Es war ein Lobgesang auf die Freundschaft und auf den Bückling, denn er merkte, wie sich die dankbaren Gefühle in seiner Brust stauten. Und ob das Leben schön war! Man stelle sich nur vor, wie viel von dieser Schönheit in einem einzigen Sommertag enthalten sein konnte!

»Ja, meine Freunde«, sagte Melcher, »es ist genauso, wie ich immer sage: dieser Tag ein Leben!«

»Und dann auch noch so ein tolles Leben!«, sagte Pelle.

Ein kleines Tier für Pelle

Melcher liebte seine Kinder stürmisch und hin und wieder dachte er über sie nach. Zwar war er Schriftsteller und wenn man ihn fragte, was ihn im Augenblick beschäftigte, antwortete er: »Melcher ist nur mit Melcher beschäftigt!« Das stimmte aber nicht so ganz. Manchmal dachte er auch über seine Kinder nach und es war ihm unbegreiflich, wie gerade er vier so prachtvolle Sprösslinge hatte bekommen können. Und so verschieden. Nicht nur, dass Malin und Johann blond waren und die beiden anderen braun, nein, sie waren auch durch und durch verschieden.

Zuerst Malin, sein Trost und sein Heil – wie konnte sie so klug werden, da sie so hübsch war? Hübsche Mädchen waren im Allgemeinen von ihrem eigenen Hübschsein in Anspruch genommen, sie hatten gewissermaßen gar keine Zeit klug zu werden. Malin war anders. Zwar wusste er nicht allzu viel von den Gedanken, die sich hinter ihrer glatten Stirn regten, aber er wusste, dahinter lagen Klugheit und Wärme und gesunde Vernunft. Und außerdem war sie voller Anmut ohne sich dessen bewusst zu sein, wie eine Blume, jedenfalls schien es so.

Und dann Johann, der gescheiteste von den Kindern, der am meisten Fantasie hatte und am zappeligsten war. Er würde es einmal nicht leicht haben, denn er schlug seinem Vater nach, das arme Kind! Niklas dagegen war ausgeglichen und sicher und lebenstüchtig von dem Tag an, als er auf die Welt kam, der fröhlichste und handfesteste von der ganzen Familie Melcherson. Niklas würde leicht durchs Leben kommen, das wusste Melcher.

Aber dann war da Pelle, wie sollte es ihm ergehen? Wie würde das Leben werden für einen, der anfing zu weinen, weil er in der Straßenbahn Leute sah, die ein trauriges Gesicht machten, oder weil er einer Katze begegnet war, die aussah, als wäre sie obdachlos? Diese stete Sorge, dass ein Mensch oder eine Katze oder ein Hund oder eine Wespe nicht glücklich genug sein könnte, wie sollte er die auf die Dauer aushalten? Und all das andere Wunderliche, über das er nachgrübelte! Weshalb es in den Telegrafendrähten summte, sodass man am liebsten weinen möchte, wenn man es hörte, und warum die Bäume rauschten, als ob sie über irgendetwas klagten, und wie es kam, dass das Meer so dumpf brauste, ob es wohl wegen all der toten Seeleute sei, fragte Pelle mit Tränen in den Augen. Er konnte aber auch auf seine eigene wunderliche Weise heiter sein. Es gab allerlei, was ihn glücklich machte: allein im Bootshaus zu sitzen, wenn es regnete, und zu hören, wie es auf das Dach trommelte, oder oben auf dem Hausboden in einer Ecke zu kauern, wenn es stürmte, am liebsten in der Dämmerung, und dazusitzen und das ganze Haus ächzen zu hören. Niklas versuchte aus ihm herauszubekommen, wieso er solche sonderbaren Dinge so gern mochte, aber Pelle sagte nur: »Wenn du es nicht von selbst verstehst, dann hat es keinen Sinn, dass ich es dir erkläre.« Außerdem war er Forscher und für so einen gab es viel zu tun. Auf dem Bauch im Gras liegen und beobachten, was das kleine Getier trieb. Auf dem Bootssteg auf dem Bauch liegen und die wundersame grüne Welt ergründen, in der die kleinen Stichlinge ihr kleines Stichlingsdasein führten. An dunklen Augustabenden auf den Treppenstufen sitzen und sehen, wie die Sterne nach und nach aufglänzten, und die Kassiopeia und den Großen Bären und den Orion suchen. Pelle erlebte das ganze Dasein als eine Reihe von Wundern und er war ständig damit beschäftigt sie zu erforschen, geduldig und seiner Arbeit hingegeben, wie es sich für einen Forscher gehörte. Melcher empfand hin und wieder so etwas wie Neid, wenn er seinen Jüngsten beobachtete. Weshalb konnte man nicht das ganze Leben hindurch die Fähigkeit bewahren Erde und Gras und rauschenden Regen und Sternenhimmel als Seligkeiten zu erleben?

Und dann diese grenzenlose Tierliebe. Es war beinahe grausam, dass er nie einen Hund bekommen hatte. Er hatte angefangen darum zu betteln, sobald er groß genug war »Wau-wau« zu sagen. Goldfische hatte er besessen und Schildkröten und weiße Mäuse, aber nie einen Hund. Armer Pelle! Und dann nach Saltkrokan zu kommen und einen Hund zu finden wie Bootsmann. In Pelles Augen musste Tjorven das glücklichste Geschöpf unter der Sonne sein.

»Ich wäre aber schon zufrieden, wenn ich überhaupt nur *ein* Tier hätte«, erklärte er ihr. »Ich hab ja meine Wespen, aber ich möchte so gern ein Tier haben, das man streicheln kann.«

Er tat Tjorven Leid und sie war großzügig.

»Du kannst ein kleines Stückchen von Bootsmann als deins haben. So einige Kilo, die kannst du kriegen.«

»Tss, das eine Hinterbein, was?«, sagte Pelle und er ging zu seinem Vater und beklagte sich.

»Ein paar Wespen und das eine Hinterbein von einem Hund, findest du wirklich, dass man damit zufrieden sein kann?«

Aber Melcher saß in der kleinen Mädchenkammer und schrieb und wollte gerade jetzt unter keinen Umständen über seine Kinder und deren Wünsche nachdenken.

»Ach, du, wir reden ein andermal darüber«, sagte er und winkte Pelle ab.

Pelle ging mit finsterer Miene wieder weg. Aber an die Wand des Schreinerhauses stand seine Angelrute gelehnt, die er in der vergangenen Woche zu seinem Namenstag bekommen hatte. Man kann auch eine Angelrute als Wunder erleben und dies war nicht irgendeine Angelrute. Es war die erste seines Lebens, daher würde es später nie wieder eine so feine Angelrute geben wie gerade diese. Pelle nahm sie, der Bambus fühlte sich in seiner Hand weich und gut an und etwas wie Glück breitete sich in seinem ganzen kleinen Jungenkörper aus. Er beschloss zum

Steg hinunterzugehen und zu angeln. Oh, wie lieb war Papa gewesen, dass er ihm diese Angelrute geschenkt hatte. Tjorven hatte er auch eine geschenkt, denn zur gleichen Zeit war zufällig auch ihr Namenstag. Und dabei hatte Pelle immer gedacht, sie hieße nur Tjorven und nichts weiter! Das war ein großer Irrtum.

»Ich heiße Karin Maria Eleonora Josefina«, sagte Tjorven. »Wenn ich auch mehr wie Tjorven aussehe, sagt Mama.«

Dann guckte sie Pelle erwartungsvoll an. »Und du, wie heißt du?«

»Per«, sagte Pelle düster. Es war typisch, dass Tjorven vier Namenstage hatte, an denen sie Geschenke bekommen konnte, und er nur einen.

»Bald setzen sie auch noch Tjorven in den Kalender, damit du noch einen dazukriegst«, sagte Pelle. Nicht dass er etwa missgünstig gewesen wäre, nur, wenn es sich um Bootsmann handelte, war es schwer nicht wenigstens *ein bisschen* neidisch zu werden.

Aber jetzt nahm Pelle seine Angelrute und ging zum Steg hinunter. Hier fand ihn Stina und sie kam voller Freude angestürzt. Sie durfte ja so selten mit Pelle allein sein. Tjorven regierte und bestimmte, wer mit wem spielen sollte. Wie sie das machte, wusste kein Mensch. Sie drückte es nicht etwa in klaren Worten aus. Trotzdem kam es so, wie sie es haben wollte. Sie selbst, Saltkrokans Tjorven, konnte spielen, mit wem sie Lust hatte, entweder mit Stina oder mit Pelle, ganz wie es ihr einfiel. Manchmal, wenn ihr die Laune danach stand, spielten sie auch alle drei zusammen. Eins aber durfte nie geschehen, und zwar, dass Pelle und Stina zusammen und ohne sie spielten.

Und nun kam sie an diesem warmen Augustmorgen nichts Böses ahnend den Weg zum Schreinerhaus daher und entdeckte eben diese beiden unten auf dem Steg. Da blieb sie ganz plötzlich stehen. Mitten zwischen Kälberkropf und Steinbrech stand sie still und sah zu ihnen hinunter und sie wussten es nicht. Sie unterhielten sich nur miteinander und Stina lachte und fuchtelte lebhaft mit den Händen. O ja, o ja, jetzt war sie in Schwung, aber das sollte ein Ende haben!

»Du, Stina, hör mal«, schrie Tjorven böse, »du darfst nicht auf dem Steg sitzen! Kleine Kinder dürfen nicht auf Anlegestege, sie können ins Wasser fallen!«

Stina zuckte zusammen, aber sie drehte nicht den Kopf. Sie konnte so tun, als hätte sie nichts gehört. Wenn sie keine Antwort gab, dann war dort vielleicht keine Tjorven, und wenn sie dort war, dann ging sie vielleicht wieder – hoffen konnte man immer.

Stina rutschte etwas näher an Pelle heran und sagte mit leiser Stimme: »Da beißt sicher bald einer an, Pelle!«

Aber bevor Pelle antworten konnte, schrie Tjorven von neuem: »Kleine Kinder dürfen nicht auf dem Anlegesteg sein! Bist du taub?«

Jetzt wusste Stina, dass es Streit geben würde, und kann man sich dem Unangenehmen nicht entziehen, dann stürzt man sich am besten gleich mitten hinein.

»Dann darfst du aber auch nicht auf dem Steg sein«, sagte sie, denn jetzt stand Tjorven dicht hinter ihnen.

Tjorven schnaubte.

»Tsss, zwischen mir und dir ist wohl ein Unterschied.«

»Ja, besonders zwischen dir, finde ich«, sagte Stina patzig. Sie hatte ja Pelle neben sich, da konnte sie Sachen sagen, die zu sagen sie sich sonst nie im Leben getraut hätte.

Aber Pelle saß da und sah aus, als ob er am liebsten ganz woanders gewesen wäre, und Tjorven sagte:

»Übrigens ist Pelle nicht mit dir hier, sondern mit mir.«

»Nein, Pelle ist mit *mir* hier«, versicherte Stina böse.

Jetzt war es Pelle klar, dass er seine Meinung sagen musste.

»Tss, ich bin mit *mir* hier, möchte ich nur bemerken!«

Er wünschte Tjorven wie auch Stina dorthin, wo der Pfeffer wächst, doch jetzt hatte sich Tjorven an seiner anderen Seite niedergelassen und nun saßen sie alle drei schweigend da und starrten auf den Schwimmer. Schließlich sagte Stina wieder:

»Da beißt sicher bald einer an, Pelle.«

Mehr war nicht nötig um Tjorven zur Raserei zu bringen.

»Das geht dich doch nichts an. Pelle gehört ja schließlich nicht dir.«

Stina beugte sich vor und sah ihr herausfordernd ins Gesicht. »Und dir auch nicht, basta!«

»Nee, denn ich gehör mir ganz allein«, sagte Pelle. »Denkt mal, so ist es!« Jetzt hatte er es Tjorven und Stina gegeben, dass sie beide schwiegen. Pelle gehörte sich ganz allein und er fühlte, wie schön das war. Von ihm sollte keiner auch nur ein Hinterbein kriegen!

Aber Tjorven wusste ja, wer eigentlich über Pelle zu bestimmen hatte, und das wollte sie ihm auf feine Art klarmachen. Deshalb sagte sie zutraulich, genau wie Stina:

»Da beißt sicher bald einer an, Pelle!«

Aber das war offenbar nicht das Richtige.

»Stellt euch vor, das passiert nicht«, sagte Pelle ungeduldig. »Hört auf, immerzu davon zu faseln! Es *kann* keiner anbeißen, ich habe nämlich gar keinen Wurm am Haken.«

Tjorven starrte ihn an. Sie war ein Kind der Schären und so etwas Verrücktes wie jetzt das von Pelle hatte sie noch nie gehört.

»*Weshalb* denn nicht?«, fragte sie.

Pelle erklärte es ihr. Er hatte es mit einem Wurm versucht, aber er konnte es nicht, ihm tat der Wurm so Leid. Der hatte sich gewunden, sagte Pelle und ihm grauste es bei dem Gedanken. Übrigens konnte der Fisch einem genauso Leid tun, der vielleicht den Haken verschluckte. Und daher also...

»Aber wieso sitzt du dann hier und *angelst?*«, fragte Tjorven.

Pelle erklärte es ihr, noch ungeduldiger. Hatte er etwa nicht eine Angelrute bekommen? Und wahrhaftig, er war durchaus nicht der Einzige, der hier saß und angelte ohne einen Fisch zu kriegen. Er hatte Leute von früh bis spät und tagelang sitzen und angeln sehen, ohne dass auch nur einmal etwas angebissen hätte. Der Unterschied war nur der, dass sie die ganze

Zeit einen armen Wurm ganz umsonst quälten. Und das tat er nicht, im Übrigen aber angelte er genau wie alle anderen. Ob sie das nun verstehe? Tjorven sagte, sie verstehe es. Und nun beteuerte Stina, sie verstehe es auch.

Dann saßen sie da und starrten lange auf den Schwimmer und Tjorven wusste, es war gelogen, als sie gesagt hatte, sie verstehe es. Aber die Sonne schien und auf dem Steg war es schön, und wenn sie außerdem Stina loswerden könnte, dann wäre es noch schöner.

»Stina wird kalte Mamsell, wenn sie groß ist«, sagte Pelle. Stina hatte ihm das gerade erzählt.

»Ich nicht«, sagte Tjorven mit Nachdruck. Sie wusste nicht, was eine kalte Mamsell zu tun hatte, aber es klang kühl und unheimlich, und wenn Stina es auch noch so sehr werden sollte! Stinas Mama war kalte Mamsell. Sie wohnte in Stockholm und manchmal kam sie nach Saltkrokan heraus. So etwas Hübsches wie sie hatte Tjorven noch nie gesehen. Außer Malin. Aber kalte Mamsells mochten noch so hübsch sein – wurde Stina kalte Mamsell, so wollte Tjorven es unter keinen Umständen werden.

»Was willst du machen, wenn du groß bist?«, fragte Pelle.

»Ich will dick werden und Bücher schreiben, genau wie Herr Melcher.« Pelle zog erstaunt die Augenbrauen hoch. »Papa ist doch nicht dick?«

»Hab ich das denn gesagt?«, erwiderte Tjorven.

»Doch, das hast du gesagt«, behauptete Stina.

»Bist du schwerhörig?«, fragte Tjorven. »Ich sagte, ich wollte Bücher schreiben wie Herr Melcher und ich wollte dick werden, aber das war eine Sache für sich.«

Stina war nach und nach immer dreister geworden. Sie befand sich in dem irrigen Glauben, dass Pelle zu ihr hielt, und jetzt sagte sie geradeheraus, sie finde Tjorven dumm. Da versicherte Tjorven, Stina sei noch viel dümmer als Janssons Schwein. »*Das* erzähle ich Großvater, was du da gesagt hast«, schrie Stina, aber Tjorven überschrie sie.

»Petze, Petze, ging in'n Laden, wollt' für 'n Sechser...«
Pelle stöhnte vor Unbehagen.

»Kann man denn nicht ein bisschen Ruhe haben«, brummelte er vor sich hin. »Immer und ewig Streit.«

Da schwiegen sie, Tjorven und Stina auch. Lange Zeit sagte keine von beiden etwas, aber schließlich wurde es Tjorven langweilig.

»Was willst du werden, wenn du groß bist, Pelle?«, fragte sie um die Unterhaltung wieder in Gang zu bringen.

»Ich will nichts werden«, sagte Pelle. »Ich will nur eine Menge Tiere haben.«

Tjorven starrte ihn an.

»Irgendwas musst du aber doch werden?«

»Nee, das will ich nicht.«

»Und dann brauchst du auch nicht«, sagte Stina einschmeichelnd.

Jetzt war es wieder so weit. Tjorven wurde böse.

»Das hast du doch wohl nicht zu bestimmen!«

»Hab ich das denn gesagt?«, fragte Stina.

»Geh nach Hause!«, schrie Tjorven. »Kleine Kinder dürfen nicht auf Anlegestegen sein, hab ich doch gesagt!«

»Das hast du schließlich auch nicht zu bestimmen«, sagte Stina.

Da schüttelte sich Pelle, als ob er in einem Ameisenhaufen gesessen hätte.

»Nee, jetzt geh ich aber«, sagte er. »Hier kann man es ja nicht aushalten.«

Melcher saß noch immer in der kleinen Mädchenkammer neben der Küche und schrieb. Er hatte das Fenster geöffnet, damit er den Duft vom Labkraut draußen einatmen konnte, und wenn er den Blick von der Schreibmaschine hob, sah er einen kleinen blauen Zipfel vom Fjord und das war wohltuend. Aber er hatte nicht allzu viel Zeit vom Papier aufzublicken. Das Schreiben ging ihm jetzt so gut von der Hand und da war es das Beste sich gar nicht zu unterbrechen.

Der einzige Nachteil war, dass durch das offene Fenster viel zu viele Geräusche von draußen in seine Dichterwelt eindrangen. Er hörte Malin mit Johann und Niklas verhandeln. Sie sollten Milch holen, aber sie betteltn und flehten, Malin solle es ihnen erlassen. Ob sie nicht Pelle schicken könne, na ja, sie wollten gerade jetzt mit Teddy und Freddy zur Landzunge hinausfahren und das alte Wrack dort untersuchen. Offenbar gelang es ihnen Malin zu erweichen. Melcher hörte das fröhliche Juhugeschrei der Jungen in der Ferne verklingen und segnete die schöne Stille, die nach ihrem Verschwinden entstand.

Leider währte sie nicht lange, denn plötzlich steckte Tjorven die Nase zum Fenster herein. Sie hatte sich gerade am Steg von Stina getrennt. Als Pelle weg war, hatte Tjorven es auch eilig gehabt fortzukommen. Sie hatte Stina vorher nur noch klipp und klar gesagt, sie solle nicht mehr damit rechnen in diesem Leben jemals wieder mit ihr, Tjorven, zu spielen, und Stina hatte erwidert, das sei das Beste, was sie seit langem gehört habe.

Nun war Tjorven hinauf zum Schreinerhaus gezogen um Pelle dort zu erwischen und vernünftig mit ihm zu reden, aber er war nirgendwo zu sehen. Dafür entdeckte sie ihren Freund Melcher am Fenster der Mädchenkammer.

»Und du schreibst und schreibst nur«, sagte sie. »Was schreibst du da eigentlich?«

Melchers Hände sanken von den Tasten herunter.

»Ach, weißt du, das verstehst du nicht«, sagte er kurz.

»Nein? – Ich verstehe all – alles«, versicherte Tjorven.

»Aber dies hier nun doch nicht«, sagte Melcher.

»Aber du selber, verstehst du das denn?«, fragte Tjorven.

Sie lehnte sich gegen das Fensterblech, als ob sie die Absicht hätte den ganzen Tag dort hängen zu bleiben, und Melcher stöhnte.

»Geht es dir nicht gut?«, fragte Tjorven.

Melcher sagte, es gehe ihm gut, es würde ihm aber noch besser gehen, wenn sie von hier verschwände. Und da ging Tjorven. Aber nach ein paar Schritten drehte sie sich um und schrie:

»Herr Melcher, weißt du was? Wenn du nicht so schreiben kannst, dass ich es verstehe, dann kannst du es ebenso gut lassen.«

Melcher stöhnte von neuem. Zuerst einmal und dann noch einmal. Denn jetzt sah er, wie Tjorven sich auf einem Stein niederließ und sich dort gemütlich einrichtete.

»Wenn ich hier sitze, dann bin ich doch nicht im Wege«, schrie sie.

»Nein, aber Gras mit den Zehen ausrupfen, das kannst du sicher genauso gut zu Hause in eurem eigenen Garten tun«, rief Melcher. »Soviel ich weiß, wächst dort mehr Gras.«

Es war allerdings ein schönes sommerliches Bild, musste Melcher denken – rundliches Kind zwischen Labkraut und Zittergras –, er wusste aber, dass er keine Silbe würde schreiben können, wenn er das Mädchen weiterhin im Blickfeld hätte, sobald er hochschaute. Da hörte er Pelle mit der Milchflasche kommen und er rief aufgeregt: »Pelle, nimm Tjorven mit! Komm, hier hast du eine Krone*, ihr könnt euch hinterher jeder ein Eis kaufen. Und ihr braucht euch mit dem Nachhausekommen nicht zu beeilen.«

Pelle hatte eigentlich gehofft einen einsamen kleinen Spaziergang machen zu dürfen ohne irgendwelches Weibervolk. Er hatte es nötig die Ohren auszuruhen nach allem auf dem Steg. Aber Eis war Eis und mit Tjorven allein konnte er es wohl aushalten. Sie war durchaus friedlich und nett, wenn Stina nicht dabei war.

Mit innigem Wohlbehagen sah Melcher sie auf dem Pfad zu Janssons Anwesen hin verschwinden, Bootsmann dicht hinter ihnen. Er versuchte seine Gedanken wieder zu sammeln und das wäre ihm fast gelungen. Da hörte er von draußen ein Piepsen und Stina steckte den Kopf über das Fensterblech.

---

* Schwedisches Geld: 1 Krone = 100 Öre.

»Schreibst du Märchen?«, fragte sie. »Dann schreib doch eins für mich!«
»Ich schreibe *keine* Märchen«, brüllte Melcher, sodass Malin zusammenzuckte, obgleich sie schon halbwegs bis zum Kaufmann gekommen war.

Stina zuckte nicht zusammen. Sie blinzelte nur ein bisschen. Zwar merkte sie, dass Onkel Melcher nicht so recht vergnügt zu sein schien, aber das kam wohl daher, weil er keine Märchen schreiben konnte, der Ärmste!
»Ich kann dir eins erzählen«, sagte sie tröstend, »das kannst du dann aufschreiben.«

»Malin«, schrie Melcher, »Malin, komm und hilf mir!«

Stina betrachtete voller Interesse seine Schreibmaschine.
»Es ist wohl schwer Bücher zu schreiben? Besonders die Einbände, was? Schreibt Malin die?«

»M-a-l-i-n...!«, schrie Melcher.

Ihr braucht euch nicht zu beeilen – das hatte Melcher seinem Sohn Pelle besonders nachdrücklich gesagt. Wie überflüssig das zu erwähnen. Man sollte meinen, er wisse nichts von Kindern und habe nie Janssons Kuhwäldchen gesehen. Das musste man durchqueren, wenn man Milch holen wollte, und so gingen sie den kleinen Pfad zwischen den Birken entlang, Tjorven und Pelle und Bootsmann. Kühe waren zurzeit nicht im Wäldchen, was Pelle ein wenig grämte. Aber dort wuchsen Walderdbeeren und dort wuchsen Heidelbeeren, Schmetterlinge flatterten dort herum, Ameisen hatten dort ihre Ameisenpfade und ihre Ameisenhaufen, dort gab es große, bemooste Steine, auf die man hinaufklettern konnte, und in einer Birke wusste Tjorven ein Vogelnest. Wahrhaftig, es bedurfte keiner besonderen Aufforderung zwei Stunden lang durchs Gehölz zu streifen. Es gab auch einen Fuchsbau, da wohnte der Fuchs mit seinen Jungen, erzählte Tjorven. Sie war selbst eines frühen Morgens mit ihrem Papa da gewesen und hatte die Fuchsjungen draußen vor dem Bau spielen sehen.

Aber jetzt, als sie Pelle den Fuchsbau zeigen wollte, konnte sie ihn nicht finden. Bootsmann jedoch fand ihn. Lange hatte er geglaubt, Tjorven und Pelle seien zu ihrer geheimen Hütte unterwegs, aber sobald er verstand, wonach Tjorven eigentlich suchte, sah er sie an, als dächte er so ungefähr: Hummelchen, weshalb fragst du mich nicht gleich? Und da führte er sie geradewegs zum Bau. Der lag ganz hinten im Wald und so versteckt, wie ein Fuchs es sich nur wünschen konnte. In einer Steinmauer. Pelle zitterte vor Erregung. Dort unten in den finsteren Gängen war der Fuchs. Was machte es schon, wenn man ihn nicht zu sehen bekam, wenn man doch wusste, dass er dort drinnen saß mit seinem roten Fell und seiner langen Lunte und den blitzenden Augen. Das genügte Pelle.

Sie machten auch einen kleinen Abstecher zu ihrer geheimen Hütte, da sie es ja überhaupt nicht eilig hatten. Die Hütte hatten sie aus Protest gebaut gegen Teddy und Freddy und Johann und Niklas, diese vier Geheimen. Die hatten irgendwo eine geheime Hütte und sie hatten gesagt, niemand auf der Welt, der nicht mit in ihrem geheimen Klub sei, dürfe jemals erfahren, wo diese Hütte sei. Tjorven und Pelle hatten sich sofort angeboten in den geheimen Klub einzutreten, aber das ging auch nicht, denn sie seien zu klein, sagte Teddy, und die geheime Hütte liege weit weg auf einer anderen Insel, einer geheimen, unbewohnten Insel, und dort dürfe niemand hinkommen, der noch nicht zwölf Jahre alt sei, so laute das Gesetz, sagte Freddy. Zwei Wochen lang waren die vier Geheimen jeden Morgen in ihrem Kahn losgerudert, dass es nur so schäumte, während Tjorven und Pelle und Stina wütend auf dem Steg zurückblieben und fühlten, dass sie zu klein waren.

»Gar nicht sind wir zu klein«, sagte Tjorven. »Wir können uns auch eine geheime Hütte bauen.«

Und so hatten sie sich eine in Janssons Kuhwäldchen gebaut, sogar Stina hatte mitmachen dürfen.

Aber nach zwei Tagen, als sie gerade so schön dasaßen und geheim

waren, war Niklas gekommen und hatte den Kopf zu ihnen hineinge-
steckt. Eine feine Hütte sei das, hatte er gesagt, und auch geheim. »Man
sieht sie allerdings jedes Mal, wenn man Milch holen geht.«

Er hatte ein bisschen gelacht und wenn er es auch gar nicht so gemeint
hatte, so wurde ihre Hütte doch auf einmal so armselig und klein, nichts
als ein paar Bretter und eine alte Decke. Es machte kein bisschen Spaß
mehr dort zu sitzen.

Heute aber war der Freude kein Ende; denn kann man sich ein größeres
Glück vorstellen – als sie endlich den Hof erreichten, Tjorven und Pelle,
da wollte Onkel Jansson gerade zwei von seinen Kühen nach Storholmen
hinüberbefördern! Er hatte dort auch eine Viehkoppel.

Pelle geriet ganz aus dem Häuschen, als er die Kühe sah, und warf die
Milchflasche ohne nachzudenken an der Stallecke von sich.

»Lieber guter Onkel Jansson, wir *dürfen* doch mit rüberfahren?«, bet-
telte er.

Er hatte noch nie eine Kuhfähre gesehen, noch nie in seinem Leben hatte
er Kühe mit einem Schiff fahren sehen. Nur auf Saltkrokan konnte man
etwas so Merkwürdiges erleben. Tjorven bildete sich ein, dass sie mehr
oder weniger über die ganze Insel zu bestimmen hatte, und so war es
daher auch ihr Verdienst, dass es hier einen Fuchsbau gab und Kuhfäh-
ren. Jetzt verhandelte sie mit Onkel Jansson, denn es wäre ja schön,
wenn sie Pelle noch ein kleines Vergnügen verschaffen könnte und wenn
sie ihn nur mit ein paar Kühen zusammenbrächte. Onkel Jansson hatte
seine Bedenken, weil Bootsmann so viel Platz wegnahm wie eine halbe
Kuh. Aber Tjorven versicherte, er könne sich zusammendrücken und
ganz, ganz platt werden, und nun führte sie Pelle im Triumph auf die
Fähre.

Es war eng, Pelle hatte eine von den Kühen ganz dicht vorm Gesicht,
aber das war nur schön. Er streichelte ihr feuchtes Maul und sie leckte
seine Finger mit ihrer rauen Zunge. Da lachte Pelle und machte ein
zufriedenes Gesicht.

»Ich wünschte, ich hätte eine Kuh«, sagte er. »Diese möchte ich haben. Sie hat so treue Augen.«

Tjorven zuckte mit den Schultern. »Das haben doch alle Kühe.«

Pelle bekam keine Kuh, weder an diesem noch an einem anderen Tag. Es passierte ihm aber trotzdem etwas Märchenhaftes und das begann genau auf Storholmen. Bei einem Kaninchenstall hinter einer Fischerhütte. Bei diesem Kaninchenstall stand Knutte Österman, ein dreizehnjähriger rothaariger Junge, ein guter Freund von Tjorven und glücklicher Besitzer von drei weißen Kaninchen, deren Anblick Pelle derart blendete, dass er kaum reden konnte.

»In einer Stunde geht die Fähre nach Saltkrokan zurück«, hatte Onkel Jansson gesagt, bevor er Tjorven und Pelle auf der Insel laufen ließ. »Seid ihr dann nicht am Steg, müsst ihr rüberschwimmen.«

»Du kannst ganz beruhigt sein«, sagte Tjorven. Und dann nahm sie Pelle mit zu Knutte Österman, dem glücklichen Kaninchenbesitzer.

Dem glücklichsten der Welt nach Pelles Meinung.

»Kauf dir doch selber eins«, sagte Knutte, nachdem Pelle lange dagestanden und seine Kaninchen angehimmelt hatte. »Rulle auf Lillasken hat junge Kaninchen, die er verkauft.«

Was Knutte da sagte, hörte sich so an, als wäre es die einfachste Sache von der Welt, etwas, was man täglich tat, wenn einem gerade danach war. Pelles Atem ging schwer. Konnte man sich wirklich so ohne weiteres ein Kaninchen kaufen, war es möglich, dass er das auch tun konnte? Aber was würde Papa sagen und was würde Malin sagen und wo sollte er das Kaninchen unterbringen? Die Gedanken schwirrten in seinem Kopf herum, aber da fiel ihm plötzlich etwas ein und der Glanz in seinen Augen erlosch ebenso rasch, wie er entzündet worden war.

»Ich hab ja kein Geld.«

»Hast du doch«, sagte Tjorven. »Du hast eine Krone und wenn *ich* Rulle auf Lillasken sage, das reicht, dann *reicht* es.«

»Ja aber ... aber ...«, stammelte Pelle.

»Nehmt unseren Kahn«, sagte Knutte, »ihr seid in fünf Minuten rübergerudert.«

Das war so was, das man nicht tun durfte. Weder Pelle noch Tjorven durften allein Boot fahren.

»Aber nur fünf Minuten«, sagte Tjorven. »Das ist ja fast nichts.«

Sie regelte alles. Pelle war wie gelähmt und leistete keinen Widerstand. Sie zerrte ihn zu Knuttes Kahn hinunter und bevor Pelle noch so recht begriffen hatte, was da vor sich gehen sollte, hatte sie ihn über den schmalen Sund nach Lillasken gerudert und ihn Rulle als Großanwärter auf Kaninchen vorgestellt.

Und dort *gab* es wahrhaftig Kaninchen, lange Reihen von Kaninchenställen hinter Rulles Holzschuppen mit schwarzen und weißen und grauen und gefleckten Kaninchen in jeder Größe. Pelle drückte die Nase gegen die Drahtgitter und spürte den lieblichen Geruch von Kaninchen und Heu und faden Löwenzahnblättern. Er blieb vor jedem Käfig lange stehen und schaute jedem einzelnen Kaninchen in die Augen. In einem Käfig aber saß ein kleines einsames, puscheliges, weiß- und braungeflecktes Kaninchen und fraß Löwenzahnblätter, wobei seine Nase auf und nieder ging.

»Das da«, sagte Pelle. Dann sagte er nichts weiter, betrachtete nur das Kaninchen und überlegte, wie es wohl wäre, wenn man es auf dem Arm hätte.

»Es ist das hässlichste von der ganzen Bande«, sagte Tjorven.

Pelle guckte das Braungefleckte zärtlich an.

»Wirklich? Aber es hat so was Treues in den Augen, finde ich.«

Rulle auf Lillasken war ein alter Junggeselle, der allein auf seiner Insel lebte und sich von Fischfang und Kaninchenzucht ernährte.

Einmal in der Woche fuhr er nach Saltkrokan hinüber und kaufte in Grankvists Geschäft seinen Schnupftabak und seinen Kaffee und was er sonst noch brauchte. Darum hatte er Tjorven nicht entgehen können, ebensowenig wie irgendein anderer Mensch in den Schären um Saltkrokan.

Und nun stand sie vor ihm und hielt Pelles Krone in der Faust.

»Du kriegst eine Krone für das da«, sagte sie und zeigte auf das Braungefleckte. »Ja oder nein?«

»N-ja«, sagte Rulle zögernd solch einem schamlosen Gebot gegenüber. Da drückte Tjorven ihm das Geldstück in die Hand.

»Vielen Dank. Hab ich's doch gewusst.«

Sie öffnete schnell den Kaninchenstall, zerrte das Kaninchen heraus und legte es Pelle in den Arm.

»Da hast du's.« Und Rulle wieherte ganz vergnügt. »Du verstehst es Geschäfte zu machen, Tjorven, das muss ich sagen! Aber warte nur, bis ich das nächste Mal Schnupftabak kaufe.«

Pelle hielt das Kaninchen im Arm. Er machte die Augen zu und spürte, wie weich es war, oh, ganz weich und sanft. Und plötzlich kam ihm sein unerhörtes Glück zum Bewusstsein. Es tat beinahe weh. Dies war das Seligste, was einem passieren konnte, und es war ihm passiert.

»Doch, doch, das gibt einen schönen Braten ab, wenn es mal groß ist«, sagte Rulle zufrieden.

Pelle wurde weiß um die Nase.

»Das soll *nie* ein Braten werden, niemals«, sagte er heftig.

»Wofür willst du es denn sonst haben?«, fragte Rulle.

Pelle drückte das Kaninchen an sich.

»Als *meins!* Ich will es nur als *meins* haben.«

Und Rulle hatte kein hartes Herz. Er gab zu, dass man ein Kaninchen auch auf diese Weise besitzen konnte, obwohl er selber nie auf den Gedanken gekommen war. Es war rührend einen Jungen zu sehen, den ein kümmerliches kleines Kaninchen so unfassbar glücklich machte. Rulle wurde richtig munter. Er holte eine Holzkiste für Pelle, in der er das Kaninchen tragen konnte, und begleitete ihn schmunzelnd bis an den Steg hinunter. Tjorven saß schon an den Riemen.

»Es ist heute warm und schön«, sagte Rulle und wischte sich den Schweiß von der Stirn. »Du kannst von Glück sagen, Tjorven, dass du nicht so weit rudern musst.«

Tjorven guckte mit Kennermiene zu den Wolken empor, die sich hinter Lillasken am Himmel aufgetürmt hatten, und sagte düster: »Wir kriegen Gewitter!«

Ja, es war allerdings gut, dass sie nicht so weit zu rudern brauchte. Sie war tapfer wie ein Heerführer, aber einen schwachen Punkt hatte sie. Sie hatte Angst vor Gewitter, wenn es ihr auch schwer fiel das zuzugeben. Und kaum hatte sie angefangen zu rudern, da hörten sie schon das erste schwache Grollen.

Das heißt, Pelle hörte es wohl kaum. Er saß auf der Achterducht und hielt die Kiste auf den Knien und guckte durch die Latten zu seinem Kaninchen hinein. Seinem eigenen Kaninchen. Es mussten kräftige Donnerschläge sein um Pelle zu wecken.

Es kam ein ordentlicher Knall, der Pelle dazu brachte aufzuschauen. Er sah Tjorven mit einer Miene dasitzen, als wollte sie anfangen zu weinen, und er fragte verwundert: »Hast du Angst vor Gewitter?«

Tjorven wand sich.

»Nee, gar nicht – nur manchmal – nur wenn's da ist.«

»Ach was, das ist doch nicht weiter gefährlich«, sagte Pelle und fühlte mit Stolz, dass er ausnahmsweise einmal mutiger war als Tjorven. Allerdings saß er nicht gern eine ganze Nacht in der Küche und horchte auf den Donner, aber er fürchtete sich nicht davor, obgleich es sonst ziemlich viel gab, vor dem er sich fürchtete.

»Teddy meint auch, das Donnern ist nicht gefährlich«, sagte Tjorven. »Aber wenn das Donnern losgeht, dann höre ich, wie es sagt: ›Klar bin ich gefährlich!‹, und dann glaube ich dem Donnern mehr als Teddy.«

Sie hatte kaum ausgesprochen, da krachte es von neuem und das klang wirklich gefährlich. Tjorven schrie auf und schlug die Hände vors Gesicht.

»Oh, die Riemen«, rief Pelle. »Guck mal, die Riemen!«

Und das tat Tjorven. Sie schaute nach den Riemen, die schwammen beide ganz still auf dem Wasser und waren schon mehrere Meter vom Kahn entfernt.

Tjorven hatte schon oft Riemen verloren, das machte ihr keine Angst. Aber jetzt war Gewitter. Da wollte sie nicht in einem Kahn auf dem Wasser sitzen und nicht an Land kommen können. Daher schrie sie nach Rulle und Pelle half ihr. Sie konnten ihn noch immer sehen. Er war auf dem Weg den Abhang hinauf zu seinen Kaninchenställen, drehte sich aber nicht um, als sie nach ihm riefen.

»Du hörst wohl schlecht?«, schrie Tjorven und so verhielt es sich zweifellos. Bald konnten sie ihn nicht mehr sehen.

Der Kahn trieb sanft mit Strömung und Wellen. Pelle überlegte erschrocken, ob man das hier wohl Schiffbruch nannte und ob er wirklich sterben müsse, jetzt, wo er ein Kaninchen bekommen hatte.

»Nicht, wenn du im Kahn bleibst, bis wir auf Knorken angetrieben sind«, sagte Tjorven.

Um Storholmen und Lillasken liegen die Holme so dicht wie die Rosinen in einem Rosinenkuchen. Einer davon ist Knorken und jedermann konnte erkennen, dass hier nichts aus einem Schiffbruch wurde, denn der Kahn hatte zweifellos beschlossen, gerade dorthin zu treiben. Auch in eine passende kleine Bucht. Tjorven steuerte ihn dorthin, indem sie mit der Schöpfkelle platschte.

Sie kamen gerade so weit den Kahn aufs Ufer zu ziehen, da sahen sie den Regen von Storholmen herüberkommen. Er stand wie eine Wand über dem bleigrauen Wasser und er kam schnell näher. In wenigen Sekunden würde er über ihnen sein wie die Sintflut.

»Lauf«, sagte Tjorven und lief selbst voraus, auf die schützenden Bäume hinter den Uferfelsen zu. Pelle stürzte hinterher, so schnell er mit seiner Kaninchenkiste im Arm konnte, während Bootsmann ihn in die Kniekehlen puffte um nachzuhelfen.

Da stieß Tjorven ein Geheul aus. Ein Freudengeheul.

»Die Hütte!«, rief sie. »Wir haben die Hütte gefunden!«

Und wahrhaftig, das hatten sie. Hier lag sie, diese gesegnete Hütte, von der sie den ganzen Sommer hatten erzählen hören. Eine schönere Hütte konnte man wohl auf keiner Insel im ganzen Schärengebiet finden. Sie lag unter üppigen Fichten versteckt, sie war fast wie ein richtiges Haus gebaut, mit Moos abgedichtet, und das Dach bestand aus Brettern und Moos. In der Tat, so musste eine Hütte aussehen! Und sie hätten sie in keinem besseren Augenblick finden können. Denn jetzt brach eine Sintflut über Knorken herein. Sie saßen in der Hütte und schauten zwischen den Fichten zu, wie irrsinnig der Regen das Wasser und die Uferfelsen peitschte.

»Und hier sitzen wir und bleiben trocken«, sagte Tjorven zufrieden. »Ich werde mich aber bei Teddy und Freddy bedanken, wenn ich nach Hause komme.«

»Wir kommen nie nach Hause«, sagte Pelle und so seltsam es war, er fühlte keine Angst, als er das sagte. Denn in dieser Hütte zu sitzen bei prasselndem Regen, das war sogar schöner, als im Bootshaus zu sitzen. Außerdem hatte er ein Kaninchen, das half gegen alles. Er öffnete die Kiste und streichelte sein Kaninchen.

»Du hast doch nicht etwa Angst«, sagte er. »Das brauchst du nicht, ich bin ja bei dir.«

Tjorven saß da und strahlte vor Zufriedenheit. Das würde einen Spaß geben, wenn sie nach Hause kam und mit Teddy und Freddy über geheime Hütten redete, darauf freute sie sich wirklich. Und sie hatte überhaupt keine Angst, dass sie etwa bis an ihr Lebensende auf Knorken bleiben müssten. Sie hatte jetzt überhaupt keine Angst mehr, denn das Gewitter hatte aufgehört und bald hörte es auch auf zu regnen. In dieser Hütte konnte man spielen, dachte Tjorven bei sich. Dass man in Seenot geraten und auf eine wüste Insel verschlagen worden war wie Robinson, von dem hatte Freddy erzählt. Und der hatte sicher so eine Hütte gehabt.

Pelle konnte Freitag sein. Wer Robinson war, darüber brauchte man nicht lange nachzudenken. Aber sie wollte ein Robinson sein mit einem gewöhnlichen, gemütlichen kleinen Haushalt, ein Robinson, der zum Nachtisch Walderdbeeren aß. Sie sah sie draußen dicht an dicht im Gras wachsen. Wäre nun Freitag vernünftig, dann könnte er Teddys alte Angelrute nehmen, die vor der Hütte stand, und zum Wasser hinuntergehen und ein paar Barsche angeln. »Wenn man nämlich in Seenot ist, muss man immerzu essen«, sagte Tjorven.

Aber Pelle sagte, er wolle lieber verhungern, als heute oder wann immer Würmer zu quälen.

»Dann gibt's eben nur Walderdbeeren«, sagte Tjorven und stapfte in das nasse Gras hinein.

Pelle nahm sein Kaninchen mit und ging zum Wasser hinunter. Nicht um Barsche zu angeln, sondern weil er versuchen wollte aus der Seenot herauszukommen. Er hatte eine alte Zeitung in der Hütte gefunden. Wenn man sich am Ufer aufstellte und damit winkte, dann sah es vielleicht jemand auf Storholmen, Onkel Jansson oder Knutte oder sonst jemand.

Pelle winkte, bis ihm die Arme wehtaten, aber es nützte nichts. Er war noch ebenso sehr in Seenot wie vorher und drüben auf Storholmen war niemand zu sehen.

Jetzt war sicherlich mehr als eine Stunde vergangen und Onkel Jansson hatte wohl seine Kuhfähre genommen und war wieder nach Saltkrokan heimgefahren. Sicher war er ärgerlich und die zu Hause waren auch böse, wenn sie erfuhren, dass Tjorven und Pelle ohne Erlaubnis aufs Wasser hinausgerudert und abhanden gekommen waren.

Es war schlimm daran zu denken. Aber Pelle hatte ein Kaninchen, das half beinahe über alles hinweg.

Das Wasser kräuselte sich, blau und glitzernd, jetzt schien wieder die Sonne. Pelle saß auf einem Stein am Ufer mit dem Kaninchen im Arm. Da fiel ihm ein, dass er es taufen müsste.

»Du kannst nicht einfach nur ›mein Kaninchen‹ heißen, du musst einen richtigen Namen haben, das ist dir wohl klar.«

Er dachte lange nach, dann tauchte er die Hand ins Wasser und taufte das Kaninchen.

»Du sollst Jocke heißen, Jocke Melcherson, dass du's weißt.«

Es war noch feiner, wenn man ein Kaninchen besaß, das einen Namen hatte. Jetzt war es kein beliebiges puscheliges Kaninchen, sondern ein ganz besonderes, das Jocke hieß. Pelle probierte aus, wie es klang.

»Jocke! Mein Jockelchen!«

Aber da rief Robinson nach Freitag und der kam gehorsam. Robinson hatte Hasenklee in einem Einmachglas auf die Zuckerkiste gestellt, die als Tisch in der Hütte diente, und rote Walderdbeeren auf grünen Blättern gedeckt, denn dieser Robinson war von häuslicher Art und einer, der alle Walderdbeeren gerecht mit seinem Sklaven teilte.

Als sie gegessen hatten, sagte Tjorven: »Das war mal gut! Aber ich glaube, jetzt fahren wir nach Hause.«

Pelle wurde fast ärgerlich. Weshalb sagte Tjorven solche Dummheiten, wo sie doch wusste, dass sie hier nicht wegkommen konnten?

»Natürlich können wir hier wegkommen«, sagte Tjorven. »Ich kann den Motor anlassen. Komm, Bootsmann!«

Es gab nirgendwo auf der Welt einen Hund wie Bootsmann, das wusste Pelle. Er war ja den ganzen Sommer mit ihm zusammen gewesen, hatte jeden Tag mit ihm gespielt, ihn verehrt und bewundert wegen all der merkwürdigen Dinge, die er konnte. Bootsmann konnte Versteck spielen und auf dem Schaukelbrett schaukeln, er konnte Sachen finden und Sachen holen. Einmal holte er sogar Stina aus dem Wasser, als sie hineingefallen war.

Aber noch merkwürdiger als alles andere war das, was er jetzt tat, fand Pelle. Oh, wenn doch Papa und Malin hier wären und es sehen könnten! Wenn sie doch sehen könnten, wie Bootsmann schwimmend den Kahn hinter sich her zog! Die Bootsleine war an seinem Halsband befestigt und er schwamm ruhig und stetig schnurstracks nach Storholmen hinüber, während Tjorven und Pelle im Boot saßen und wie die Prinzen fuhren ohne auch nur eine Flosse zu rühren. Oh, was für ein Hund! Tjorven fand es sicher gar nicht so Aufsehen erregend, aber Pelle saß im Kahn und war von einer solchen Liebe zu Bootsmann erfüllt, dass sein Herz schier brechen wollte.

»Er ist klüger als irgendein Mensch«, sagte Pelle. Aber in der nächsten Sekunde entdeckte er etwas, was ihn ausrufen ließ: »Guck mal, da sind die Riemen!«

Wahrhaftig, da lagen sie ganz ruhig und schwappten in der Dünung, nah bei einer kleinen Felseninsel.

»Was für ein Glück«, sagte Tjorven, als sie sie geborgen hatte. »Knutte wäre ganz schön wütend geworden, wenn wir ohne Riemen nach Hause gekommen wären.«

Dann umdüsterte sich plötzlich ihre Miene. Man hätte meinen können, die Furcht vor dem Gewitter sei wieder zurückgekehrt.

»Ich weiß noch jemanden, der jetzt wütend ist: Onkel Jansson.«

Er war jähzornig, das wusste sie, denn sie kannte alle Menschen auf dieser Inselgruppe recht gut. Onkel Jansson konnte ebenfalls wie das Gewitter donnern, wenn er böse wurde, und Tjorven würde ihm jetzt am liebsten nicht begegnen.

»Aber er ist sicher längst nach Saltkrokan zurückgefahren«, sagte Pelle, »und das ist auch nicht besser.«

Sie legten am Storholmsteg an. Tjorven band Bootsmann los und machte den Kahn fest. Als Bootsmann das Wasser abgeschüttelt hatte, schaute er Tjorven mit seinen klugen, ein wenig traurigen Augen an, als ob er sagen wollte: »Hummelchen, soll ich noch mehr für dich tun?«

Da nahm Tjorven seinen großen Kopf zwischen ihre Hände und sah ihm tief in die Augen.

»Bootsmann, weißt du was«, sagte sie, »du bist mein einziger kleiner Nödelhund.«

Kein Mensch war zu sehen. Knutte nicht und Onkel Jansson nicht. Aber die Kuhfähre lag noch immer da, das konnte nur bedeuten, dass Onkel Jansson auch noch auf der Insel war und vermutlich herumrannte wie ein Tobsüchtiger und sie suchte.

Sie standen auf dem Anleger und fühlten sich ganz elend. Da sahen sie plötzlich jemanden den Abhang von Östermans heruntergestürmt kommen. Es war Onkel Jansson, oh, und wie schnell er kam! Tjorven machte ängstlich die Augen zu. Jetzt hieß es nur die Schelte hinzunehmen.

Als Onkel Jansson am Landungssteg anlangte, japste er so, dass er kaum sprechen konnte.

»Ihr armen Dinger«, sagte er, »da steht ihr und wartet! Oje, oje, aber seht ihr, ich musste zuerst noch einen Zaun ausbessern, und dann fing es an zu regnen und dann bin ich zu Östermans gegangen und da bin ich hängen geblieben. Ihr armen Kinderchen, habt ihr lange gewartet?«

»Oooch nein, nicht so schlimm«, sagte Tjorven. »Und es macht gar nichts!«

Nach vier Stunden ununterbrochener Arbeit stülpte Melcher zufrieden die Haube über seine Schreibmaschine und ordnete die Manuskriptseiten auf dem Tisch. Da erschien Pelle draußen vor seinem Fenster.

»Sieh einer an, da ist ja schon der kleine Pelle mit der Milch«, sagte Melcher. »Das ist aber schnell gegangen!«

Melcher irrte sich. Es war nicht der kleine Pelle mit der Milch, es war der kleine Pelle *ohne* die Milch. Die Milchflasche stand noch immer an der Ecke von Janssons Stall. Aber Pelle hatte etwas anderes mitgebracht und das hielt er unterhalb des Fenstersimses verborgen, so dass Melcher es nicht sehen konnte.

»Papa, du hast doch gesagt, ich würde jetzt bald ein Tier bekommen, nicht wahr?«

Melcher nickte.

»Ja, ja, wir wollen uns das mal in aller Ruhe überlegen.«

Da setzte Pelle sein Kaninchen vor ihm auf den Tisch, und Jocke wischte erschrocken die Manuskriptseiten in alle Windrichtungen.
»Was sagst du dazu?«, fragte Pelle.

Malin hatte auch einiges dazu zu sagen, als Pelle und Tjorven in die Küche kamen und Jocke vorzeigten.
»Mein lieber Pelle, wir fahren doch in einer Woche in die Stadt. Wo sollen wir dann mit Jocke hin?«
Deswegen brauchte sie sich aber keine Sorgen zu machen. Onkel Jansson hatte versprochen, dass Jocke in seinem Stall wohnen dürfte, bis Pelle im nächsten Sommer wiederkäme.
Es war ein großer Augenblick in Pelles Leben. Er war so stolz auf sein Kaninchen, dass es um ihn herum leuchtete, und noch mehr Spaß hatte er, als Johann und Niklas und Teddy und Freddy in die Küche gestürzt kamen und es sich ansehen wollten. Selbst Tjorven wurde ein wenig neidisch.
»Ich möchte auch ein Kaninchen haben«, sagte sie.
»Du kannst ein Stückchen von meinem abkriegen«, sagte Pelle. »Das eine Hinterbein kannst du kriegen.«
»Wo hast du denn das ergattert?«, fragte Johann eifrig. Er hätte sicher auch gern ein Kaninchen gehabt.
»An einem Ort – wo ich gewesen bin«, sagte Pelle.
Niemand außer Knutte Österman und Rulle auf Lillasken wusste etwas von ihrer Unternehmung mit dem Boot, und Pelle und Tjorven hatten klugerweise vereinbart, dass sie es vor dem Rest der Menschheit geheim halten wollten. Wenn es auch ein schwerer Entschluss war. Auf diese Weise konnte Tjorven ja mit Teddy und Freddy nicht ihr Gespräch über geheime Hütten haben, auf das sie sich schon so sehr gefreut hatte.
Jetzt kauerte sie auf der Holzkiste in der Küche des Schreinerhauses und sah zu, wie sich die vier Geheimen um Pelles Kaninchen drängten. Pelle war völlig davon in Anspruch genommen es vorzuführen, sonst hätte er

das gefährliche Blitzen in Tjorvens Augen bemerkt und wäre vielleicht unruhig geworden.

»Hoho, jaja«, machte Tjorven plötzlich. »Haltet alles geheim!«

»Was meinst du denn damit?«, fragte Teddy.

Tjorven lächelte niederträchtig.

»Seid ihr jetzt nie mehr in eurer geheimen Hütte?«

Die vier Geheimen sahen einander an – die Hütte, die hatten sie fast vergessen! Augenblicklich hatten sie mit dem Wrack draußen an der Landzunge zu tun. Wer hatte da noch Zeit an Hütten zu denken?

Johann erklärte es Tjorven.

»Dann, finde ich, könnt ihr doch verraten, wo eure Hütte ist«, sagte Tjorven.

Aber Freddy beteuerte, diese Hütte solle für alle Ewigkeit geheim bleiben, und niemand, der nicht zwölf Jahre alt und mit im geheimen Klub sei, könne jemals erfahren, wo sie war.

Tjorven nickte nachdrücklich.

»So ist's recht! Haltet nur alles geheim!«

Dann starrte sie aus dem Fenster. Es war, als sähe sie etwas in weiter, weiter Ferne.

»Es gibt viele Walderdbeeren in diesem Jahr«, sagte sie. »Ich möchte mal wissen, ob es auf Knorken auch welche gibt.«

Die vier Geheimen wechselten einen raschen Blick und in ihre Augen trat eine gewisse Unruhe. Allerdings versuchten sie diese auch geheim zu halten, aber Tjorven entging sie nicht und das genügte ihr um mit ihrem Tag ganz zufrieden zu sein.

Pelle sah nichts anderes als sein Kaninchen. Von ihm konnte sie jetzt nichts weiter erwarten. Und außerdem war es Zeit für sie nach Hause zu gehen.

Aber unten bei Södermans Hütte sah sie Stina. Die fuhr ihren neuen Puppenwagen spazieren. So feine Sachen hatte nur jemand, dessen Mama kalte Mamsell in Stockholm war.

Tjorven lief schnell zu ihr hin.

»Fährst du Lovisabet aus? Soll ich dir ein bisschen helfen?«

Stina strahlte sie an.

»Ja, du kannst gern mal schieben.«

Und Tjorven schob den Puppenwagen. Hin und her und auf den Anlegesteg hinaus so weit, wie sie kommen konnte. Hier nahm sie die Puppe hoch.

»Lovisabetchen, du möchtest doch sicher gern mal raus und dich ein bisschen umgucken«, sagte sie und setzte Lovisabet bequem hin mit dem Rücken gegen einen Poller.

»Nee, Lovisabetchen«, sagte Stina streng und hob die Puppe schnell wieder hoch. »Kleine Kinder dürfen nicht auf Stegen sitzen, das weißt du doch!«

Aber Tjorven beruhigte sie.

»Doch, wenn ihre Mama dabei ist. Und Tante Tjorven. Dann dürfen sie.«

Das Seltsame am Sommer ist,
dass er so schnell vergeht

Das Seltsame am Sommer ist, dass er so schnell vergeht, schrieb Malin in ihr Tagebuch.

Bevor Melchersons sich so recht besinnen konnten, war ihr erster Sommer auf Saltkrokan schon vorbei, und es war Zeit wieder in die Stadt zurückzukehren.

»Etwas Blöderes kann ich mir wirklich nicht vorstellen«, sagte Niklas. »Weshalb müssen die Schulen mitten in den Sommerferien anfangen? Kannst du nicht an die Schulbehörde schreiben, Papa, und ihnen sagen, sie möchten diese Dummheiten doch endlich einmal lassen?«

Melcher schüttelte den Kopf. Die Schulbehörde sei eisern, sagte er, man müsse sich fügen.

Ganz kürzlich sind wir erst hergekommen, schrieb Malin ins Tagebuch, und nun sollen wir schon wieder alles verlassen. Es fällt einem schwer. Pelle muss sein Kaninchen verlassen und seine Walderdbeeren, Johann und Niklas ihre Hütten und Angelruten und Badefelsen und Wracks, Papa seinen morgenlichten Sund, seinen Kahn und sein Schreinerhaus. Und ich, was muss ich verlassen? Meine Sommerwäldchen, meine Apfelbäume und meine Pfifferlingsstellen. Meine kleinen einsamen Waldpfade. Die abendliche Stille. Nicht mehr auf der Treppe sitzen zu können und die Mondstraße über dem dunklen Fjord zu sehen, keine nächtlichen Schwimmausflüge machen zu können unter einem Himmel, der von Sternen glüht, nicht mehr in einer kleinen Bodenkammer zu schlafen mit dem Wiegenlied der Dünung im Ohr, das wird mir schwer fallen.

Und dann die Menschen hier, die unsere Freunde geworden sind, die müssen wir auch verlassen. Oh, wie werde ich sie vermissen!
Aber wir wollen ein gebührendes Abschiedsmahl richten, das hat Papa bestimmt und ich brüte schon über der Speisenfolge. Gedämpfter Barsch nach Melchers Art, wie wäre das? Und dann Strömlingsauflauf und Pfifferlingsomelett und vielleicht ein paar kleine gute Fleischklöße. Zum Kaffee Sahnetorte…

Melcher freute sich sehr auf sein Festmahl. Er hätte es gern mit einem Feuerwerk beendet, das würde der Höhepunkt des Sommers werden, behauptete er. Aber dagegen sträubte sich Malin, denn ihr fiel ein Krebsessen ein, bei dem Melcher aus Versehen das ganze Feuerwerk auf einmal abgebrannt hatte.
»Der Höhepunkt des Sommers, o ja, das glaub ich gern«, sagte Malin. »Aber hier gibt's kein neues Feuerwerk, bis die Narben vom vorigen nicht mehr zu sehen sind.«
Sahnetorte war ein ruhigerer Abschluss, fand sie, und die wurde draußen im Garten gereicht, an einem warmen Sonntag im August, als der Fjord wie ein Spiegel dalag und alles »sommeriger war als je zuvor«, wie Niklas behauptete.
Pelle und Tjorven und Stina saßen auf der Vortreppe des Schreinerhauses, und Malin tat ihnen so viel Sahnetorte auf die Teller, wie sie nur in sich hineinbekamen. Pelle aß, aber er war genau wie Melcher der Meinung, Feuerwerk hätte mehr Spaß gemacht.
»Ja, aber stell dir vor, du hättest zusehen müssen, wie Papa explodiert und mit lodernden Haaren über Harskär davongeflogen wäre«, sagte Malin. »War die Torte übrigens nicht gut?«
»Malin, weißt du was«, sagte Tjorven, »die ist so infernalisch gut, dass man schmatzen muss, wenn man sie isst.«
»Oh, oh, oh«, sagte Malin, »ich bin schon zufrieden, wenn du nur sagst, sie ist gut.«

»Nee, das würde sich ja anhören, als ob ich von Knäckebrot rede«, sagte Tjorven.

Söderman trank drei Tassen Kaffee, obgleich er wusste, dass das seinem Magenknurren nicht gut bekam, aber er müsse etwas zum Trost haben, behauptete er, da Malin ihn jetzt verlassen wolle.

»Ja, wenn das etwas nützt, dann möchte ich bitte eine ganze Wanne voll haben«, sagte Björn und hielt Malin seine Tasse hin. Sein Blick war düster und sie vermied es ihn anzusehen.

»Sonst ist es mit Sommergästen immer so«, sagte Nisse, »dass man es nett findet, wenn sie kommen, und auch, wenn sie wegfahren, besonders wenn sie wegfahren. Aber das Schreinerhaus ohne Melchersons, das wird wirklich leer werden!«

»Ihr kommt ja zum Glück im nächsten Sommer wieder«, sagte Märta.

In dem Augenblick hatte Melcher eine glänzende Idee. »Weshalb sollten wir nicht Weihnachten im Schreinerhaus feiern? Haha, wer ist der Umsichtigste auf der ganzen Welt? Melcher Melcherson! Ich habe vorsichtshalber für ein ganzes Jahr gemietet.«

Alle Kinder brachen in ein Freudengeschrei aus, und Malin wandte sich eifrig an Märta und Nisse.

»Kann man das? Kann man im bitterkalten Winter im Schreinerhaus wohnen?«

»Wenn wir Mitte Oktober anfangen für euch zu heizen, vielleicht«, sagte Nisse.

Melcher erklärte, man könne nicht ein ganzes großes Schreinerhaus, für das man Miete gezahlt habe, ohne jeden Zweck leer stehen lassen. Wollte man für sein Geld etwas haben, dann müsse man Weihnachten dort feiern, und wenn einem die Ohren abfrören. Er packte Tjorven und tanzte mit ihr herum.

»Heißa und hopsa und fallerallera, Heiligabend sind wir fröhlich und alle wieder da«, schrie er. Und übrigens nicht nur Heiligabend, sondern auch jetzt in der Stunde des Abschieds, sagte Melcher, da sie sich ja schon in wenigen Monaten wieder sehen würden. »Nur frohe Gesichter möchte ich um mich sehen! Hörst du, was ich sage, Bootsmann?«, fragte er streng, denn Bootsmann lag da und sah betrübter aus als je zuvor.

»Malin, gib ihm den Rest von der Torte, wir wollen mal sehen, ob es etwas nützt«, sagte Melcher.

Und Bootsmann fraß die Sahnetorte, aber mit unerschütterlich trauriger Miene.

»Und trotzdem findet er sie so infernalisch gut, das weiß ich«, sagte Tjorven.

Pelle saß auf der Treppe, den Kopf auf die Hände gestützt. Er fühlte sich genauso düster, wie Bootsmann aussah. Alles hatte immer ein Ende, Sahnetorten und Sommer und vielleicht das ganze Leben, was wusste er! Aber ein kleines Stück Sahnetorte war merkwürdigerweise übrig geblieben und als das Festmahl vorüber war, stand die Tortenplatte zur Freude aller Wespen noch immer an der Giebelseite auf dem Gartentisch.

Glückliche Wespen, die dürfen im Schreinerhaus bleiben, denn kleine Wespenkinder brauchen nicht in die Stadt zu reisen und in die Schule zu gehen, was haben die es gut, dachte Pelle.

Sie wurden indessen um das Stück Torte gebracht. Tjorven hatte es bemerkt und sie verscheuchte die Wespen. Drei Stück Torte hatte sie vorher schon verputzt, dieses hier aber sah besser aus als irgendein anderes mit seiner kleinen hellrosa Marzipanrose obendrauf und Tjorven wollte es haben. Sie sah sich nach Malin um, denn sie war es nicht gewohnt Sachen ohne Erlaubnis zu nehmen. Aber Malin war mit Björn verschwunden und Herr Melcher war ebenfalls nirgendwo zu sehen. Es war ganz einfach keiner da, den sie fragen konnte, und jeden Augenblick konnte jemand anders kommen und das Stück Torte entdecken, jemand, der es vielleicht auch haben wollte. Daher war es eilig. Und daher faltete Tjorven die Hände und betete:

»Lieber Gott, darf ich das Stück Torte nehmen?«

Und sie antwortete sich selbst mit der tiefsten Bassstimme, die sie zustande bringen konnte: »Ja, gewiss darfst du das.«
Und dann war die Torte zu Ende. Das Mahl war zu Ende. Der Sommer war zu Ende – oder nicht?

Nein, der Sommer war noch nicht zu Ende, nur weil Melchersons die Insel verließen. Es kamen warme Septembertage mit Hummelgesumm und Schmetterlingsflattern, es kamen Oktobertage, so still und klar wie Kristall, die Bootsschuppen am Anlegesteg spiegelten sich klar im Wasser, dass man kaum wusste, was Spiegelbild war und was Wirklichkeit. Tjorven aber wusste es und sie erklärte es Bootsmann.
»Was da auf dem Kopf steht, das sind auch Bootsschuppen, allerdings nur für Meerjungfrauen, verstehst du. Sie schwimmen rein und raus und spielen den ganzen Tag.«
Und in den Bootsschuppen, die nicht auf dem Kopf standen, spielte Tjorven mit Bootsmann Versteck. Ohne ihn wäre sie ziemlich verlassen gewesen, Teddy und Freddy waren jetzt jeden Tag in der Schule und Pelle und Stina weit weg in einem fernen Stockholm, in das sie selbst noch nie ihren Fuß gesetzt hatte und von dem sie nichts wusste. Aber sie hatte Bootsmann und außerdem füllte sie ihre Tage mit den seltsamen und wunderbaren Spielen des Einzelkindes aus. Sie entbehrte nichts.
Und langsam senkte sich das herbstliche Dunkel auf Saltkrokan und die Menschen, die dort lebten. Abends leuchtete es spärlich aus den Fenstern, kleine, einsame Lichter in all dem Kohlschwarz. Hier draußen auf den Inseln wohnten so wenige Menschen und wenn die Dunkelheit kam und die Herbststürme um ihre Häuser heulten und das Meer wie irrsinnig an ihren Stegen und Bootsschuppen rüttelte, da gab es wohl diesen oder jenen unter ihnen, der sich fragte, weshalb man hier am weitesten draußen im Meer lebte, aber sie wussten, gerade hier wollten sie leben und nirgendwo anders.
Der Dampfer aus der Hauptstadt kam jetzt einmal in der Woche. Er

hatte keine Sommergäste an Bord, überhaupt keinen Menschen außer der Besatzung, aber Nisse Grankvist bekam seine Waren und stand getreulich auf dem Anleger um sie in Empfang zu nehmen. Und Tjorven stand ebenfalls bei jedem Wetter da mit Bootsmann neben sich, obwohl es manchmal kohlrabenschwarze Nacht war, wenn das Schiff endlich kam, und obwohl kein Pelle mitkam.

Aber Pelle schrieb Briefe, denn er ging jetzt in die Schule in der Stadt und konnte in Blockbuchstaben schreiben. Er schrieb nicht an Tjorven, sondern an Jocke. Allerdings war es Tjorven, die zu Jocke in Janssons Stall gehen musste und ihm berichtete, was da stand, nachdem Freddy es ihr vorgelesen hatte.

»JOCKELCHEN«, schrieb Pelle, »HALT AUS, HALT AUS, ICH KOME BALT.«

Als Tjorven eines Morgens erwachte, lag Eis auf allen Pfützen, in denen sie am Tage vorher herumgeplatscht war, und sie hatte lange Zeit ihren Spaß daran das Eis mit ihren Stiefeln zu zersplittern. Aber am nächsten Tag war noch mehr Eis da, es wurde immer kälter, und eines Nachts fror der Fjord zu. »Noch nie haben wir so früh Eis gehabt«, sagte Märta.

Die Eisbrecher mussten eine Fahrrinne aufbrechen, damit der Dampfer durchkommen konnte, und dennoch dauerte es zehn Stunden, ehe er sich durch all den Eisbrei bis zu den Inseln am äußersten Rand der Schärenküste durchgearbeitet hatte.

Und dann wurde es endlich Weihnachten. Grankvists Laden hatte Weihnachtswichtel im Schaufenster und alle Leute von den Inseln drängten sich am Ladentisch um Stockfisch und Weihnachtsschinken, Weihnachtskaffee und Weihnachtskerzen zu kaufen.

Teddy und Freddy hatten Weihnachtsferien und mussten im Geschäft mithelfen. Tjorven war überall im Wege.

»Bloß noch wenige Tage bis Heiligabend«, sagte sie, »und ich kann immer noch nicht mit den Ohren wackeln.«

Sie verkehrte in dieser Zeit fleißig mit Söderman und der hatte ihr eingeredet, dass der Weihnachtswichtel besonders solche Leute gern hätte, die mit den Ohren wackeln könnten – es sehe freundlich aus, behauptete Söderman. Er selbst beherrschte die Kunst, aber er wollte nach Stockholm fahren und bei Stina Weihnachten feiern und wer sollte dann hier draußen auf Saltkrokan dem Weihnachtswichtel freundlich mit den Ohren zuwackeln?

»Das musst du machen, Tjorven«, sagte Söderman.

Und Tjorven übte geduldig und mit Ausdauer.

Drei Tage vor Weihnachten kam die »Saltkrokan I« durch die Eisrinne gestampft mit der Familie Melcherson an Bord. Sie standen allesamt an der Reling und starrten durch das Schneegestöber und die Winterdämmerung auf ihre Sommerinsel, die jetzt weiß und schweigend dalag, in Schnee gebettet, von Eis umfangen, winterlich schön und seltsam fremdartig, mit weißen Dächern auf den Bootsschuppen und mit leeren Bootsstegen, an denen keine Boote mehr an ihren Vertäuungen schaukelten. War das wirklich ihre Sommerinsel? Sie erkannten sie gar nicht wieder.

Aber sie konnten das Schreinerhaus unter verschneiten Apfelbäumen sehen, der Schornstein rauchte und Melcher war gerührt.

»Es ist jedenfalls ein Gefühl, als käme man nach Hause«, sagte er.

Und da stand Nisse Grankvist draußen auf dem Eis an der Fahrrinne, da kamen Teddy und Freddy auf ihren Schlitten angesaust, da kam Janssons Schlitten mit Söderman drin und mit Jansson auf dem Kutschbock und Tjorven als blindem Passagier hintendrauf. Ein zartes kleines Schellengeläut schlug an ihr Ohr, und Pelle merkte, wie es ihm einen Ruck gab. Jetzt war Weihnachten und er sollte Jocke wieder sehen, bald, bald sollte er Jocke wieder sehen! Und Bootsmann – da kam er auch auf dem Eis angetrottet. Pelles Augen leuchteten, als er ihn sah. Tjorven winkte und schrie, aber das merkte er nicht. Er sah nur Bootsmann.

»Alles ist ganz anders als im Sommer«, darüber waren Johann und

Niklas sich einig. Natürlich nicht Teddy und Freddy, die johlten und schrien und krächzten wie Krähen und waren gottlob ganz wie immer, sonst aber war es, als kämen sie in eine andere Welt. Weder Johann noch Niklas machten sich Gedanken darüber, was es hieß in dieser Welt von Schnee und Eis zu leben, einsam und abgeschieden. Für sie war all das Winterliche hier und die Veränderung nur aufregend und abenteuerlich, mehr oder weniger um ihrer Zerstreuung willen entstanden.

Der Dampfer hielt jetzt in der Fahrrinne. Bis an den Anlegesteg konnte er nicht kommen. Wollte man aussteigen, musste man mit Hilfe einer Leiter aufs Eis hinunterklettern.

»Endlich am Nordpol«, sagte Johann. »Die Mitglieder der Expedition steigen aus.« Er kletterte als Erster hinunter und die anderen folgten nach. Da sahen sie Björn auf einer anderen Leiter herankommen, die quer über der Fahrrinne lag. Es war eine wackelige und ziemlich gefährliche Brücke, aber so eine brauchte man, wenn man in Norrsund wohnte und nach Saltkrokan hinüberwollte. Und auf Saltkrokan hatte Björn offenbar heute etwas zu erledigen.

»Weshalb kommst du, ist was Besonderes los?«, fragte Söderman verschmitzt.

Björn gab keine Antwort, denn jetzt sah er Malin.

»Heißa und hopsa und fallerallera, Heiligabend sind wir fröhlich und alle wieder da«, schrie Melcher und packte Tjorven. Aber sie riss sich los, denn sie wollte mit Pelle gehen und da musste sie sich beeilen.

Pelle hatte keine Zeit außer Bootsmann noch jemanden zu begrüßen. Er rannte los, übers Eis auf den Anleger zu, so schnell ihn seine Beine tragen konnten, und mit derselben Geschwindigkeit ging es die ganze Dorfstraße entlang. Tjorven konnte nicht nachkommen. Sie rief ärgerlich hinter ihm her, aber er blieb nicht stehen, und sie sah den wippenden Puschel auf seiner Mütze weit vor sich in der Dämmerung verschwinden. Aber sie wusste, wo sie ihn finden würde.

»Jocke, Jockelchen, siehst du, ich bin zu dir zurückgekommen!«

Pelle hatte sein Kaninchen auf dem Arm, als Tjorven in Janssons Stall kam. Es war so dämmerig, dass sie ihn kaum sehen konnte, aber sie hörte, wie er sich leise mit Jocke unterhielt, fast so, als wäre es ein Mensch.

»Pelle, rat mal, was ich kann«, sagte Tjorven eifrig. »Ich kann jetzt mit den Ohren wackeln.«

Pelle hörte ihr nicht zu. Er sprach weiter mit Jocke und sie musste es dreimal sagen, bevor er sich bequemte eine Antwort zu geben.

»Zeig doch mal«, sagte er schließlich. Und Tjorven stellte sich in das spärliche Licht vom Fenster und begann. Sie strengte sich an und schnitt die wildesten Grimassen und dann fragte sie hoffnungsvoll:

»Ging es?«

»Nee«, sagte Pelle. Er begriff nicht, weshalb man überhaupt mit den Ohren wackeln musste, aber Tjorven erklärte ihm, wie gern der Weihnachtswichtel Leute habe, die es könnten. Da lachte Pelle schallend und sagte, erstens gebe es keinen Weihnachtsmann und zweitens möge er solche, die mit den Ohren wackeln könnten, nicht lieber als andere Menschen. Daher könne sie ebenso gut etwas Nützlicheres lernen, zum Beispiel pfeifen. Das konnte Pelle und während er Jocke zärtlich an sich presste, pfiff er ihm »Am Weihnachtsbaum die Lichter brennen« vor. Und Tjorven auch, falls sie zuhören wollte.

Pelle wusste nicht, was er tat, als er das mit dem Weihnachtsmann sagte. Tjorvens Kinderglaube bekam einen Knacks, sodass es krachte. War es möglich, dass es keinen Weihnachtsmann gab? Je näher Heiligabend rückte, umso mehr Sorgen machte sie sich, dass Pelle vielleicht Recht haben könnte, und als sie am Morgen des Heiligabend bei ihrer Morgengrütze saß, war sie so weit in Unglauben und Verzweiflung hineingeraten, dass sie so gut wie alle Wichtel abgeschafft hatte. Es machte überhaupt keinen Spaß mehr. Was für ein Weihnachten sollte das wohl werden? Kein Weihnachtsmann – und dann noch Grütze zum Frühstück! Sie schob voller Widerwillen den Teller zurück.

»Iss jetzt, Hummelchen«, sagte ihre Mutter freundlich. Sie begriff nicht, weshalb Tjorvens Augen so dunkel waren. Solche Grütze gerade sei das Beste, was der Weihnachtswichtel kenne, versicherte sie.

»Dann kann er meine kriegen«, sagte Tjorven dumpf. Sie war jetzt wütend auf diesen Weihnachtsmann, den es einerseits nicht gab und der andererseits wollte, man sollte Grütze essen und mit den Ohren wackeln, und sie sagte grollend:

»Essen und an Wichtel glauben, das ist wohl das Einzige, was ein Kind tun soll.«

Nisse merkte, dass irgendetwas nicht in Ordnung war. Er merkte es meistens, wenn mit Tjorven etwas nicht in Ordnung war, und er ahnte, was es war. Als Tjorven ihn jetzt fest ansah und geradeheraus fragte: »Gibt es den Weihnachtsmann oder gibt es ihn nicht?«, da wusste er, dass ihrem Heiligabend aller Glanz genommen würde, wenn er genauso geradeheraus antwortete: »Nein, es gibt keinen!« Darum zeigte er ihr den alten Holznapf, den seine Großmutter besessen hatte und den sie jeden Heiligabend mit Grütze gefüllt und für den Weihnachtsmann an die Hausecke gestellt hatte.

»Was meinst du, wenn wir das auch versuchten?«, fragte Nisse. »Sollen wir deine Grütze hier in den Napf tun und sie dem Weihnachtsmann hinstellen?«

Tjorvens Miene hellte sich auf, als hätte man ein Weihnachtslicht in ihr angezündet. Natürlich gab es Wichtel, wenn Papas Großmutter daran geglaubt hatte! Und wie schön war es, dass es sie gab und dass sie am Weihnachtsabend draußen um die Hausecke geschlichen kamen! Es war auch gut, dass sie gern Grütze aßen, dann brauchte man sie nicht selber zu essen. Alles war jetzt gut und das wollte sie Pelle erzählen.

Sie traf ihn erst, als es schon dunkel war. Da standen sie allesamt auf dem vereisten Bootssteg des Schreinerhauses und sahen zu, wie der Schlitten des Weihnachtsmannes draußen auf dem Eis im Schneetreiben angesaust kam. Der Weihnachtsmann hatte einen Kienspan, mit dem er sich leuchtete, und war so richtig, wie er nur sein konnte. Er hatte Janssons Pferd und Schlitten, das sah Tjorven, aber der Weihnachtsmann musste sich ein Pferd leihen, wenn er so viele Weihnachtsgeschenke bringen musste. Selbst Pelle war verstummt. Seine Augen wurden immer größer und er drängte sich dicht an seinen Vater. Der Weihnachtsmann warf zwei Säcke mit Weihnachtsgeschenken auf den Steg, einen für Melchersons und einen für Grankvists. Es ging genauso schnell, wie wenn die Männer von einem Schärendampfer Waren an Land warfen, und dann verschwand der Schlitten in der Dunkelheit.

Und Pelle stand da und dachte darüber nach, wie das eigentlich mit dem Weihnachtsmann zusammenhing. Da sah er Johann lachen und Niklas ein bisschen zublinzeln und er wurde fast böse. Dachten sie wirklich, er wäre ein kleines Kind, dem man sonst was auf die Nase binden konnte? Aber es mochte mit dem Weihnachtsmann nun sein, wie es wollte, es machte auf alle Fälle Spaß, es war ganz wunderbar im Dunkeln hier zu stehen und Schlittengeläut zu hören und den Fackelschein draußen auf dem Fjord verschwinden zu sehen. Und dazu noch einen ganzen Sack voller Weihnachtsgeschenke zu bekommen.

Es war überhaupt wunderbar, in diesen Wintertagen auf Saltkrokan Pelle zu sein. Malin sah, wie er vor Glück strahlte. Als sie eines Abends allein in der Küche waren, fragte sie ihn, was ihm denn so viel Freude mache. Pelle kauerte sich auf dem Küchensofa zusammen und überlegte ein Weilchen. Dann erzählte er Malin, was so viel Freude mache.

»Zum Beispiel...«, sagte er.

Morgens hinausgehen, wenn frischer Schnee gefallen war, und den Weg zum Brunnen und zum Holzstall mit freischaufeln zu helfen. Die verschiedenen Spuren der Vögel im Schnee zu sehen. Weihnachtsgarben für alle Sperlinge und Dompfaffen und Kohlmeisen in die Apfelbäume zu hängen. Einen Tannenbaum zu haben, den man selbst im Wald zusammen mit den anderen geholt hat. In der Dämmerung zum Schreinerhaus zurückkommen, wenn man Ski gelaufen war, und sich im Flur den

Schnee von den Schuhen zu stampfen und hineinzukommen und zu sehen, wie das Feuer im Küchenherd brannte und wie fein die Küche war mit allen Kerzen. Morgens, wenn es noch dunkel war, aufzuwachen, weil Papa den Kachelofen heizte. Im Bett liegen zu bleiben und zuzusehen, wie es hinter der Ofentür flackerte. Abends über den Hausboden zu gehen und sich ein bisschen im Dunkeln zu fürchten, aber nur ein bisschen! Mit dem Schlitten auf dem Eis zu fahren ganz bis an die Dampferrinne heran und sich dann auch ein bisschen zu fürchten! In der Küche zu sitzen und sich mit Malin zu unterhalten so wie jetzt gerade und Zimtwecken zu essen und Milch zu trinken und sich überhaupt nicht zu fürchten. Ja, und dann im Kälberstand in Janssons Stall zu sitzen und mit Jocke zu reden, das war fast das Allerschönste.

»Aber hast du schon gehört, dass der Fuchs heute Nacht bei Jansson wieder ein Huhn gestohlen hat?«, fragte Malin.

Vor diesem Fuchs hatte Pelle Angst. Zwei Abende hintereinander hatte er bei Jansson Hühner gestohlen und einer, der Hühner stahl, der konnte auch Kaninchen stehlen. Das war ein entsetzlicher Gedanke. Überall schlich der Fuchs herum. Er hatte natürlich auch Tjorvens Weihnachtsgrütze aufgegessen, obwohl sie glaubte, es sei der Weihnachtsmann gewesen. Pelle fragte, was Malin wohl glaube.

»Vielleicht der Fuchs und vielleicht der Weihnachtsmann«, sagte Malin. Pelle lag an diesem Abend lange wach und hatte Angst um sein Kaninchen. Jocke hatte allerdings in einem Kälberstand seinen Platz, aber Füchse waren so schlau – wer konnte wissen, was sie alles anstellten, wenn sie hungrig waren und zu Hühnern und Kaninchen hineinwollten? Füchse sollte man totschießen, dachte Pelle. So blutrünstig war er sonst nie, aber jetzt lag er da im Bett und sah es vor sich, wie der Fuchs seinen Bau hinten im Kuhwäldchen verließ und durch den Schnee auf Janssons Stall zuschlich. Pelle geriet in Schweiß hier in seinem Bett und er schlief die ganze Nacht unruhig.

Am nächsten Morgen begegnete er zufällig Björn, der mit einem frisch geschossenen Hasen aus dem Wald kam. Pelle machte die Augen zu um nicht hinsehen zu müssen, der arme kleine Hase!

Weshalb schoss Björn nicht lieber diesen dummen Fuchs? Onkel Jansson würde sich bestimmt freuen, wenn er es täte. Das meinte Björn auch, als er von dem Fuchs erfuhr.

»Diesen Fuchsrüpel, den sollten wir doch schnappen können. Grüß Jansson schön und sag ihm, ich würde es heute Nacht versuchen.«

»Um welche Zeit sollen wir kommen?«, fragte Pelle eifrig.

»Wir?«, sagte Björn. »*Du* kommst überhaupt nicht. Du wirst in deinem Bett liegen und schlafen.«

»Ich denke nicht daran«, sagte Pelle.

Er sagte es nicht zu Björn, sondern eine Weile später zu Jocke, denn das Feine an Jocke war, dass er mit keinerlei Einwänden kam.

»Hab keine Angst, wenn du es heute Nacht knallen hörst«, sagte Pelle. »Ich bin bei dir, darauf kannst du dich verlassen.«

Und das war er auch. Aber wie nah war es daran gewesen, dass er sein Versprechen an Jocke hätte brechen müssen! Er musste daliegen und mit den Augen zwinkern um sich wach zu halten, bis Johann und Niklas eingeschlafen waren. Und er musste schleichen um durch die Küche nach draußen zu gelangen, während Papa und Malin im Wohnzimmer vor dem Kaminfeuer saßen und die Tür zur Küche offen stand. Es war ein Wunder, dass sie ihn nicht hörten.

Und dann – in die Nacht hinauszukommen und im Mondschein auf verschneiten Wegen ganz allein dahinzurennen. Zu einem finsteren Stall zu kommen, der gar nicht so gemütlich war wie sonst. Hineinzuschlüpfen und Angst zu haben, dass Björn es merken könnte, ja, ziemlich große Angst zu haben und sich bis zu Jocke hinzutasten. »Ach, Jockelchen, da siehst du, ich bin doch gekommen!«

Ein Stall bei Nacht ist ein seltsamer Ort. Es ist still, die Kühe schlafen, aber man hört Geräusche. Hin und wieder klirrt eine Kette, wenn eine Kuh sich ein wenig bewegt. Hin und wieder gackert eine Henne erschrocken auf, als ob sie vom Fuchs träumte. Hin und wieder hört man Björn an seinem Gewehr herumfingern und drüben an seiner Luke leise pfeifen. Der Mond scheint durchs Fenster, auf dem Fußboden bildet sich ein Weg aus Mondlicht und dort kommt die Stallkatze angeschlichen. Aber gleich ist sie wieder vom Dunkel verschluckt, man sieht nur ihre gelben Augen funkeln. Ihr armen Stallmäuse alle, die ihr heute Nacht unterwegs seid! Und armer Jocke, wenn Pelle nicht hier wäre und ihn vor dem Fuchs beschützte. Er drückt Jocke fest an sich und fühlt mit Genuss, wie weich und warm er ist. Pelle fragt sich, wie lange es wohl noch dauert. Vielleicht verlässt der Fuchs jetzt, gerade jetzt, seinen Bau und schleicht durch den Schnee auf Janssons Stall zu?

Jedenfalls kommt Melcher jetzt, gerade jetzt, herauf um seine Jungen fest zuzudecken. Er findet in Pelles Bett keinen Pelle, sondern einen Zettel mit einer Botschaft, in großen Blockbuchstaben geschrieben:

ICH BIN WEK UND SCHIESE FÜCKSE FÜR JANSON.

Melcher nimmt den Zettel mit zu Malin hinunter.

»Was meinst du dazu? Darf Pelle mitten in der Nacht ›wek‹ sein und ›für Janson Fückse schiesen‹?«

»Nein, wahrhaftig nicht«, versichert Malin mit Nachdruck.

Man wird müde, wenn man in einem Kälberstand sitzt mit einem warmen Kaninchen im Arm. Pelle ist nahe daran einzuschlafen, aber plötzlich zuckt er zusammen. Er hört, wie Björn sein Gewehr entsichert, er sieht ihn im Mondlicht drüben am Stallfenster, sieht, wie er das Gewehr hebt und anlegt. Jetzt... jetzt kommt der Fuchs dort draußen über die Lichtung und nun soll er sterben, sein Leben ist zu Ende, er wird nie wieder zu seinem Bau im Kuhwäldchen zurückkehren – und Pelle ist es, der das veranlasst hat.

Mit einem Schrei lässt Pelle das Kaninchen los und stürzt auf Björn zu. »Nein, nein, nicht schießen!«

Björn wird so böse, dass er Funken zu sprühen scheint.

»Was machst du hier? Weg mit dir! Ich will schießen!«

»Nein!«, schreit Pelle und umklammert Björns Beine. »Du darfst nicht! Füchse dürfen doch schließlich auch leben.«

Und kein Fuchs braucht heute Nacht Pelles wegen zu sterben. Dort draußen im Mondschein gibt es keinen Fuchs mehr. Stattdessen kommt Malin auf ihren Skiern angefahren. Und Björn wird blass. Sich vorzustellen, er hätte einen Schuss abgegeben. Sich vorzustellen, Pelle hätte ihn nicht daran gehindert!

»Ja, es war gut, dass du gekommen bist«, sagte Pelle zu Malin, als er wieder in seinem Bett lag. Er hatte ihr versprochen niemals wieder nachts auf Fuchsjagd zu gehen, und Malin hatte ihm versichert, dass der Fuchs Jocke gar nicht holen *könne*, solange der in seinem kleinen Verschlag bei den Kälbern wohne.

Jetzt aber lag Pelle immer noch da und warf sich herum. Da war etwas, was ihn fast mehr beunruhigte als der Fuchs.

»Malin«, sagte er, »wirst du Björn heiraten?«

Malin gab ihm lachend einen Kuss auf die Wange.

»Nein, das werde ich nicht tun«, versicherte sie ihm. »Der Fuchs kann den Jocke nicht holen und Björn kann die Malin nicht holen, solange wir jeder in unserem kleinen Verschlag bleiben.«

Und am nächsten Tag hatte Pelle alle Sorgen vergessen. Denn nun war das Schlittenkarussell auf dem Eis vor Grankvists Bootssteg fertig. Jedes Jahr, wenn das Eis fest war, stellte Nisse Grankvist das Schlittenkarussell auf. Das hatte sein Vater vor ihm getan, zu allen Zeiten war man auf Saltkrokan im Winter Schlittenkarussell gefahren.

»Und weshalb soll man etwas aufgeben, was so viel Freude macht«, sagte Nisse.

Melcher pflichtete ihm bei. Er fuhr mit größerer Begeisterung Schlittenkarussell als seine eigenen Kinder, und hinterher kamen sie alle zum Essen nach Hause, mit Wangen so rot wie Weihnachtsäpfel, und bekamen bei Malin Dorsch mit Senfsoße.

»Vormittags Dorsche im Eisloch angeln und nachmittags Schlittenkarussell fahren – es ist wirklich ein reiches Leben, das man führt«, sagte Melcher, als sie um den Küchentisch versammelt waren.

»Bist du allein angeln gewesen?«, fragte Johann.

»Nein, ich war mit Nisse Grankvist draußen«, sagte Melcher.

»Wie viele Dorsche habt ihr gefangen?«, erkundigte sich Niklas voller Interesse.

»Zehn Stück, stellt euch vor«, sagte Melcher. »Nicht schlecht!«

»Wie viele davon hast du gekriegt?«, fragte Johann.

»Wir haben gleich und gleich geteilt«, sagte Melcher kurz. »Es macht wirklich einen Mordsspaß Schlittenkarussell zu fahren, findet ihr nicht?«, fuhr er lebhaft fort. Aber Johann war unerbittlich.

»Wie viele davon hast du gefangen?«

Melcher starrte ihm voller Grimm ins Gesicht. Die bittere Wahrheit war, dass Nisse neun Dorsche geangelt hatte und er selbst einen. Einen kleinen, elenden Burschen, den kleinsten von allen. Aber das hatte er nicht erzählen wollen.

»Du hast vielleicht gar keinen gefangen?«, fragte Niklas.

Da seufzte Melcher. Aber dann lächelte er wie eine Sonne und zeigte auf den kleinen Dorsch, der da so jämmerlich und verloren neben den anderen lag.

»Doch – den!«

Alle guckten mitleidig auf den Dorsch und auf Melcher, aber er versicherte, das Anglerglück sei etwas Unerforschliches, das habe nichts mit Geschicklichkeit zu tun, falls sie das dächten.

»Manchmal hat man Glück und manchmal nicht. Ich weiß noch, als ich vor einigen Jahren mal mit einem guten alten Freund im Eis Dorsche geangelt hab, und da hab ich sechsundzwanzig Dorsche gefangen. Und wie viele, meint ihr, fing er? Keinen einzigen!«

»Was war das für ein guter alter Freund?«, fragte Johann.

Melcher warf ihm einen Blick zu.

»Ist das eine Art Frage-und-Antwort-Spiel, was du hier treibst?« Dann
legte er die Stirn in tiefe Falten und dachte eine Weile nach. »Ja, wie
hieß er doch gleich? Himmel noch mal, denkt bloß, ich kann mich nicht
an den Namen erinnern!«

»Tsss, weshalb erfindest du den nicht auch?«, riet ihm Pelle.

»Schäm dich, Kind«, sagte Melcher. »Vergiss nicht, dass du mit deinem
Vater sprichst.«

Da schlang Pelle die Arme um seinen Hals und drückte ihn.

»Daran denke ich ja gerade.«

Malin beeilte sich ihrem Vater zu Hilfe zu kommen. Es war kein
Wunder, dass er sich an den Namen eines guten alten Freundes nicht
erinnern konnte.

»Ihr wisst doch, wie es manchmal bei Papa ist. Das Einzige, woran er
sich erinnert, ist, dass er etwas vergessen hat, aber was es war, daran
erinnert er sich nicht.«

»Schäm dich, Kind!«, sagte Melcher noch einmal.

Die Wintertage waren kurz. Es dämmerte früh. An den langen Abenden
wurde die Küche zur Wärmehalle, wo sich alle versammelten. Streng
genommen war sie der einzige wirklich warme Ort im ganzen Schreinerhaus.

Die Nächte waren kalt. Die Jungen schliefen in Flanellpyjamas und mit
Wollpullovern in ihrer Bodenkammer. Melcher konnte es in seiner
kleinen Mädchenkammer leidlich aushalten. Aber Malin hatte auf das
Sofa in der Küche umziehen müssen.

»Zwei Bodenkammern heizen, das geht einfach nicht«, sagte Malin und
sie fühlte sich wohl auf ihrem Küchensofa. »Der einzige Nachteil ist,
dass man abends nie ins Bett kommt.«

Denn in der Küche kamen alle zusammen. Hier saßen Nisse und Märta
um bei einer Tasse Kaffee ein Plauderstündchen zu halten, Teddy und
Freddy saßen hier und spielten mit Johann und Niklas Monopoly,

Tjorven und Pelle zeichneten und spielten. Bootsmann lag in einer Ecke und schlief, Malin strickte, Melcher sang und redete und fühlte sich wohl.

Draußen war klirrend kalter Winter. Kalte Sterne leuchteten über ihrem vereisten Fjord und die Kälte knackte in den Hausecken. Da war es herrlich sich in einer warmen Küche zusammenzukuscheln. Pelle schmunzelte und stopfte den Herd mit Holz voll. Genau so sollte es sein: Alle sollten beisammensitzen und es warm haben und singen und sich unterhalten. Bis er zuletzt selber so müde wurde, dass sich alles für ihn wie ein Gesumm anhörte und er ins Bett wankte.

Sonst verbrachte Pelle den größten Teil seiner Zeit in Janssons Stall. Nicht nur bei Jocke. Er half Onkel Jansson auch beim Ausmisten und er kam nach Hause und roch so nach Stall, dass es keiner in seiner Nähe aushielt. Malin war gezwungen, ein Paar alte Skihosen und eine zu klein gewordene Jacke als Stallkleidung herauszugeben, die er, sobald er zur Tür herein war, im Hausflur auszuziehen hatte.

»Später werden wir das Zeug wohl verbrennen müssen, wenn wir wieder wegfahren«, sagte Malin.

»Nee, das will ich mit in die Stadt nehmen«, sagte Pelle unerwartet heftig. Malin war im Begriff etwas kaputtzumachen, was er sich gerade ausgedacht hatte. Und ein wenig verlegen erklärte er es ihr. »Ich kann es in einem besonderen Schrank aufbewahren«, sagte er. »Und wenn ich mich zu sehr nach Jocke sehne, dann gehe ich hin und rieche daran.«

Tjorven ging ein paarmal mit ihm in Janssons Stall, aber schließlich hatte sie es satt.

»Ich will nicht die ganze Zeit bloß immer mit Kühen und Kühen zusammen sein«, sagte sie.

Stattdessen lief sie Ski. Sie hatte zu Weihnachten Skier bekommen und nun mühte sie sich auf den Hängen ab, unverdrossen und beharrlich. Wenn sie hinfiel, hatte sie Mühe allein wieder hochzukommen. Sie lag da und zappelte mit den Beinen wie ein Käfer, bis Teddy oder Freddy kamen und ihr wieder hochhalfen. Aber sie waren jetzt selten zur Stelle. Meistens trieben sie sich mit Johann und Niklas herum und waren wieder geheim. Sie hatten eine geheime Schneefestung, die jeder Mensch, der Augen im Kopf hatte, unten an der Landzunge sehen konnte. Da brachten sie den ganzen Tag zu, aber manchmal wurde es ihnen langweilig und sie begaben sich auf lange Skifahrten übers Eis zu anderen Inseln oder sie angelten Strömlinge im Eis mit Söderman zusammen, der jetzt wieder zu Hause war und geschworen hatte, fürs Erste werde er nicht mehr in die Stadt reisen.

Alle waren beschäftigt und Tjorven war immer noch eine ziemlich verlassene Tjorven mit Bootsmann als ihrer liebsten Gesellschaft. An einem bitterkalten Tag, als der Himmel eisig grün über Saltkrokan stand und der Mehlbeerbaum beim Schreinerhaus weiß von Raureif war, kam Malin von ihrer Skifahrt nach Haus und fand Tjorven weinend auf dem Hang hinter Södermans Hütte. Sie weinte sonst nur vor Zorn, aber dies waren Tränen des Leides und rührten von Frost in Fingern und Zehen her und von einem Gefühl der Verlassenheit, das einen überkommt, wenn man stundenlang im Schnee herumgestiefelt ist und plötzlich merkt, wie fürchterlich man friert und dass bei Söderman alles abgeschlossen ist und bei ihr selbst niemand zu Haus und auch im Schreinerhaus keiner, und wenn Teddy und Freddy vergessen haben, dass sie versprochen hatten nach einem zu sehen, während Mama und Papa in Norrtälje sind.

Wenn man dann plötzlich Malin sieht, dann kommen einem die Tränen, die man bis jetzt nur als einen Klumpen im Hals gehabt hat, plötzlich aus den Augen gestürzt. Wie kann das Leben für ein kleines Kind bloß so kalt und schrecklich und einsam sein – oh, dass aber Malin trotzdem gekommen ist!

Und Malin nahm sie auf den Arm und trug sie zum Schreinerhaus und sang ihr etwas vor, während sie dahinging:

»A-B-C, die Tjorven lief im Schnee.
Der Schnee ist kalt, die Tjorven weint,
weil leider keine Sonne scheint.
A-B-C, das Frieren tut so weh.«

Als sie dann in die Küche vom Schreinerhaus kamen, da machte Malin etwas Seltsames, etwas überaus Seltsames, fand Tjorven.
»Man kann sich doch nicht mitten am Tag ausziehen und ins Bett legen«, sagte Tjorven.
»Doch, wenn man kleinen Kindern die Zehen aufwärmen will, dann ist dies das beste Mittel«, versicherte Malin.
Sie kuschelten sich beide auf Malins Küchensofa zusammen und da war es warm, es war das Himmelreich für ein Kind, das vier Stunden lang im Schnee herumgestapft war. Tjorvens Augen begannen zu glänzen.
»Fühlst du meine Zehen?«, fragte sie. Malin versicherte ihr mit einem Schauder, das tue sie, denn so kalte Kinderzehen waren wohl noch nie auf diesem Küchensofa aufgetaut worden.
Tjorven konnte sich über Malins seltsame Einfälle gar nicht genug wundern. Ab und zu lachte sie auf. So etwas hatte sie in ihrem ganzen Leben noch nicht erlebt.
»Man kann sich doch nicht mitten am Tag ins Bett legen«, sagte sie von neuem.
»Doch, wenn ›das Frieren so weh tut, dass die Tjorven weint‹, dann muss man«, sagte Malin.
Tjorven gähnte.
»Ach was, sing doch nicht dies traurige Lied«, murmelte sie. »Sing eins, von dem einem die Zehen warm werden.«
Malin lachte.
»Eins, von dem einem die Zehen warm werden?«
Von dort, wo sie lag, konnte sie die Eisblumen am Fenster sehen und die fahle Wintersonne, die so kalt durch die Äste des Mehlbeerbaumes

schien und so bald wieder unterging und Saltkrokan in Dunkel und klirrendem Frost zurückließ. Wahrlich, hier brauchte man ein Lied, von dem einem die Zehen warm wurden!

»Draußen wehn die Sommerwinde,
Kuckuck ruft in hoher Linde«,

sang Malin. Aber da befiel sie eine so heftige Sehnsucht nach dem Sommer, dass sie nicht weitersingen konnte. Und das war auch nicht nötig. Denn jetzt war Tjorven eingeschlafen.

Zum Kuckuck mit allen verwunschenen Prinzen!

An einem Frühlingstag fiel Tjorven vom Anlegesteg ins Wasser. Sie hatte in dem Glauben gelebt, sie könne mindestens fünf Schwimmzüge, aber jetzt merkte sie, dass das ein Irrtum war. Trotzdem bekam sie keine Angst, denn bevor es dazu kam, war Bootsmann da und zog sie heraus, und als Nisse angelaufen kam, stand sie schon auf dem Anleger und drückte das Wasser aus ihren Haaren.

»Wo ist deine Schwimmweste?«, fragte Nisse streng.

»Papa, weißt du was«, sagte Tjorven, »wenn ich Bootsmann habe, brauch ich fast keine Schwimmweste.« Sie legte die Arme um Bootsmann und lehnte ihren nassen Kopf an seinen. »Du, Bootsmann«, sagte sie zärtlich, »du bist mein lieber kleiner Nödelhund.«

Bootsmann sah sie ernsthaft an, und wenn es stimmte, dass er denken konnte wie ein Mensch, dann dachte er vielleicht: Kleines Hummelchen, für dich geh ich in den Tod, wenn du es willst, brauchst nur ein Wort zu sagen.

Tjorven streichelte ihn. Dann lachte sie zufrieden.

»Papa, weißt du was«, sagte sie, aber Nisse unterbrach sie.

»Nein, Tjorven, keine weiteren ›weißt du was‹, erst gehst du nach Haus und ziehst dich um.«

»Ja, ich wollte aber nur eben sagen, dass ich jetzt dreimal ins Wasser gefallen bin – haha, und Stina bloß zweimal.«

Und Tjorven zog los, stolz und nass und froh, um sich vor Stina zu zeigen. Söderman stand auf der Uferböschung unterhalb seiner Hütte und war dabei seinen Kahn zu teeren. Der sollte jetzt ins Wasser gelassen werden.

Ganz Saltkrokan war mitten im großen Frühlingstaumel. Das Wasser strömte offen dahin, alle Boote mussten hergerichtet werden, die Insel lag ständig unter einem Dunst von Teer und Farbe und ständig in einem Qualm von brennenden Laubhaufen, denn auch die Grundstücke wurden großreingemacht. Über allen anderen Gerüchen lag der Geruch des Meeres. Söderman spürte ihn in der Nase und die Frühlingssonne wärmte ihm den Rücken. Der Kahn schien schön zu werden, Söderman war ganz zufrieden. Aber sein Kopf wurde allmählich müde. Stina saß auf einem Stein neben ihm und erzählte ihm Märchen, Märchen, die nie zu Ende gingen. Der arme Söderman, er konnte nicht auseinander halten, welcher Prinz in ein Wildschwein verwandelt wurde und welcher in einen Adler. Aber Stina hörte ihn regelmäßig ab und duldete keinen Fehler.

»Rat mal, wer sonst noch verwunschen wurde«, sagte Stina. Da aber stand plötzlich Tjorven vor ihr, nass wie eine Meerjungfrau.

»Rat mal, wer ins Wasser gefallen ist.«

Stina guckte sie schweigend an. Sie wusste nicht, dass man sich damit brüsten konnte ins Wasser gefallen zu sein. Jetzt aber sah sie Tjorvens siegessichere Miene und sie sagte unsicher:

»Rat mal, wer – Sonntag ins Wasser fällt.«

»Du jedenfalls nicht«, sagte Söderman. »Sonst schick ich dich nämlich in die Stadt zurück, wenn Melchersons abfahren.«

Melchersons hatten Stina mitgebracht, als sie kamen. Sie waren für einen kurzen Frühjahrsbesuch herausgekommen, denn Melcher war noch immer der Ansicht, dass man nicht ein ganzes großes Schreinerhaus, für das man Miete gezahlt hatte, leer stehen lassen konnte. Und außerdem – nie war Saltkrokan schöner als um diese Jahreszeit, wenn die Birken ihre ersten zarten Blätter bekamen und die ganze Insel ein Meer von weißen Buschwindröschen war.

»Du lieber Himmel, der schwedische Frühling!«, sagte Melcher immer. »Kalt und armselig ist er, aber so schön, dass es einem das Herz aus der Brust reißt!«

Dass der Frühling kalt war, fühlte Tjorven auch. Jetzt fror sie und wollte nach Hause und sich trockene Kleider anziehen. Aber als sie am Bootssteg des Schreinerhauses vorbeikam, saß Herr Melcher hier im Ruderboot und mühte sich mit seinem alten Außenbordmotor ab. Tjorven blieb stehen, so eilig hatte sie es auch wieder nicht.

Melcher unterhielt sich gern mit Tjorven. »Ich kann mir nichts Vergnüglicheres denken«, hatte er Malin anvertraut. »Und es ist schade, dass du uns nicht hören kannst, denn unsere Gespräche sind wirklich interessant. Wir unterhalten uns aber am besten, wenn wir allein sind.«

Jetzt hatten sie auch so ein kleines Gespräch unter vier Augen, während Melcher an seinem Motor herumbastelte, und es war wirklich schade, dass Malin nicht hören konnte, wie lustig und interessant es klang.

»Herr Melcher, ich bin ins Wasser gefallen«, sagte Tjorven, aber sie erhielt nur ein Brummen zur Antwort. Melcher zog und zerrte an der Startleine. Das schien er schon ziemlich lange getan zu haben, denn sein Gesicht war ganz rot angelaufen und die Haare standen ihm nach allen Richtungen vom Kopf ab.

»Du hast nicht den richtigen Ruck, Herr Melcher«, sagte Tjorven.

Melcher schaute zu ihr auf und lächelte nachsichtig. »Soo? Nicht?«

»Nee, du musst so rucken«, sagte Tjorven und zeigte mit einer zuckenden Armbewegung, wie er es machen sollte.

»Du, hör mal, ich ruck dir gleich eins, wenn du nicht sofort machst, dass du wegkommst«, sagte Melcher.

Tjorven kniff die Augen zusammen, erstaunt über so eine schändliche Undankbarkeit. »Du müsstest froh sein, wenn ich dir helfe.«

Melcher machte sich wieder über seinen Motor her.

»Ja, danke, ich bin froh – so froh – so froh«, versicherte er und zerrte im Takt mit den Worten an der Leine. Aber der verflixte Motor sagte nur »putt, putt« und schwieg dann. Tjorven schüttelte den Kopf.

»Du bist ganz bestimmt ein geschickter Kerl, Herr Melcher, aber gerade von Motoren verstehst du vielleicht nichts. Warte, ich zeig's dir.«

Da brüllte Melcher: »Geh weg hier! Geh hin und schmeiß dich noch mal ins Wasser oder geh zu Pelle und spiel mit dem. Aber verschwinde!« Tjorven sah beleidigt aus.

»Ja, ich geh zu Pelle und spiel mit ihm. Aber zuerst muss ich nach Hause und mich umziehen, das wirst du wohl begreifen.«

Melcher nickte zustimmend. »Tu das! Zieh alles an, was du hast! Am liebsten zwei, drei Leibchen, die man hinten zuknöpft.«

»Leibchen!«, sagte Tjorven. »Wir leben doch nicht in der Steinzeit.« Das sagte Teddy immer von Sachen, die altmodisch waren.

Melcher hörte sie nicht, denn jetzt machte der Motor noch einmal »putt, putt« und Melcher sah ihn flehentlich an. Aber vergebens. Als der Motor sein letztes »Putt« gesagt hatte, verstummte er völlig.

»Herr Melcher, weißt du was?«, sagte Tjorven. »Du bist hoffentlich tüchtiger, wenn du Bücher schreibst, denn das hier kannst du nicht. Wo *ist* Pelle übrigens?«

»Wahrscheinlich beim Kaninchenstall«, fauchte Melcher, dann faltete er die Hände. »Ich bete zu Gott, dass er beim Kaninchenstall ist und dass du da hingehst.«

»Weshalb möchtest du, dass Gott ausgerechnet am Kaninchenstall ist?«, fragte Tjorven interessiert.

»Pelle!«, brüllte Melcher. »Pelle soll beim Kaninchenstall sein – und außerdem du. Vor allen Dingen du!«

»Nee, du hast gesagt, du wolltest zu Gott beten, dass *er* am Kaninchenstall ist«, begann Tjorven, aber Melcher machte jetzt ganz wilde Augen, und um ihn zu beschwichtigen sagte sie rasch: »Ja, ja, ich gehe schon.« Melcher wurde erhört. Pelle war beim Kaninchenstall und dorthin ging Tjorven, nachdem sie sich umgezogen hatte.

Jocke hatte einen feinen Stall bekommen. »Von Melcher angefertigt, mit eigenen Händen angefertigt«, prahlte Melcher, als der Stall fertig war. Pelle hatte auch nageln geholfen, obgleich Melcher ihn gewarnt hatte: »Du wirst dir nur auf die Finger hauen.«

163

»Ach wo«, hatte Pelle gesagt. »Tjorven kann den Nagel halten.«
Ganz so schlau war Melcher nicht gewesen.

»Warum haust du dir immerzu auf den Daumen?«, hatte Tjorven gefragt, als Melcher hintereinander zwei Volltreffer gelandet hatte. Melcher hatte an seinem Daumen gelutscht.

»Weil du, meine kleine Tjorven, mir nicht den Nagel gehalten hast.«

Der Kaninchenstall war wirklich fein, als er fertig war. Für ein Kaninchen sei es schön in so einen hineinzuziehen, meinte Pelle. Glücklich, sodass es um ihn herum leuchtete, holte er Jocke aus Janssons Kuhstall und führte ihn in sein neues Heim.

Die ganze Anlage hatte ihren Platz hinter den Fliederbüschen in einer geschützten Ecke, wo Pelle ungestört sitzen und der glücklichste Kaninchenbesitzer der Welt sein konnte. Der Stall war aus Maschendraht und hatte eine Tür mit einem kleinen Haken an der einen Seite, sodass er Jocke herausholen konnte, wenn er ihn auf den Arm nehmen wollte. An der anderen Seite hatte Jocke sein Häuschen, einen Kasten mit einem runden Loch.

»Hier musst du reinkriechen, wenn es regnet und kalt ist«, sagte Pelle. Er hatte das Kaninchen im Arm, als Tjorven kam. Sie fütterten es gemeinsam und Pelle unterrichtete Tjorven in der Kunst Kaninchen zu versorgen, da sie sich um Jocke kümmern sollte, wenn Pelle in die Stadt zurückfuhr.

»Und ich bin dir ewig böse, wenn du ihn nicht ordentlich fütterst«, sagte Pelle. »Und dann musst du aufpassen, dass er nicht ausrückt.«

Darauf hätte Pelle selber aufpassen sollen, denn bevor er den Satz noch zu Ende gesprochen hatte, entschlüpfte Jocke seinen Armen und schoss durchs Fliedergebüsch davon.

Pelle und Tjorven fuhren hoch und setzten ihm nach. Das tat auch Bootsmann mit einem leisen Kläffen.

»Nein, Bootsmann, du rührst Jocke nicht an!«, rief Pelle ängstlich, während er lief.

»Bootsmann rührt *nie* einen an, das solltest du wissen. Er denkt nur, wir spielen.«

Da schämte Pelle sich. Aber jetzt hatte er keine Zeit sich bei Bootsmann zu entschuldigen, jetzt musste er Jocke einfangen.

Hinter dem Schreinerhaus waren Malin und Johann und Niklas dabei Betten auszuklopfen, und als Jocke angeschossen kam, warf Johann eine Decke über ihn. Jocke raste unter der Decke herum, die wogte wie ein aufgewühltes Meer, aber schließlich machte er sich frei und war mit drei fröhlichen Sätzen um die Hausecke verschwunden.

Stina war es, die ihn einfing; sie saß mit Kalle Hüpfanland auf ihrer Treppe und sah Jocke vorüberflitzen und sie hatte ihn eben erwischt, als Tjorven und Pelle mit hängender Zunge angerannt kamen.

»Oh, wie schön, dass du ihn eingefangen hast«, sagte Pelle. Er ließ sich erleichtert auf Stinas Treppe sinken mit Jocke im Arm und sah ihn ebenso zärtlich an wie eine Mutter ihr neugeborenes Kind.

»Es macht Spaß, wenn man ein eigenes Tier hat«, sagte er.

Tjorven und Stina pflichteten ihm bei.

»Vor allen Dingen einen Raben«, versicherte Stina. Und dann sagte sie triumphierend: »Und jetzt kann er es!«

»Was kann er?«, fragte Tjorven.

»Er kann sagen ›Zum Kuckuck mit dir‹. Ich hab es ihm beigebracht.«

Es war Pelle und Tjorven anzumerken, dass sie ihr nicht glaubten, und Stina wurde böse.

»Wartet, ihr könnt es gleich mal hören! Kalle, sag ›Zum Kuckuck mit dir‹, tus!«

Der Rabe legte den Kopf schief und schwieg beharrlich, als Stina es ihm aber lange immer wieder vorgesprochen hatte, ließ er ein paarmal einen kleinen Krächzer hören. Nur wer eine lebhafte Fantasie hatte, konnte heraushören, dass es »Zum Kuckuck mit dir« heißen sollte. Stina hatte eine lebhafte Fantasie.

»Habt ihr's gehört?«, fragte sie jubelnd.

Tjorven und Pelle lachten, aber Stina nickte altklug.

»Wisst ihr, was ich glaube? Ich glaube, Kalle ist ein verwunschener Prinz, weil er sprechen kann.«

»Tsss«, machte Pelle. »Hast du schon mal gehört, dass ein Prinz ›Zum Kuckuck mit dir‹ sagt? Was?«

»Ja, dieser hier«, sagte Stina und zeigte auf Kalle.

In dem Märchen, das sie dem Großvater eben erzählt hatte, kamen nicht weniger als drei verwunschene Prinzen vor. Sie waren in ein Wildschwein und einen Hai und einen Adler verwandelt. Weshalb also sollte nicht ein Rabe ein verwunschener Prinz sein können?

»O nein, nur Frösche sind verwunschene Prinzen«, erklärte Tjorven.

»Sagst du, ja«, sagte Stina.

»Doch, Freddy hat es mir vorgelesen. Da kam eine Prinzessin vor und die küsste einen Frosch und da wurde er ein Prinz, peng – auf einmal stand er da!«

»Das versuche ich auch mal«, sagte Stina.

Pelle saß dabei und lachte in sich hinein.

»Wozu willst du den Prinzen haben, falls du einen kriegst?«, fragte er.

»Er kann Malin heiraten«, sagte Stina.

Das hielt Tjorven für einen ausgezeichneten Vorschlag.

»Dann braucht sie hier nicht mehr völlig unverheiratet rumzulaufen.«

Ihnen hätte nichts Besseres einfallen können, das Pelle reizte.

»Zum Kuckuck mit euren verwunschenen Prinzen«, sagte er. »Komm, Jocke, wir gehen.«

Tjorven und Stina schauten ihm lange nach.

»Er will wohl nicht, dass Malin jemals heiratet«, sagte Tjorven. »Sicher, weil er keine Mama hat.«

Stina wurde ernst und zog nachdenklich die Augenbrauen zusammen.

»*Wieso* ist seine Mama gestorben?«, fragte sie.

Es war nicht leicht darauf eine Antwort zu geben. Tjorven überlegte. Sie wusste nicht, weshalb Menschen starben.

»Es ist sicher wie in diesem Lied, weißt du«, sagte sie schließlich. »Es ist wohl einfach so.« Und sie sang Stina vor:

> »Die Welt, sie ist ein Jammertal,
> kaum dass man lebt, so muss man sterben
> und wieder Erde werden.«

»Das ist aber wirklich traurig, du«, sagte Stina.

Pelle setzte Jocke in seinen Stall zurück und hatte dann einen einsamen, schönen Abend, den er am Frühlingsgraben verbrachte. Er liebte den Graben, wo es so viel zu sehen gab, Insekten und Pflanzen verschiedenster Art. Aber das Lustigste an dem Frühlingsgraben war beinahe drüber hinwegzuspringen und zu sehen, ob man es in einem einzigen Satz schaffte. Manchmal schaffte man es nicht, und deshalb war Pelle, als er abends nach Hause kam, bis zur Stirn hinauf mit Schlamm bespritzt.

Um diese Stunde saß Melcher in der Küche des Schreinerhauses, vor sich auf dem Tisch seinen Außenbordmotor, den er ganz auseinander genommen hatte. Er hatte vor ihm dieses »putt, putt« abzugewöhnen und meinte, eine gründliche Säuberung bringe ihn vielleicht auf bessere Gedanken. Aber die kleinen Schrauben und Muttern hatten alle die merkwürdige Eigenschaft zu verschwinden, wenn man sie gerade brauchte, und Melcher wurde jedes Mal wieder wütend.

»Esst ihr Muttern?«, fragte er Johann und Niklas, die am Tisch herumhingen um zuzusehen, und nachdem sie ein paarmal so ungerecht beschuldigt worden waren, sagte Johann:

»Komm, Niklas, wir gehen ins Bett. Papa kann seine Muttern selber futtern.«

Und sobald sie weg waren, fand Melcher, was er suchte.

»Sieh da, hier ist ja das Dings, nach dem ich gesucht hab«, sagte er.

In diesem Augenblick kam Pelle schlammbespritzt und müde zur Tür herein und Malin sagte:

»Und hier ist das andere Dings, nach dem *ich* gesucht hab. Wie siehs
du denn bloß aus, Pelle!«

Es war nicht nur der Bootsmotor, der an diesem Abend in der Küch
des Schreinerhauses gesäubert wurde. Malin holte die große Waschwan
ne, steckte Pelle ganz hinein und begann ihn gründlich abzuschrubben

»Die Ohren brauchst du doch nicht zu waschen«, murrte Pelle, »die ha
ich erst Samstag gewaschen.«

Aber Malin erklärte, ihn mit solchen Ohren herumlaufen zu lassen se
überhaupt nicht zu verantworten.

»Morgen kommt vielleicht Tante Märta zum Kaffee und wenn sie sol
che Ohren sieht...«

»Du sagst ›vielleicht‹ – können wir dann nicht warten und erst ma
sehen, ob sie wirklich kommt?«, schlug Pelle vor.

Malin wandte sich lachend an Melcher.

»Sind eigentlich alle Jungen solche Schmutzfinken, was meinst du
Warst du auch so, als du klein warst?«

Melcher saß da und wühlte zwischen seinen Muttern und er summt
erfreut: »Ich habe den richtigen Ruck – da kann sich Tjorven drau
verlassen, weiß der Himmel! – Schmutzfink, ich?«, sagte er dann. »Nein
ich war ein sehr reinliches kleines Kind, soweit ich mich erinnere.«

Pelle schaute über den Rand der Wanne träumerisch zu seinem Vate
hinüber. »Ja, klar warst du ein reinliches kleines Kind, Papa.«

»Wieso ist das so klar?«, fragte Melcher.

»Na ja, du warst doch in jeder Weise ganz prächtig, du warst imme
gehorsam und hattest so gute Schulzeugnisse und hast nie gelogen und
so.«

»Hab ich das gesagt?«, entgegnete Melcher und lächelte breit. »Dan
muss ich auf meine alten Tage angefangen haben ein bisschen zu lügen.

Pelle schickte einen Wasserstrahl zu ihm hin.

»Nicht doch, Pelle«, sagte Malin, »du darfst nicht die ganze Küche nas
machen.«

»Soso, seinen Vater darf er aber nass machen?«, fragte Melcher erstaunt.

»Ja, das darf er«, sagte Pelle ruhig und überzeugt.

Hinterher, als er, in ein großes Bettlaken gehüllt, auf Malins Schoß saß, fiel ihm Stinas dummer Vorschlag ein wegen des verwunschenen Prinzen, den Malin heiraten sollte. Er betrachtete sie forschend. Sie war womöglich traurig, weil sie so »völlig unverheiratet«, wie Tjorven es nannte, herumlaufen musste?

Sie hatten eine große Neuigkeit erfahren, als sie diesmal nach Saltkrokan gekommen waren. Björn hatte sich mit einem Mädchen auf Harskär verlobt. Pelle hatte Malin mit Bangen gefragt, ob sie deswegen traurig sei. Aber Malin hatte gelacht und gesagt:

»Nein, das war das Beste, was er tun konnte, und das hab ich ihm schon Weihnachten gesagt!«

Aber deswegen war es ja doch nicht sicher, ob es ihr gefiel so »völlig unverheiratet« herumzulaufen.

»Jetzt ist dieser kleine Motor fertig und von Melcher eigenhändig gesäubert«, sagte Melcher und schraubte die letzte Mutter fest und dann sang er: »Jetzt hat er den richtigen Spritzer und das werde ich euch nun zeigen.«

Der Motor sollte in Pelles Badewanne zeigen, ob er den richtigen Spritzer hatte oder nicht.

Den hatte er. Er hatte einen Spritzer, dass es ringsum gegen die Wände sprühte, und Melcher, der sich eifrig über die Wanne beugte, bekam den ersten Schwall mitten ins Gesicht.

»Ääh«, sagte Melcher und dann sagte er schnell: »Ich wische hinterher selbst alles wieder trocken, Malin.«

Aber Malin versicherte ihm, sie sei richtig dankbar, weil plötzlich die ganze Küche dadurch sauber würde, und trockenwischen könne sie schon noch selber. »Wenn unser kleiner Pelle nur erst ins Bett kriechen möchte. Frierst du?«, fragte sie, als sie sah, wie Pelle dastand und schlotterte.

»Ich friere wie ein Schneider«, sagte Pelle. Und er fror auch, als er in
Bett kam.

»Ich glaub, ihr habt die Decken zu lange gelüftet«, sagte er. »Puh, wi
ist es hier kalt.«

»Du merkst auch alles«, murmelte Niklas halb im Schlaf.

Pelle lag in seinem schmalen Bett ganz still und versuchte sich ei
Fleckchen anzuwärmen.

»Es wäre schön, wenn man ein warmes Kaninchen im Bett hätte«, sagt
er.

Johann hob den Kopf hoch.

»Ein Kaminchen, bist du nicht bei Trost? Meinst du einen Petroleum
kamin?«

»Ein Kaninchen, hab ich gesagt.«

»Ein Kaninchen – ja, das sieht dir ähnlich«, sagte Johann. Dann san
er zurück auf sein Kopfkissen und schlief ein.

Aber Pelle lag wach. Er sorgte sich wegen Jocke so, dass er nicht ein
schlafen konnte. Wenn nun heute Nacht Frost kam und Jocke in seiner
Stall fror? Ihm selbst wurde jetzt allmählich warm und wohl. Es wa
ungerecht, dass Kaninchen nur kleine Kisten zum Schlafen sollte
mit ein bisschen Heu darin.

Pelle seufzte mehrmals. Er litt große Seelenpein. Zuletzt hielt er es nich
mehr aus. Er stieg aus dem Bett und auf der Leiter, die von einem de
vielen Dachausflüge, die Melcher gemacht hatte, vor ihrem Fenste
stand, kletterte er in den kühlen Frühlingsabend hinaus und rannt
bibbernd zum Kaninchenstall.

Niemand sah ihn, weder als er hinlief noch als er, mit Jocke im Arm
wieder zurückschlich. Niemand außer möglicherweise dem Fuchs, de
ebenfalls einen kleinen Abendspaziergang um Saltkrokan herum
machte.

Nun war Jocke aber keineswegs so dankbar seinen Kaninchenkäfig ver
lassen zu dürfen, wie Pelle erwartet hatte. Er wehrte sich, als Pelle ver

suchte ihn in sein Bett zu stecken. Seiner Ansicht nach war das kein Schlafplatz für ein Kaninchen und er machte einen langen Satz.

Malin und Melcher saßen unten im Wohnzimmer und hörten plötzlich von oben einen gellenden Schrei. Sie stürzten hinauf um nachzusehen, was denn los sei, und fanden einen Niklas, der aufrecht in seinem Bett saß, außer sich vor Schrecken und am ganzen Leibe zitternd.

»Hier spukt es«, sagte er. »Ein unheimliches, zottiges Gespenst ist auf mich losgesprungen.«

Melcher streichelte ihn beruhigend.

»So etwas nennt man Nachtmahr, wenn man so schrecklich träumt, aber davor brauchst du keine Angst zu haben.«

»Gemeiner Mahr«, brummte Niklas, »er ist mir mitten ins Gesicht gesprungen.«

Aber unter Pelles Decke, von seinen Armen fest umklammert, lag der kleine Mahr und lauerte nur auf die nächste Gelegenheit wieder herauszukommen und zu spuken.

Und als das ganze Haus schlief, kletterte Pelle wieder in die Nacht hinaus und setzte Jocke in seinen Käfig zurück.

»Man kann dich einfach nicht mit im Bett haben«, sagte er. »Ich glaube, mit einem Petroleumkamin würde es fast besser gehen.«

Und bald erwachte ein neuer Frühlingstag über Saltkrokan, ein Tag, den keiner je vergessen sollte. Denn es war der Tag, an dem Moses auf die Insel kam und eine ganze Kette von Ereignissen in Gang setzte.

Dabei war Moses nur ein kleiner junger Seehund, den Kalle Vesterman draußen auf der Schäre, in ein Netz verstrickt, gefunden und mit nach Saltkrokan genommen hatte, weil er wusste, dass die Seeadler mit verlassenen Seehunden hart umgehen.

»Vesterman ist der größte Störenfried, den wir hier auf der Insel haben«, sagte Märta Grankvist immer. Es kam wohl einmal vor, dass Streit entstand, wenn die Inselbewohner im Laden zusammenkamen, und es war immer das Gleiche: Immer war es Vesterman, der ihn anzettelte. Ein unruhiger Geist war er. »Wie Wasser um die Steine«, sagte seine Frau. »Und eigentlich hat er überhaupt keinen Verstand.« Und das erzählte sie allen, die es hören wollten. Ein Fischer und ein Jäger war er, alle andere Arbeit war ihm ein Gräuel, obgleich er einen kleinen Bauernhof besaß; den musste aber zum größten Teil seine Frau besorgen. Es war eine Plackerei und manchmal murrte sie. Vesterman war auch in schlechten wirtschaftlichen Verhältnissen und wenn er in der Klemme saß, ging er zu Nisse Grankvist. Aber in letzter Zeit hatte Nisse ihn abgewiesen. Er wollte jemandem, der nie seine Schulden bezahlte, kein Geld mehr leihen.

Tjorven stand auf dem Anleger, als Vesterman an diesem Morgen von der Schäre heimkehrte. Und sie schrie auf, als er einen kleinen fauchenden Seehund vor sie hinlegte, der sie mit schwarzen, feuchten Augen anschaute und so niedlich war, wie sie noch nie etwas gesehen hatte.

»Oh, ist der aber niedlich«, rief Tjorven. »Darf ich ihn streicheln?«

»Meinetwegen gern«, sagte Vesterman. Und dann sagte er etwas Unglaubliches. »Du kannst ihn behalten, wenn du willst.«

Tjorven starrte ihn an.

»Was sagst du da?«

»Du kannst ihn haben. Natürlich nur, wenn deine Mama und dein Papa es erlauben. Ich bin froh, wenn ich ihn loswerde. Du kannst ihn ja aufziehen und behalten, bis er so groß ist, dass man 'nen Nutzen von ihm hat.«

Tjorven schnappte nach Luft. Vesterman gehörte im Allgemeinen nicht zu ihren Lieblingen, aber im Augenblick fühlte sie, dass sie ihn anbetete.

»Oh«, machte sie und dachte fieberhaft nach – wie konnte man sich für ein so einzigartiges Geschenk nur bedanken? »Ich stick dir auch etwas in Kreuzstich! Möchtest du das?«

Vesterman verstand nicht, dass Tjorvens Angebot das Gewaltigste war, was sie zustande bringen konnte, und er sagte: »N-ja, ich will nicht behaupten, dass ich unbedingt Sehnsucht danach hab, aber – nimm du den Seehund, man traut sich ohnehin nicht mit einem jungen Seehund zur Frau nach Haus zu kommen.« Dann ging Vesterman seiner Wege und ließ eine völlig verwirrte Tjorven zurück.

»Bootsmann, das kann nicht wahr sein«, sagte sie. »Wir haben einen Seehund gekriegt!«

Bootsmann schnupperte an dem Seehund. Er hatte noch nie ein Wesen gesehen, das diesem ähnelte; wenn Tjorven es aber durchaus wollte, dann würde er sich auch mit diesem komischen kleinen Vieh anfreunden, das hier lag und ihn anzischte.

»Nein, erschreck ihn nicht«, sagte Tjorven und jagte Bootsmann weg. Dann schrie sie, so laut sie nur konnte: »Kommt mal her! Kommt mal alle her! Das kann ja nicht wahr sein – ich habe einen Seehund gekriegt!«

Pelle kam als erster angelaufen und er freute sich so sehr, dass er anfing zu zittern, als er den Seehund sah und das Unfassbare erfuhr: Tjorven hatte dieses fantastische, grau gesprenkelte kleine Knäuel geschenkt bekommen, das zischte und schrie und mit knubbeligen, seltsamen kurzen Vorderpfoten auf der Brücke herumkrabbelte. War es wirklich möglich, dass jemand einfach einen Seehund geschenkt bekam?

»Oh, hast du aber Glück«, sagte Pelle aus tiefstem Herzen. Und Tjorven gab ihm Recht.

»Ja, es ist nicht zu glauben, ich hab doch andauernd so 'n Glück.« Aber jetzt blieb nichts anderes übrig als Mama und Papa davon zu überzeugen, wie schön es war einen Seehund zu haben.

Nach und nach hatten sich alle auf dem Anlegesteg versammelt und betrachteten erstaunt den Seehund.

»Wir können bald einen Tierpark auf Saltkrokan aufmachen«, sagte Melcher. »Ich muss nur mal sehen, ob ich nicht irgendwo noch ein paar billige kleine Flusspferde auftreiben kann.«

Aber Märta hob abwehrend die Hände. Sie wollte keinen Seehund im

Haus haben, unter gar keinen Umständen. Nisse hatte ebenfalls Beden
ken. Er versuchte Tjorven klarzumachen, welche Mühe sie haben werde
ihn aufzuziehen. Er brauche so viel Milch wie ein Kalb und kiloweise
Strömlinge, wenn er erst etwas größer wurde.

»Strömlinge kann er von uns kriegen«, sagte Stina. »Nicht wahr, Groß
vater?«

Tjorven guckte ihre Eltern vorwurfsvoll an.

»Ich habe ihn doch *bekommen*«, sagte sie. »Es ist genau, wie wenn man
ein Kind bekommt, versteht ihr das nicht?«

Teddy und Freddy gaben ihr Recht.

»Und wenn man ein Kind bekommt, dann redet man doch nicht gleich
davon, wie viel Milch es braucht und wie schwer es ist es großzuzie
hen«, sagte Teddy.

Sie bestürmten Märta mit Bitten. Johann und Niklas und Pelle halfen
mit. Sie versprachen einen Teich für das Seehundjunge zu machen, wo
es sich tagsüber aufhalten konnte. In der Felsböschung hinter dem
Bootsschuppen war ein tiefer Einschnitt, wenn man den mit frischem
Salzwasser füllte, hatte der Seehund das feinste Schwimmbassin, das er
sich nur wünschen konnte. Und nachts könne er im Bootsschuppen sein,
meinte Freddy. Er werde überhaupt keine Mühe machen, versicherten
sie alle hoch und heilig.

Der junge Seehund stieß hin und wieder kleine hilflose Schreie aus, und
Stina sagte triumphierend: »Hört ihr, er ruft ›Mama‹!«

»Und das bin ich«, sagte Tjorven und nahm den Seehund auf den Arm.
Es sah so aus, als fühlte er sich da wohl. Er schnupperte in ihrem Gesicht
herum und seine Barthaare kitzelten sie, sodass sie lachen musste.

»Ich weiß, wie er heißen soll«, sagte Tjorven. »Moses! Vesterman hat
ihn genauso gefunden wie die, die Moses im Schilf fand – das weißt du
doch noch, Freddy?«

»Ich hatte mir Pharaos Tochter nicht ganz so vorgestellt wie Vester
man«, sagte Melcher. »Aber Moses ist ja ein schöner Name.«

Da alle es für selbstverständlich hielten, dass Moses bleiben durfte, willigte Märta schließlich ein.

Du darfst ihn dann behalten, bis er so groß ist, dass er allein zurechtkommt«, sagte sie. Und alle Kinder jubelten.

Wisst ihr, was ich glaube?«, fragte Stina. »Ich glaube, Moses ist ein verwunschener Prinz, der aus dem Meer raufgestiegen ist.«

Du mit deinen verwunschenen Prinzen«, sagte Pelle. »Prinz Moses, was?«

Tjorven saß auf dem Anleger und Moses lag auf ihrem Schoß. Sie streichelte ihn und er schnupperte an ihren Händen, sodass sie seine Barthaare spürte, und da lachte sie von neuem, dass sie nur so quietschte.

Bootsmann stand daneben und sah zu. Lange stand er still und sah Tjorven mit seinen traurigen Augen an. Plötzlich aber machte er kehrt und trottete davon.

Tjorven bekam in diesem Frühjahr alle Hände voll zu tun, denn sie musste sich ja um Jocke und Moses kümmern. Pelle schrieb aus der Stadt einen Brief nach dem anderen und ermahnte sie ordentlich nach einem Kaninchen zu schauen.

GIB IHM VIL LÖWENZANBLÄTTER«, schrieb er, und Tjorven klagte Stina ihr Leid.

Viele Löwenzahnblätter, der hat gut reden! Ich hab noch nie ein Kaninchen gesehen, das andauernd so 'n Hunger hat!«

Aber Jocke war jedenfalls ein friedliches Tier, das nur Löwenzahnblätter und Wasser brauchte um sich wohl zu fühlen. Er schrie nicht, wenn man ihn allein ließ. Er kroch nicht überall herum und zerrte Tischtücher herunter oder holte Kochtöpfe heraus oder zerriss Papas Zeitungen. Das alles tat Moses, derselbe Moses, der tagsüber in seinem Teich sein sollte und nachts im Bootsschuppen. Moses wollte weder im Teich sein noch im Bootsschuppen. Er folgte Tjorven überall auf den Fersen, wo sie ging. War sie denn nicht seine Mama? War sie es nicht, die ihm die köstliche

Flasche gab mit warmer Milch und Öl darin? Dann durfte er wohl auch bei ihr sein. Er schrie und protestierte, wenn Tjorven ihn abends im Bootsschuppen einsperrte, und als er einmal noch lauter tobte als sonst nahm sie ihn einfach mit in ihr Zimmer – Mama war bei Frau Jansson zum Handarbeitskränzchen, sie konnte es also nicht verbieten.

Bootsmanns Schlafplatz war auf einem Stück Bettvorleger neben Tjorvens Bett. Hier hatte er, seit er ein Welpe gewesen war, jede Nacht gelegen. Als jetzt aber Moses kam und auf dem Fußboden herumzukrabbeln begann, sagte Tjorven:

»Bootsmann, du musst heute bei Teddy und Freddy schlafen.«

Es dauerte ein Weilchen, bis Bootsmann begriff, was sie meinte. Erst als sie ihn beim Halsband nahm und aus dem Zimmer führte, verstand er es.

»Es ist ja nur für diese eine Nacht, verstehst du«, sagte Tjorven.

Aber als Moses gemerkt hatte, wie gemütlich es war, in Tjorvens Zimmer zu schlafen, wollte er sich nicht mehr mit einem alten Bootsschuppen begnügen.

Am nächsten Abend, als Tjorven ihn einsperren wollte, schrie er so laut, dass er über ganz Saltkrokan zu hören war.

»Die Leute müssen ja denken, wir quälen ihn zu Tode«, sagte Teddy. »Es wird das Beste sein, wenn er drinnen bei Tjorven schläft.«

Märta zögerte ein bisschen, aber sie gab nach. Es war schwierig einem kleinen Seehund zu widerstehen, der so anhänglich war und einen mit seinen klugen, schönen Augen ansah, als verstünde er alles.

An diesem Abend ging Bootsmann unaufgefordert zu Freddy und Teddy hinein und legte sich hier zum Schlafen hin. Und das tat er auch weiterhin. Er hörte auf Tjorven auf den Fersen zu folgen, wohin sie auch ging. Vielleicht fürchtete er Moses zu treten. Von nun an lag er fast den ganzen Tag neben der Treppe zum Kaufmannsladen. Mit dem Kopf zwischen den Pfoten lag er hier, als ob er schliefe, und schaute nur jedes Mal hoch, wenn jemand in den Laden wollte.

»Mein lieber Nödelhund, du bist aber richtig nödelig geworden«, sagte

Tjorven und streichelte ihn. Dann aber musste sie laufen und für Jocke Löwenzahnblätter rupfen und für Moses Milch warm machen. Es machte viel Mühe Tierpfleger zu sein, wenn Stina ihr auch manchmal half.

»Du hast immerhin nur Kalle Hüpfanland«, sagte Tjorven. »Aber ich hab zwei Tiere zu versorgen – und dann Bootsmann natürlich.«

Stina fand es keineswegs schön, dass sie nur Kalle Hüpfanland hatte. Den konnte man nicht mit der Flasche füttern, wie Tjorven es mit Moses hat, die glückliche Tjorven! Stina half ihr für Jocke Löwenzahnblätter abzurupfen und hoffte immer wieder inbrünstig auf die Belohnung, nach der sie sich so sehnte: Moses die Flasche geben zu dürfen. Aber Tjorven war nicht zu erweichen. Moses wollte sie selber füttern. Sonst fühlte er sich nicht wohl, behauptete sie. Stina durfte dabeisitzen und zugucken, wenn es sie auch in den Fingern juckte Tjorven die Flasche zu entreißen, einerlei, ob Moses sich dann wohl fühlte oder nicht.

Aber auch für Stina kamen bessere Zeiten. Ihr Großvater hielt sich Schafe, nur zwei, die er gegen ein kleines Entgelt auf Vestermans Weide laufen lassen durfte. Die bekamen um diese Jahreszeit ihre Lämmer, und Stina begleitete ihren Großvater jeden Tag zur Weide um nachzusehen, ob die jungen Lämmer zur Welt gekommen waren.

»Mulle, Mulle, Mulle«, schrie Söderman, »kommt her, lasst euch zählen, ob ich etwas reicher geworden bin.«

Eines seiner Mutterschafe tat wirklich, was es konnte um seinen Reichtum zu mehren. Eines Tages bekam es nicht weniger als drei Lämmer in dem kleinen Unterstand, den Söderman als Schutz für seine Schafe zusammengezimmert hatte.

»Für so viele hat sie nicht Milch genug«, sagte Söderman. »Eines davon kommt dabei zu kurz.«

Söderman sollte Recht behalten. Mehrere Tage lang ging er mit Stina hin und er sah, wie das kleinste von den Lämmern abmagerte, weil es nicht Kraft genug hatte sich mit den beiden anderen um die Milch zu balgen.

Und schließlich sagte Söderman: »Wir müssen es mit der Flasche versuchen.«

Stina zuckte zusammen. Manchmal geschah wirklich das ganz Unerwartete und Wunderbare. Sie zog ihren Großvater in einer Eile mit zum Kaufmann, die Söderman übertrieben fand. Das Lamm war schließlich noch nicht dem Tode nahe. Aber auf Stinas Anweisung kaufte er eine Nuckelflasche genau wie die, die Tjorven für Moses hatte, und Stina lächelte erwartungsvoll.

Jetzt sollte Tjorven es aber so gründlich kriegen, dass ihr die Sprache wegblieb!

Tjorven fütterte gerade Moses, als Stina mit einer vollen Nuckelflasche in der Hand angelaufen kam.

»Was fällt dir ein!«, sagte Tjorven.

Moses hatte noch eine zweite Flasche, die er bekam, wenn er besonders hungrig war, und Tjorven meinte, es sei diese, die Stina sich unterstanden hatte zu holen ohne vorher um Erlaubnis zu fragen, wie es sich gehörte.

»Moses ist satt«, sagte Tjorven. »Der kriegt nichts mehr.«

»Was geht mich das an?«, sagte Stina. »Ich hab den Kopf mit anderen Sachen voll.«

Tjorven hob erstaunt die Augenbrauen. »Mit was denn zum Beispiel?«

»Ich muss Totti füttern«, sagte Stina wichtigtuerisch.

Tjorven schwieg und dachte nach.

»Wer ist denn Totti?«, fragte sie schließlich.

Und sobald sie es erfahren hatte, da rannte sie mit Stina auf Vestermans Weide und half ihr eifrig das Lamm zu füttern. Stina durfte immerhin noch die Flasche festhalten.

Totti war bald ebenso zahm wie Moses und Stina brachte ihm mehrmals am Tag Milch. Manchmal ließ sie ihn aus der Weide hinaus und nahm ihn mit auf einen kleinen Spaziergang. Er rannte genauso anhänglich hinter ihr her wie Moses hinter Tjorven.

»Das ist wirklich ein Anblick«, sagte Nisse Grankvist, als er auf seine Treppe hinaustrat und sah, wie Tjorven und Stina mit Moses und Totti anspaziert kamen. Dann bückte er sich und streichelte Bootsmann. »Und wie geht's dir? Liegst du da und bist traurig, weil du nicht mitspielen darfst?«

Aber Stina und Tjorven setzten sich auf die Treppe und fütterten ihre Tiere und verglichen sie miteinander, welches am niedlichsten sei.

»Ein Seehund ist nun mal ein Seehund«, sagte Tjorven, und das konnte Stina nicht abstreiten.

»Aber ein Lämmchen ist trotzdem niedlicher«, sagte Stina und dann sagte sie: »Ich glaube, Totti und Moses, das sind beides zwei verwunschene Prinzen.«

»Tsss«, machte Tjorven. »Bloß Frösche sind verwunschen, das hab ich doch schon mal gesagt.«

»Ja, das denkst du«, sagte Stina.

Sie saß schweigend da und überlegte. Vielleicht war es einem gewöhnlichen Schaf auf Vestermans Weide nicht möglich einen verwunschenen Prinzen zustande zu bringen, aber Moses war in einem Fischernetz gefunden worden, das war genau wie im Märchen.

»Ich glaube trotzdem«, sagte Stina, »dass Moses der kleine Junge vom Meerkönig ist, den eine böse Fee verzaubert hat.«

»Nee, er ist *mein* kleiner Junge«, sagte Tjorven und umarmte Moses. Bootsmann hob den Kopf und sah sie an. Und wenn es wirklich stimmte, dass er denken konnte wie ein Mensch, dann dachte er vielleicht genau wie Pelle: Zum Kuckuck mit allen verwunschenen Prinzen!

Will Malin wirklich keinen Bräutikamm haben?

Jetzt blühen alle unsere Apfelbäume wieder, schrieb Malin ins Tagebuch. In unvergleichlicher Schönheit stehen sie um unser Haus herum und lassen ein wenig von ihrem Blütenschnee sacht auf den Pfad rieseln, der zu unserem Brunnen führt. *Unsere* Apfelbäume, *unser* Haus, *unser* Brunnen, ja, besten Dank! Nicht das kleinste bisschen gehört uns, aber ich male es mir so gern aus und es geht merkwürdig leicht. Um diese Zeit vor einem Jahr hatte ich das Schreinerhaus noch nicht gesehen und dennoch habe ich das Gefühl, als wäre es mein Heim hier auf Erden. Ach, du mein fröhlicher Schreiner, wie ich dich liebe, weil du dieses Haus gebaut hast, falls du es überhaupt gewesen bist, und weil du rundherum Apfelbäume gepflanzt hast und weil wir hier wohnen dürfen und weil wieder Sommer ist – obwohl Letzteres natürlich nicht dein Verdienst ist.

»Wie ist es, Papa«, fragte sie Melcher, »bist du diesmal genauso schlau gewesen und hast den Mietvertrag für ein ganzes Jahr gemacht?«

»Noch nicht«, sagte Melcher. »Ich warte auf diesen Mattsson. Er hat versprochen bald mal herauszukommen.«

Und während sie auf Mattsson warteten, richteten Melchersons ihr Schreinerhaus für den Sommer her. Sie harkten das Laub auf dem Grundstück zusammen, sie klopften Teppiche und lüfteten das Bettzeug, sie putzten Fenster und scheuerten die Fußböden und steckten saubere Gardinen auf. Niklas wichste den eisernen Kochherd und Johann strich die Küchenstühle blau an, Melcher tischlerte ohne Blutvergießen ein Bücherbord für die umfangreiche Sommerlektüre der Familie und er hängte Bilder, die er aus der Stadt mitgebracht hatte, über dem frisch etünchten Kamin im Wohnzimmer auf. Malin bezog das zerschlissene olster des Küchensofas neu mit rot kariertem Baumwollstoff. Pelle ging ur umher und genoss das Treiben. Allzu hässliche und schäbige Möbel amen in den Schuppen und da draußen stellte Pelle sie zu einem häss- chen kleinen Raum auf, nur damit sie merken sollten, dass sich noch nmer jemand etwas aus ihnen machte, und außerdem hatte er vor hier it Jocke zu sitzen, wenn es draußen regnete.

Es ist ein Gefühl, als erschaffe man etwas«, sagte Malin und sah sich ihrem sommerfeinen Haus um. »Jetzt möchte ich nur noch haufen- eise Blumen haben.«

Jnd sie holte die alten Preiselbeerkrüge der fröhlichen Schreinersfrau us dem Schuppen, staubte sie ab und füllte sie mit Flieder und blühen- en Holzapfelzweigen und schließlich wanderte sie in Janssons Kuh- äldchen hinaus, wo Maiglöckchen in verschwenderischem Überfluss uchsen, und pflückte einen ganzen Arm voll.

uf dem Heimweg begegnete sie Tjorven und Stina, die unter lebhaftem ieschnatter zwischen den Birken angetrottet kamen. Sie verstummten, ls sie Malin entdeckten, und sahen sie liebevoll und bewundernd an. Sie ar ja ihre Malin und sie war hübsch mit den Maiglöckchen im Arm.

Du siehst aus wie eine Braut«, sagte Tjorven.

ofort blitzte es in Stinas Augen auf und ein lieber alter Gedanke er- achte in ihr.

Willst du dir denn nie einen Bräutikamm anschaffen, Malin?«

jorven lachte aus vollem Hals. »Bräutikamm, was ist das denn?«

Das ist etwas, was man zur Hochzeit braucht«, sagte Stina unsicher.

Ialin versicherte, dass sie mit der Zeit gern einen Bräutikamm haben olle, aber vorläufig sei sie noch ein bisschen zu jung, sagte sie.

jorven starrte sie an, als traute sie ihren Ohren nicht.

Zu jung! Du! Du bist ja so alt, wie man gar nicht glauben kann!«

Ialin lachte. »Man muss doch zuerst einen finden, den man so richtig ern mag. Das versteht ihr wohl?«

181

Tjorven und Stina mussten zugeben, dass passende Bräutikamme au
Saltkrokan knapp waren.

»Aber du könntest einen verwunschenen Prinzen kriegen«, sagte Stin
eifrig.

»Gibt's denn so etwas?«, fragte Malin.

»Klar, die ganzen Gräben voll«, sagte Stina. »Alle Frösche sind verwun
schene Prinzen, sagt Tjorven.«

Tjorven nickte. »Du küsst einfach einen und – peng – dann steht da ei
Prinz!«

»Was, so einfach ist das?«, sagte Malin. »Dann werde ich wohl versu
chen mir einen anzuschaffen.«

Tjorven nickte wieder.

»Jaaa – ehe es zu spät ist.« Und sie fuhr fort: »*Ich* jedenfalls, ich wi
heiraten, bevor ich steinalt bin.«

»Einen verwunschenen Prinzen?«, fragte Malin.

»Nee, ich will einen Rohrleger haben«, sagte Tjorven. »Die verdiene
nämlich heutzutage so unanständig viel Geld, sagt Papa.«

Stina wollte auch einen Rohrleger haben und sie beeilte sich das z
erzählen. »Denn ich will genau dasselbe haben wie Tjorven.«

»Ja, dann wird es mindestens zwei Rohrleger geben, die ihren Spa
haben werden«, sagte Malin und dann ging sie. »Seht ihr irgendw
einen verwunschenen Prinzen«, rief sie, »dann sagt ihm, ich wäre au
meinen alten Beinen nach Hause gewankt.«

Worauf Tjorven Stina bei der Hand nahm und mit ihr zwischen de
Birken davonhüpfte und aus vollem Halse sang:

Ich hätt' so gern 'nen Bräutigam,
brauch Schuh ich an den Füßen dran.
Die gibt mir erst mein Mütterlein,
bleib ich des Nachts zu Hause fein.

Sie wollten Maiglöckchen pflücken, genau wie Malin. Bevor sie aber noch angefangen hatten, geschah etwas Merkwürdiges: Sie fanden einen verwunschenen Prinzen für Malin! Man stelle sich das vor, sie fanden einen Frosch! Er saß am Rande des Tümpels und schaute nachdenklich drein.

»Der hat hier sicher die ganze Zeit gesessen und auf Malin gelauert«, sagte Tjorven und betrachtete mit Entzücken den kleinen Frosch, der in ihren hohlen Händen japste. »Komm, wir müssen hinter Malin her, sie soll ihn küssen!«

Aber Malin war verschwunden. Ganz bis zum Schreinerhaus liefen sie mit dem Frosch, und als sie dort ankamen, sagte Melcher, Malin sei gerade zu Söderman gegangen um Strömlinge zu kaufen.

»Dann gehen wir zu uns nach Hause«, sagte Stina. Aber dort war auch keine Malin. Sie hatte ihre Strömlinge gekauft und war wieder gegangen.

»Wir setzen uns auf den Bootssteg und warten«, sagte Tjorven. »Wenn sie aber nicht bald kommt, muss sie ohne Prinz bleiben. Ich hab jetzt bald genug von diesem Frosch.«

Es stellte sich heraus, dass der Frosch mindestens ebenso genug von Tjorven hatte, denn als sie vorsichtig die Hand öffnete um Stina ein bisschen gucken zu lassen, machte der Frosch einen langen Satz auf den Steg und wäre über die Stegkante gefallen, wenn Stina ihn nicht im allerletzten Augenblick wieder eingefangen hätte.

Am Bootssteg lag ein fremdes Segelboot. Aber es war kein Mensch zu sehen, weder an Bord noch sonst wo. Die Sonne glühte, es war heiß und langweilig hier zu sitzen und zu warten, fand Tjorven. Sie hatte nie viel Geduld und sie war es gewohnt Auswege zu finden.

»Ich weiß was«, sagte sie, »wir können den Frosch ja genauso gut küssen, ist doch klar. Es kommt wohl auf jeden Fall ein Prinz, verstehst du, und den hetzen wir auf Malin. Dann muss er wohl selber auch ein bisschen tun.«

Stina fand, das klinge vernünftig. Es war allerdings unangenehm Frö-

sche zu küssen, aber für Malin tat sie alles. Der Frosch fand diese
Küsserei offenbar auch nicht angenehm. Er zappelte wie wild um frei-
zukommen, aber Tjorven hielt ihn ganz fest, und Stina holte Luft und
machte die Augen zu.

»Tu 's«, sagte Tjorven.

Und da tat Stina es. Sie küsste den Frosch. Aber das alberne Vieh dachte
nicht daran sich in einen Prinzen zu verwandeln.

»Bah, jetzt ich«, sagte Tjorven. Sie verlieh ihrem Kuss etwas mehr Kraft,
aber es gelang trotzdem nicht. Noch immer saß derselbe japsende
Frosch in ihrer Hand.

»Der dumme Prinz, er will nicht«, sagte Tjorven. »Dann hau ab!«

Sie setzte den Frosch auf den Steg und er machte, froh über seine
unverhoffte Freiheit, einen Satz. Geradewegs über die Stegkante und
geradewegs in das Segelboot hinunter.

Und jetzt komme mir einer und sage, Frösche seien keine verwunschenen
Prinzen! Peng, schon stand er da! Genau wie im Märchen! Er kam aus
der Kajüte des Segelbootes geschossen und sprang auf den Steg und
stand dicht vor Tjorven und Stina mit einem kleinen braunen jungen
Hund im Arm.

Nicht möglich! Tatsächlich ein Prinz! Tjorven und Stina starrten ihn an
mit Augen, die immer runder wurden. Er war keineswegs so angezogen,
wie es sein musste, dieser Prinz, er trug ein gewöhnliches Hemd und
einen gewöhnlichen Pullover und gewöhnliche blaue Leinenhosen,
sonst aber sah er wirklich ganz prinzlich aus mit blauen Augen und
weißen Zähnen und blonden Haaren, die wie ein goldener Helm um
seinen Kopf lagen. Doch, der sollte wohl zu Malin passen.

»Ich dachte, er würde wenigstens eine Krone auf dem Kopf haben«,
flüsterte Stina.

Ohne die Augen vom Prinzen zu wenden erklärte Tjorven ihr mit leiser
Stimme: »Die hat er wohl bloß sonntags auf. Oh, da wird Malin sich
aber freuen!«

Erst jetzt dachte Tjorven an Pelle. Er würde sich wohl weniger darüber freuen. Wütend würde er werden, weil sie Malin einen Prinzen verschafft hatten.

Und, o Schreck, da kam Pelle wahrhaftig den Hang zum Steg hinabgelaufen und hinter ihm her kam Malin! Tjorven merkte, wie ihr eine Gänsehaut über den Rücken lief und sie flüsterte Stina zu: »Jetzt wird's spannend!«

Und sie sperrten die Augen noch weiter auf. Es kam nicht alle Tage vor, dass man zusehen durfte, wie Malin einem Prinzen begegnete.

Dem Prinzen gefiel Malin, das sah man deutlich. Er schaute sie an, als hätte er noch nie etwas so Unvergleichliches gesehen, und Tjorven und Stina wechselten einen zufriedenen Blick, doch, doch, jetzt staunte er wohl! Sie empfanden es so, als wäre es ihr Verdienst, dass Malin so hübsch war und so sanft und dass ihr Haar und ihr Kleid so anmutig im Wind wehten.

Und nun schien es, als wollte der Prinz etwas zu ihr sagen.

»Jetzt, du, jetzt hält er um ihre Hand an, jetzt sagt er ihr, dass er sie haben möchte!«, flüsterte Tjorven.

Aber ganz so eilig hatte der Prinz es nun doch nicht.

»Ich hab gehört, dass es hier auf Saltkrokan einen Kaufmann gibt«, sagte er. »Weißt du vielleicht…«

Doch, das wusste Malin, und sie sei gerade dorthin unterwegs. Wenn er mitgehen wolle, so würde sie ihm das Geschäft zeigen.

»Oh, darf ich dann solange auf den Hund aufpassen?«, bat Pelle.

Verwunschene Prinzen, das war eine Sache, aber verwunschene Prinzen, die süße kleine braune Welpen hatten, das war was anderes, das konnte man eher ertragen. Und außerdem wusste Pelle gar nicht, dass dies ein verwunschener Prinz war.

»Er denkt, er ist ein gewöhnlicher Mann«, flüsterte Tjorven Stina zu. »Wir brauchen ihm darum gar nicht zu erzählen, was wir gemacht haben.«

Trotzdem schien es ein bisschen Verrat an Pelle zu sein. Tjorven guckte ihn schuldbewusst an, aber das merkte er nicht. Gerade jetzt bemerkte er nichts anderes als den kleinen braunen Welpen.

»Wie heißt er?«, fragte Pelle eifrig.

»Er heißt Jumjum«, sagte der Prinz. »Und ich heiße Petter Malm.« Letzteres sagte er zu Malin.

»Petter – geh mir los, was ist das für 'n Prinzenname!«, flüsterte Tjorven und dann nahm sie Stina bei der Hand. »Komm, wir gehen mit und gucken zu, wie es weitergeht.«

Der Prinz gab Pelle den jungen Hund.

»Ich hoffe, du passt gut auf Jumjum auf, während ich weg bin«, sagte er freundlich. Und bevor Pelle antworten konnte, sagte Malin:

»Das tut er, das kann ich versichern.«

Dann ging Malin mit ihrem Prinzen. Tjorven und Stina rannten kichernd hinterher zum Kaufmannsladen und hörten dort zu ihrem großen Erstaunen, dass der Prinz bei Märta ein Pfund Blutwurst kaufte.

»Essen Prinzen tatsächlich Blutwurst?«, flüsterte Stina erstaunt.

»Nein, die holt er sicher für seine Ferkel zu Hause auf dem Schloss« sagte Tjorven.

Sie hielten sich die ganze Zeit so dicht in Malins Nähe, wie sie nur konnten, damit ihnen kein einziges Wort von dem, was der Prinz zu ihr sagte, entging. Er konnte sich gar nicht von ihr trennen, das merkte man. Hinterher standen sie eine ganze Weile draußen vor dem Laden und unterhielten sich, er und Malin. Er erzählte, er habe bei Östermans auf Storholmen eine kleine Hütte für die Ferien gemietet und nun habe er sich ein Segelboot geliehen und wollte segeln gehen. Aber er werde bald wieder nach Saltkrokan kommen, sagte er, denn sie hätten ja hier einen guten Kaufmann.

»Einen guten Kaufmann, hahaha«, sagte Tjorven zu Stina. »Und auch eine gute Malin, was?«

Schließlich hatte Malin keine Zeit mehr noch länger hier zu stehen, und da ging der Prinz. Rückwärts, so als wollte er sie so lange wie möglich ansehen, und er schwenkte seine Papiertüte und sagte:

»Nun geh ich mit meiner Blutwurst. Wenn sie alle ist, dann komm ich wieder und ich esse schnell. Steh dann doch bitte auf der Brücke und sieh aus wie schönes Wetter, ja?«

»Hast du gehört?«, flüsterte Tjorven. »So was nennt man Prinzengeplauder, weißt du.«

»Jetzt haben wir noch einen Frosch im Brunnen«, erzählte Pelle seiner Schwester, als er abends im Bett lag. »Ich hab einen in Petters Boot gefunden und er hat gesagt, ich soll ihn rausnehmen, Frösche mögen nicht segeln. Das wusste er genauso gut wie ich.« Er richtete sich im Bett auf und fuhr eifrig fort: »Der Petter, der hat Tiere sehr gern, genauso gern wie ich. Und er ist Wissenschaftler. Er macht ständig was mit Tieren und erforscht alles über sie. So einer will ich auch werden, wenn ich groß bin.«

Pelle, der doch gar nichts werden wollte, jetzt plötzlich hatte er gehört, dass es Berufe gab für solche, die alles erforschen, was mit Tieren zusammenhing. Und es war, als hätte man in eine große Finsternis eine Lichtflut eingelassen, denn insgeheim hatte Pelle, sieben Jahre alt, sich Sorgen um seine Zukunft gemacht. Wie würde es ihm, der gar nichts tun wollte, ergehen, wenn er groß war?

Jetzt wollte er etwas tun und das empfand er als Erleichterung.

»Der Petter, der hat eine tolle Arbeit, das kannst du glauben«, erklärte er Malin. »Rat mal, was er zum Beispiel gemacht hat! Er hat kleine Radiosender auf ein paar Seehunden befestigt um rauszufinden, was die Seehunde unter Wasser machen und wo sie hinschwimmen und so was alles. Prima, nicht?«

Dann schlang er plötzlich seine Arme um Malins Hals.

»Ach, Malin, wenn ich doch einen Hund kriegen könnte! Es macht so viel Spaß mit Jocke, aber der muss ja dauernd in seinem Stall still sitzen.

Stell dir vor, wenn man solch einen jungen Hund hätte wie Jumjum, der hinter einem herläuft, wo man hingeht!«

»Ich möchte ja auch, dass du einen Hund kriegst«, sagte Malin. »Aber vorläufig musst du mit Jocke zufrieden sein.«

»Und mit Bootsmann und Totti und Moses«, sagte Pelle.

Für Pelle war Bootsmann immer noch der feinste Hund der Welt, und als Pelle diesmal nach Saltkrokan herausgekommen war, hatte Bootsmann ihn mit lautem Gebell begrüßt. Er wusste wohl auch, wer der feinste Pelle der Welt war, und jetzt lief er überall hinter ihm her. Manchmal tat Moses das ebenfalls und manchmal sogar Totti. Pelle zog herum wie ein Tierbändiger ohnegleichen, und wenn Tjorven das sah, bekam sie heftige Anwandlungen von Eifersucht, nicht weil Moses hinter Pelle herlief, sondern weil Bootsmann es tat.

Dann warf sie sich ihrem Hund an den Hals und kullerte mit ihm herum und sagte: »Bootsmann, du bist mein liebster Nödelhund, dass du es weißt!«

Und Bootsmann schaute Tjorven an, als ob er lächelte: »Hummelchen, nichts wäre mir lieber.«

Und er verließ Pelle oder wer immer es war sofort um Tjorven wieder auf den Fersen zu folgen. So lange, bis dieser Moses angewackelt kam und sich zwischen sie drängelte.

Moses war mit der Zeit viel zu sehr verwöhnt worden. Manchmal schien er selbst Tjorven lästig zu werden. Eines Abends hatte sie ihn dummerweise mit in ihr Bett genommen und von da an wollte er nicht mehr in seiner Schlafkiste liegen, sondern auf Tjorvens Füßen. Es nützte nichts, dass sie ihn hinauswarf, er krabbelte eigensinnig wieder ins Bett hinauf und ebenso eigensinnig puffte Tjorven ihn wieder hinunter.

»Wir puffen uns die ganze Nacht«, sagte sie und ihre Mutter schüttelte unwillig den Kopf.

»Dieser Seehund hätte nie in unser Haus kommen dürfen!«

Aber jetzt gefiel es Moses in seinem Teich herumzuschwimmen, und achdem Johann und Niklas und Teddy und Freddy einen Zaun drum erum gemacht hatten, konnte Tjorven ihn dort einsperren, wenn sie us irgendeinem Grund in Ruhe gelassen werden und sich frei bewegen vollte, ohne dass ständig ein Seehundjunges hinter ihr herkrabbelte. Doch immer noch nahm Moses viel von ihrer Zeit und ihrem Interesse nd ihrer Liebe in Anspruch, und wenn Tjorven mit dem Seehund spiel-e und tollte, trottete Bootsmann davon und legte sich neben die Treppe um Laden. Besonders, wenn Pelle nicht in der Nähe war. Besonders, venn Pelle unten auf dem Anlegesteg saß und mit Jumjum spielte – und as tat er häufig.

Venn man auf Storholmen wohnt und sehr gern Blutwurst isst, muss man unbedingt nach Saltkrokan hinüberfahren. Andauernd muss man in, denn dort ist der Kaufmann. Und wenn man jedes Mal einen kleinen raunen Hundewelpen mitbringt, dann braucht man nur am Steg anzu-egen und schon kommt Pelle Melcherson angerannt um mit ihm zu pielen. Und wenn Pelle Melcherson mit einem jungen Hund spielt, dann ntwortet er brav auf alle Fragen und merkt nicht einmal, was er selbst agt.

Wo hast du denn heute Malin gelassen?«, kann man zum Beispiel ragen.

Die sitzt zu Haus auf der Treppe und macht Strömlinge sauber«, sagt 'elle Melcherson.

Oder: »Sie ist an der Landzunge und badet mit Teddy und Freddy.«

Oder: »Ich glaube, sie ist beim Kaufmann.«

Und wenn man erfahren hat, was man wissen will, dann lässt man einen Welpen in Pelle Melchersons Obhut und flitzt los und stößt ganz ufällig auf Malin und wird jedes Mal ein wenig näher mit ihr bekannt. Und ein wenig verliebter. Noch verliebter? Als ob das möglich wäre! Als b es nicht schon gleich beim ersten Mal gefunkt hätte, als man sie dort uf dem Anlegesteg stehen sah. Die oder keine!

An einem Mittwoch im Juni, einem ewig denkwürdigen Mittwoch, fan
Petter Malin beim Kaufmann. Und nicht nur sie. Er fand dort auch eine
Seehund. Tatsächlich, dort watschelte ein junger Seehund im Lade
herum und spielte mit zwei kleinen Mädchen. Es war also keine Au
schneiderei gewesen, als Pelle Melcherson behauptet hatte, es gäbe eine
zahmen Seehund auf der Insel. Der Laden war voller Menschen un
Moses hatte seinen Spaß. Er biss in sämtliche Hosenbeine, an die e
herankonnte, vor allem in Tjorvens, und sie wehrte ihn lachend ab:
»Nicht, Moses, lass das, sonst erlaubt Mama nicht, dass du frei herum
läufst.«
»Ist es dein Seehund?«, fragte Petter mit einem Lächeln.
»Ja, klar«, sagte Tjorven.
»Du würdest ihn wohl nicht verkaufen, was?«
»Nie im Leben«, sagte Tjorven. »Wofür willst du denn einen Seehun
haben?«
»Ich nicht«, sagte Petter, »sondern mein Institut.«
Insti... Prinzen benutzen wirklich verzwickte Wörter!
»Ein zoologisches Institut, wo ich arbeite«, erklärte der Prinz, ohne das
Tjorven deswegen klüger geworden wäre.
»Arbeiten!«, sagte sie hinterher zu Stina. »Da hat er aber gelogen, das
sich die Balken biegen. Prinzen arbeiten nirgendwo. Aber er will woh
dass Malin denken soll, er ist ein gewöhnlicher Mann.«
Petter streichelte Moses.
»Er ist ein guter Spielkamerad, sehe ich«, sagte er.
Er spielte selbst mit Moses, bis er gehen musste, was seltsamerweis
genau in dem Augenblick der Fall war, als Malin ihre Einkäufe erledig
hatte.
»Ich trag dir gern deinen Korb nach Haus, auch wenn du mich nich
zum Tee oder dergleichen einlädst«, sagte er zu Malin.
»Ich lade dich zum Tee ein«, sagte Malin, »gutmütig, wie ich bin. Komr
nur mit!«

Aber in diesem Augenblick kam Vesterman aus dem Laden und rief hinter Petter her: »Hallo, der Herr! Könnte ich Sie mal eben sprechen?« Petter drehte sich um, als er die grobe, etwas dreiste Stimme hörte, und erblickte einen grobschlächtigen, untersetzten Menschen mit etwas wildem Aussehen.

»Was wollen Sie von mir?«, fragte Petter erstaunt.

Vesterman zog ihn außer Hörweite von Malin. »Na ja, sehen Sie, ich hab gerade da drinnen im Laden gehört, dass Sie den Seehund kaufen wollen«, sagte Vesterman so liebenswürdig, wie es einem wilden Kerl wie ihm möglich war. »Und wenn ich die Wahrheit sagen soll, so ist es eigentlich mein Seehund. Ich hab ihn drüben auf der Schäre gefunden. Wieviel könnte man wohl dafür kriegen?«

Er trat ganz dicht an Petter heran und starrte ihm gespannt ins Gesicht. Petter wich etwas zurück. Er wollte nicht gerade jetzt Seehundsgeschäfte machen. Das Einzige, woran ihm lag, das war wieder zu Malin zurückzukommen, und er sagte hastig:

»Tja, einige hundert vielleicht – aber den Preis bestimme nicht ich. Und im Übrigen möchte ich vorher gern wissen, wem der Seehund wirklich gehört.«

»Ja, hören Sie, es ist meiner«, rief Vesterman hinter ihm her. »Es ist meiner.«

Und genau dasselbe sagte er auch zu Tjorven, als sie und Stina gleich darauf mit Moses aus dem Laden herauskamen.

»Du, hör mal, jetzt will ich meinen Seehund wiederhaben«, sagte Vesterman.

Tjorven starrte ihn an ohne etwas zu begreifen.

»Deinen Seehund, was meinst du damit?«

Vesterman sah leicht gekränkt aus und spuckte auf den Weg um zu zeigen, dass er kaltblütig war.

»Ich meine, was ich sage. Du hast ihn lange genug gehabt, aber es ist mein Seehund und jetzt will ich ihn verkaufen.«

»Moses verkaufen? Bist du verrückt?«, schrie Tjorven.

Aber Vesterman erklärte ihr die Sache näher. Hatte er vielleicht nich gesagt, sie könne den Seehund behalten, bis er groß sei, dass man einiger Nutzen von ihm haben könne?

»Zum Kuckuck mit deiner Lügerei!«, rief Tjorven. »Du hast gesagt, ich könnte ihn ganz für mich behalten. Das hast du gesagt!«

Wahrscheinlich schämte sich Vesterman irgendwo in seiner gieriger Seele und wurde daher noch ruppiger. Er brauche Tjorven nicht um Erlaubnis zu fragen, sagte er, wenn er seinen eigenen Seehund verkaufer wolle, und verkauft werden solle er, das stehe fest. Denn er, Vesterman brauche dringend Geld, und wenn Tjorven keine Vernunft annehmen wolle, so würde er zu ihrem Vater gehen und mit dem reden.

»Das tue ich schon selber, wahrhaftig!«, schrie Tjorven und weinte vor Zorn.

»Du Dummer«, sagte Stina und stieß mit ihrem kleinen Fuß nach Vester man und da ging er.

»Warte nur, bis ich mit Nisse geredet habe«, sagte er.

Tjorven stand da, keuchend vor Wut.

»Nie im Leben!«, brüllte sie. »Nie im Leben kriegst du Moses!«

Dann rannte sie los. »Komm, Stina, wir müssen Pelle suchen.«

Mit den Eltern konnte sie im Augenblick nicht sprechen, weil der Laden voller Leute war, aber in der Stunde der Not konnte man zu Pelle seine Zuflucht nehmen, das wusste Tjorven und der musste erfahren, was Schreckliches bevorstand.

Pelle schüttelte betrübt den Kopf, als er die grausige Neuigkeit vernommen hatte. »Es nützt nichts, dass du mit deinem Papa sprichst«, sagte er. »Du kannst ja nicht beweisen, dass Vesterman dir versprochen hat, du dürftest Moses ganz für dich behalten, und dann weiß Onkel Nisse nicht, was er machen soll.«

Stina pflichtete ihm bei. »Nee, dann muss er zu Tante Märta gehen und die fragen.«

Aber Pelle schüttelte wieder den Kopf. Es gebe nur einen Ausweg, sagte er, und das sei Moses irgendwo zu verstecken, wo Vesterman ihn nicht finden könne.

»Wo denn zum Beispiel?«, fragte Tjorven.

Pelle grübelte ein Weilchen nach und plötzlich wusste er es.

»In der Toten Bucht«, sagte er.

Tjorven sah ihn voller Bewunderung an.

»Pelle, weißt du was«, sagte sie, »du hast bessere Einfälle als irgendjemand sonst.«

Pelle hatte Recht, natürlich hatte er Recht. Mama und Papa sollten nicht in diese Sache hineingezogen werden. Wenn Vesterman dann zu ihnen ging und nach Moses fragte, dann konnten sie wahrheitsgemäß antworten: »Wir wissen nicht, wo er ist. Sieh du nur selber zu, wo du ihn findest.«

Und das würde Vesterman schwer fallen, oje, wie schwer ihm das fallen würde.

Früher, vor Hunderten von Jahren, lag das Dorf auf Saltkrokan nicht an seinem jetzigen Platz, sondern an einer Bucht auf der Westseite der Insel. Aber einmal in einem Krieg kamen fremde Soldaten und brannten das ganze Dorf nieder, und dann bauten sich die Saltkrokanbewohner neue Häuser sicherheitshalber auf der entgegengesetzten Seite der Insel. Vom ehemaligen Dorf war nichts weiter übrig geblieben als die alten Bootsschuppen. Eine ganze Reihe uralter grauer Bootsschuppen umsäumt bis auf den heutigen Tag die kleine Bucht, wo einstmals Fischerboote und Segelkutter an den Bootsstegen vertäut gelegen hatten und wo die emsig fischenden Vorfahren der Bewohner von Saltkrokan ihre Netze und Grundleinen auf den kahlen Uferfelsen zum Trocknen ausgehängt hatten. Heute gab es hier keine Fahrzeuge mehr bis auf einen alten, verlassenen Heringskutter, der seinen letzten Ankerplatz in der Bucht gefunden hatte. »Die Tote Bucht« nannten die Kinder sie. Und tot war sie, still und ausgestorben. Es lag ein eigentümliches Schweigen über dem Platz, und dorthin ging Pelle manchmal auf seinen einsamen Wanderungen. Stundenlang konnte er hier sitzen, den Rücken gegen eine besonnte Schuppenwand gelehnt, und den Libellen zuschauen, wie sie zwischen den Stegen hin und her flatterten, und die Ringe im Wasser zählen, wenn ein Barsch unter dem blanken Wasserspiegel hochzuckte.

Für Pelle war die Tote Bucht ein Ort des Friedens und der Träume. Aber es gab Leute, die das Schweigen hier beängstigend fanden, beinahe gespenstisch. Man konnte sich einreden, dass sich in den düsteren Winkeln der verlassenen Bootsschuppen die schwärzesten Geheimnisse verbargen, und nur selten kam ein Mensch hierher. Hier würde niemand nach Moses suchen. In einem Bootsschuppen an der Toten Bucht würde er gut versteckt sein.

Tjorven hatte einen kleinen flachen Leiterwagen, in dem sie Moses beförderte, wenn sie weite Wege mit ihm zu machen hatte und wenn sie keine Geduld mit seinem Gekrabbel hatte. Jetzt hatten sie einen solchen weiten Weg vor sich. Daher wurde Moses mitsamt seiner Schlafkiste und so viel Strömlingen, wie Stina sich von ihrem Großvater hatte erbetteln können, auf das Wägelchen geladen.

Die vier Geheimen, die gerade hinter dem Schreinerhaus Fußball spielten, sahen sie losziehen und Teddy rief Tjorven zu:

»Wo wollt ihr hin?«

»Wir gehen nur ein bisschen spazieren«, rief Tjorven zurück. »Nee Bootsmann, bleib du lieber zu Hause«, sagte sie, als ihr Hund angetrottet kam und mitwollte. Spazieren gehen bedeutete in der Regel lange Streifzüge durch Wald und Feld und dem konnte Bootsmann nicht widerstehen.

Er blieb stehen, als Tjorven ihm das sagte. Lange stand er still und schaute ihr und Pelle und Stina und Moses im Wägelchen nach. Aber dann ging er zurück und legte sich an seinen gewohnten Platz neben der Treppe. Sein Kopf sank zwischen die Pfoten, es sah aus, als ob er schliefe.

Zur Toten Bucht führte ein gewundener, überwucherter alter Pfad. Ungefähr auf halbem Wege lag Vestermans Hof, und da man mit dem Wägelchen nicht quer durchs Gelände fahren konnte, mussten sie mit Moses dort vorüber. Es war unheimlich, aber nicht zu vermeiden.

»Wenn er uns sieht, dann sind wir geliefert«, sagte Tjorven, als sie bis zu Vestermans Hoftor gelangt waren. »Dann nimmt er uns Moses gleich weg. Liebe Cora, kannst du nicht still sein?«

Das sagte sie zu Vestermans Jagdhund, der hinter dem Zaun stand und bellte. Das fehlte ja noch, dass Vesterman herauskam um nachzusehen, wen Cora so anbellte!

»Ja, dann sind wir geliefert«, sagte Stina.

Vesterman war jedoch nicht zu sehen, nur seine Frau. Sie stand mit dem Rücken zu ihnen und hängte Wäsche auf eine Leine an der Hausecke und hatte zum Glück keine Augen im Hinterkopf.

Sie kamen auch an Vestermans Weide vorüber, wo Stinas Großvater seine Schafe laufen hatte, und Stina rief nach Totti. Der kam sofort angestürmt und dachte, er würde gefüttert.

»Nein, nein, ich wollte dir nur mal guten Tag sagen und nachsehen, ob es dir gut geht«, sagte Stina.

Moses ging es auch gut. Er saß den ganzen Weg bis zur Toten Bucht höchst vergnügt auf seinem Wägelchen und meinte augenscheinlich, sie machten einen Ausflug mit ihm. Aber als er plötzlich mit Schlafkiste und allem in einen ganz fremden Bootsschuppen geschoben wurde, da begriff er, dass man hier eine Schandtat an ihm verüben wollte, und das wollte er sich nicht gefallen lassen. Er stieß mehrmals seine wütendsten Schreie aus, und das klang unheimlich in dem tiefen Schweigen um die Tote Bucht.

»Moses, du machst einen Lärm, dass man es auf der ganzen Insel hört«, sagte Pelle vorwurfsvoll.

Sie hockten im Dunkel des Schuppens alle drei um den Seehund herum und streichelten ihn und versuchten ihm verständlich zu machen, dass dies alles zu seinem eigenen Besten sei. »Sieh mal, es ist ja nur für kurze Zeit«, sagte Tjorven. »Es regelt sich schon noch alles und dann darfst du wieder nach Hause kommen.« *Wie* es sich regeln würde, konnte Tjorven sich nicht im Geringsten vorstellen. Aber das meiste regelte sich früher oder später immer und so würde es diesmal auch sein, hoffte sie. Und allmählich wurde Moses in seiner Schlafkiste ruhig, er hatte das Maul voller Strömlinge.

»In einem so feinen Schuppen hast du noch nie gewohnt«, sagte Tjorven. »Hier geht es dir nicht schlecht.« »Aber unheimlich ist es hier doch«, sagte Stina mit einem Schaudern. »Ich glaube fast, hier spukt es.«

Im Schuppen herrschte ein seltsames, schummeriges Licht, das sie nicht mochte. Nur durch die Ritzen in der Wand schien die Sonne in schrägen Strahlen herein und draußen hörte sie das Wasser gluckern.

»Ich geh ein bisschen raus«, sagte sie und schob die schwere Tür auf, die in ihren Angeln kreischte.

Und weg war sie.

Was Stina unheimlich fand, das fand Pelle nur gemütlich, er genoss es so sehr, dass er es am ganzen Körper spürte.

»Hier würde ich gern selber wohnen«, sagte er und sah sich unter dem Gerümpel um, das der letzte Besitzer in seinem Bootsschuppen zurückgelassen hatte. Dort gab es zerrissene Fischnetze und Reusen, einen übel zugerichteten altersgrauen Fischkasten und ein paar Lockenten für die Vogeljagd, Eispickel und Eimer und Riemen, Waschtröge und einen verrosteten Anker, einen altmodischen Schlitten mit hölzernen Kufen und ganz hinten in einer Ecke eine alte Wiege, an deren Fußende ein Name und eine Jahreszahl eingeschnitzt waren. Pelle buchstabierte.

»Klein-Anna« stand auf der Wiege. Die Jahreszahl konnte er nicht entziffern.

»Aber es ist sicher lange her, seit Klein-Anna in der Wiege gelegen hat«, sagte er.

»Wo mag Klein-Anna jetzt wohl sein, was meinst du?«, fragte Tjorven.

Pelle überlegte. Lange Zeit stand er da und betrachtete die alte Wiege und dachte an Klein-Anna.

»Sie ist jetzt wohl tot«, sagte er leise.

»Nee, das will ich nicht, das ist so traurig«, sagte Tjorven.

»Achach, jaja.« Und dann sang sie:

> »Die Welt, sie ist ein Jammertal,
> kaum, dass man lebt, so muss man sterben
> und wieder Erde werden.«

Pelle riss die Tür auf und stürmte in den Sonnenschein hinaus. Tjorven lief hinterher, sowie sie sich von Moses verabschiedet und ihm hoch und heilig versprochen hatte ihm täglich Strömlinge zu bringen.

Dort draußen lag die Tote Bucht schweigend und verträumt in der Nachmittagssonne. Pelle holte tief Luft. Und dann war es, als sei er vom Wahnsinn befallen. Er stieß ein Geheul aus und lief los. Hinein in die Schuppen und Bootshäuser rannte er und wieder hinaus, als ob er gejagt würde. Er sprang auf morschen Stegen und glitschigen Pfählen herum, sodass Tjorven Angst bekam; trotzdem folgte sie ihm und lief ebenso waghalsig über die schwankenden Planken im Dunkel der Bootshäuser, wo das Wasser schwarz gegen die Grundpfähle schwappte. Pelle sprang sozusagen in schweigender Raserei herum und gab keinen Laut von sich. Auch Tjorven schwieg, denn sie hatte Angst, folgte ihm aber trotzdem ohne Besinnen.

Hinterher saßen sie keuchend auf einem Bootssteg im Sonnenschein, und da sagte Pelle: »Wo ist Stina?«

Ihnen fiel ein, dass sie sie schon eine ganze Weile nicht mehr gesehen hatten, und sie riefen nach ihr. Aber es kam keine Antwort.

Da fingen sie an zu suchen. Sie riefen und suchten und ihre Rufe hallten rings um die Tote Bucht wider und verstummten dann. Erschreckend still wurde es.

Pelle war weiß um die Nase. Was war mit Stina geschehen? Wenn sie nur von einem Bootssteg ins Wasser gefallen war? Wenn sie nun ertrunken war? Klein-Stina und Klein-Anna – alle konnten sterben, das wusste er.

»Oh, weshalb habe ich Bootsmann nicht mitgenommen?«, sagte Tjorven mit Tränen in den Augen.

Da standen sie nun, von Weh und Angst erfüllt. Plötzlich hörten sie Stinas Stimme.

»Ratet, wo ich bin!«

Sie brauchten nicht zu raten, sie sahen sie jetzt. Hoch oben im Mastkorb des alten Kutters saß sie. Wie war sie nur da hinaufgekommen? Tjorven wurde wütend und wischte sich zornig die Tränen ab.

»Elendes Gör!«, schrie sie. »Was machst du da oben?«

»Ich versuch wieder runterzukommen«, sagte Stina kläglich.

»Bist du deshalb da raufgeklettert?«, fragte Pelle.

»Nee, wegen der Aussicht«, sagte Stina.

»Ja, dann guck sie dir jetzt an«, sagte Tjorven.

Man stelle sich bloß so ein Kind vor, da kletterte sie herum und sah sich Aussichten an statt im Wasser zu liegen. Na ja, es war natürlich ein Glück, dass sie nicht im Wasser lag, aber sie brauchte einem doch nicht solche Angst einzujagen.

»Hast du uns nicht rufen hören?«, fragte Tjorven ärgerlich.

Stina schämte sich da oben. Natürlich hatte sie sie rufen hören, aber es hatte solchen Spaß gemacht, dass niemand sie finden konnte. Stina hatte Verstecken gespielt, wenn Pelle und Tjorven es auch nicht wussten. Und jetzt war es aus mit dem Spaß, das merkte sie.

»Ich kann nicht wieder runter«, rief sie.

Tjorven nickte grimmig.

»Dann musst du da wohl sitzen bleiben. Wenn wir Moses Strömlinge bringen, dann stecken wir ein paar auf einen Angelstock und reichen sie dir rauf.«

Stina fing an zu weinen.

»Ich will keinen Strömling haben, ich will runter und das geht nicht.«

Pelle war es, der sich ihrer erbarmte, und er hatte eine harte Prüfung zu bestehen. Zum Mastkorb hinaufzuklettern war keine Kunst. Als er aber wohlbehalten oben angekommen war, verstand er Stina, als sie sagte: »Ich will runter, aber das geht nicht.« Fast ging es auch für Pelle nicht. Aber er packte Stina fest um den Bauch und kletterte mit ihr nach unten und gelobte sich selber, dass er nie mehr höher hinaufsteigen würde als auf den Küchentisch zu Hause.

Sobald Stina wieder auf dem Steg stand, war sie genauso keck wie immer.

»Junge, Junge, was man da oben für 'ne Aussicht hat«, sagte sie zu Tjorven.

Tjorven warf ihr jedoch einen vernichtenden Blick zu und Pelle sagte: »Wir müssen schnell nach Hause, es ist bald sechs.«

»Nee, so spät kann es noch nicht sein«, meinte Stina. »Ich sollte um vier zu Hause sein, hat Großvater gesagt, und das bin ich ja nicht.«

»Deine eigene Schuld«, sagte Tjorven.

»Na ja, ich glaub, ein paar Stunden mehr oder weniger merkt Großvater gar nicht«, sagte Stina zuversichtlich.

Aber da hatte sie sich getäuscht. Söderman war auf der Schafweide um seinen Schafen frisches Wasser in den Trog zu gießen, und als er Stina angetrippelt kommen sah, fragte er:

»Was um alles in der Welt hast du denn den ganzen Tag gemacht?«

»Nichts Besonderes«, sagte Stina.

Söderman war kein strenger Großvater, er schüttelte nur den Kopf.

»Du brauchst viel Zeit um nichts Besonderes zu machen, finde ich.«

Als Tjorven nach Hause kam, sah sie ihren Vater auf dem Anleger und lief hin.

»Sieh mal an, da ist ja endlich Tjorven«, sagte Nisse. »Was hast du denn den ganzen Tag gemacht?«

»Nichts Besonderes«, sagte Tjorven, genau wie Stina.

Dieselbe Antwort bekam Malin von Pelle. Er trat in die Küche, als die ganze Familie schon um den Abendbrottisch saß.

»Nööö, ich habe nichts Besonderes gemacht«, sagte Pelle und er meinte es aufrichtig.

Man lebt gefährlich, wenn man sieben Jahre alt ist. Im Kinderland, dem geheimen und wilden, kann man dem gefährlichsten Gefährlichen nah sein, ohne dass man es als etwas Besonderes empfindet.

Pelle schnitt eine Grimasse, als er sah, was sie zum Abendessen bekamen gebratenen Fisch und Spinat.

»Ich glaube, ich möchte nichts essen«, sagte er. Aber Johann streckte einen mahnenden Zeigefinger in die Höhe.

»Nichts zu machen, hier helfen alle mit. Papa hat heute gekocht. Malin hat bloß dagesessen und mit ihrem neuen Scheich geredet.«

»Drei Stunden lang«, sagte Niklas.

»Na, na, na«, sagte Melcher. »Jetzt lasst ihr Malin in Ruhe.«

Aber Niklas ließ nicht locker.

»Ich möchte bloß mal wissen, über was man drei Stunden lang so reden kann.«

»Auerhahnbalz, das kannst du dir doch denken«, sagte Johann übermütig.

Malin lachte. Sie fuhr Johann über den Scheitel.

»Er ist kein Scheich und wir haben nicht über ›Auerhahnbalz‹ geredet denk bloß, kein bisschen. Aber er findet mich süß, da habt ihr's!«

»Klar bist du süß, kleine Malin«, sagte Melcher. »Sind das nicht alle Mädchen?«

Malin schüttelte den Kopf.

»Nein, das findet Petter nicht. Er sagt, wenn die Mädchen heutzutage wüssten, was zu ihrem eigenen Besten ist, wären sie ein bisschen süßer.«

»Man braucht es ihnen ja bloß zu sagen«, meinte Niklas. »Sei süß, sonst lang ich dir eine.«

Malin warf ihm einen Blick zu und lachte.

»O ja, für die Mädchen muss es ein Vergnügen sein, wenn du erst einige Jahre älter bist. Iss jetzt, Pelle«, fügte sie hinzu.

Pelle schaute Melcher liebevoll an.

»Hast du wirklich heute gekocht, Papa? Wie bist du tüchtig.«

»Ja, ich hab ihn ganz allein aufgetaut«, sagte Melcher mit hausfraulichem Stolz.

»Hättest du nicht was anderes auftauen können statt Spinat?«, fragte Pelle und rümpfte die Nase.

»Pass mal auf, mein Kleiner«, sagte Melcher. »Du hast doch schon mal was von Vitaminen gehört, nicht wahr? A und B und C und D und das ganze Alphabet durch. Und die *muss* man zu sich nehmen, das weißt du.«

»Was für Vitamine sind im Spinat?«, fragte Niklas wissbegierig. Das hatte Melcher nicht behalten.

Pelle betrachtete den grünen Brei, den er auf seinem Teller hatte. »Ich glaube, es sind Scheißvitamine«, sagte er.

Darüber lachten Johann und Niklas, aber Malin sagte streng: »Nein, Pelle, bitte, solche Wörter werden in diesem Hause nicht gebraucht.«

Da schwieg Pelle; als er aber nach dem Essen zum Kaninchenstall kam, die Hände voller Löwenzahnblätter, sagte er aufmunternd zu Jocke: »Dies sind keine Scheißvitamine, das kann ich dir nur sagen.«

Er nahm Jocke aus dem Stall. Eine ganze Weile saß er mit ihm auf dem Arm da, aber dann hörte er, wie Malin auf die Treppe hinauskam und etwas rief, was er nicht gern hörte.

»Papa, ich geh weg«, rief Malin. »Petter wartet auf mich. Sorgst du dafür, dass Pelle ins Bett kommt?«

Pelle schob Jocke hastig in den Stall. Er schnellte hoch und rannte hinter Malin her. »Bist du nicht zu Hause und sagst mir gute Nacht, wenn ich im Bett bin?«, fragte er unruhig.

Malin blieb zögernd stehen. Petters Urlaub war zu Ende, dies war der letzte Abend und dann würde sie ihn vielleicht nie wieder sehen. Nicht einmal Pelle zuliebe konnte sie heute Abend zu Hause bleiben.

»Ich kann dir hier und jetzt gute Nacht sagen«, sagte sie.

»Nein, das kannst du gar nicht«, rief Pelle verdrießlich.

»Doch, wenn ich es richtig doll mache.«

Sie küsste ihn heftig, eine ganze Reihe kleiner, schneller Küsse, die überall hintrafen, auf die Stirn und auf die Ohren und auf das weiche braune Haar. »Gute Nacht, gute Nacht, gute Nacht! Siehst du, wie ich es konnte«, sagte sie.

Pelle lächelte, dann sagte er streng: »Komm aber nicht zu spät nach Hause!«

Petter saß unten auf dem Anlegesteg und wartete, und während er dort saß, wurde er tatsächlich auch geküsst. Allerdings nicht von Malin. Tjorven und Stina hatten ihn entdeckt, als sie mit dem Puppenwagen und Lovisabet einen kleinen Abendspaziergang machten. Und als Tjorven den verwunschenen Prinzen sah, ergriff sie ein heiliger Zorn. War er nicht daran schuld, dass Moses jetzt weit weg an der Toten Bucht allein in seinem Strandschuppen lag? So hatte man sich das wahrhaftig nicht gedacht, als man verwunschene Prinzen herbeischaffte, dass sie herum gehen und Seehunde kaufen sollten.

»Du Dumme«, sagte sie zu Stina, »wieso bist du eigentlich bloß darauf gekommen, dass wir diesen Frosch küssen sollten?«

»Ich?«, fragte Stina. »Du bist es gewesen.«

»Gar nicht bin ich es gewesen«, sagte Tjorven.

Sie sah unwillig zu dem Prinzen herüber, den sie Malin verschafft hatten. Er sah ganz schick aus in seiner dunkelblauen Jacke und mit dem schimmernden Haar. Aber er mochte aussehen, wie er wollte. Er war jedenfalls ein Reinfall.

Tjorven grübelte. Sie war es gewohnt Auswege zu ersinnen.

»Weißt du was …«, sagte sie. »Aber das geht sicher nicht.«

»Was denn?«, fragte Stina.

»Wir könnten ihn noch einmal küssen. Dann wird er vielleicht wieder ein Frosch, man kann nie wissen.«

Petter saß da und ahnte nicht, was ihm drohte. Eifrig spähte er zum Schreinerhaus hinüber. Ob Malin nicht bald kam? Es war das Einzige, was er in diesem Augenblick im Kopf hatte.

Erst, als sie auf der Brücke dicht vor ihm standen, sah er sie, diese beiden kleinen Mädchen, die er beim Kaufmann getroffen hatte.

»Sitz eben mal still und mach die Augen zu«, sagte die, die Tjorven hieß. Petter lachte. »Was soll das? Ist es ein Spiel?«

»Das verraten wir nicht«, sagte Tjorven barsch. »Mach die Augen zu, hab ich gesagt.«

Malins Prinz machte brav die Augen zu und sie küssten ihn voller Zorn, zuerst Tjorven und dann Stina. Und dann liefen sie schnell von ihm weg. Erst als sie in sicherer Entfernung beim Bootsschuppen waren, blieben sie stehen.

»Ja, das geschieht uns ganz recht«, brummte Tjorven. Und dann schrie sie dem Prinzen zu, der kein Frosch werden wollte: »Zum Kuckuck mit dir!«

Heutzutage waren Mädchen wirklich nicht so süß, wie sie sein sollten, da hatte Petter ein wahres Wort gesprochen.

Er schaute den beiden kleinen Aufgebrachten, die ihn geküsst hatten, erstaunt nach. Aber jetzt sah er Malin kommen, genauso süß wie der Juniabend, und er machte rasch die Augen zu.

»Was sitzt du so mit geschlossenen Augen da?«, fragte Malin und schnipste ihn an die Nasenspitze.

Er schlug die Augen auf und sagte seufzend: »Es war nur ein unverschämter Versuch. Ich dachte, es wäre vielleicht hier auf Saltkrokan Sitte, dass alle Mädchen einen küssen, wenn man nur still sitzt und die Augen zumacht.«

»Bist du verrückt«, sagte Malin. Bevor Petter es näher erklären konnte, rief Tjorven drüben vom Bootsschuppen:

»Malin, weißt du was! Vor dem nimm dich in Acht. Der ist eigentlich bloß ein Frosch!«

An diesem Abend bekam Bootsmann seinen Platz auf dem Stück Vorleger neben Tjorvens Bett zurück und als die ganze Familie kam um wie gewöhnlich ihrer Jüngsten gute Nacht zu sagen, erzählte sie, weshalb Moses nicht mehr da war und was Vesterman für ein gemeiner Kerl war.

»Er ist genauso wie dieser Pharao, den sie in Ägypten hatten«, sagte Tjorven. »Du weißt doch noch, Freddy. Da mussten sie auch alle ihre Mosesse verstecken.«

»Und *deinen* Moses, wo hast du den versteckt?«, wollten Teddy und Freddy wissen.

»Das ist geheim«, sagte Tjorven.

Geheime Teddy und geheime Freddy, hier gab es noch andere Leute, die Geheimnisse haben konnten!

»Ich halte alles geheim«, sagte Tjorven. »Wo Moses ist, das erfahrt ihr nie, niemals.«

Nisse machte ein bedenkliches Gesicht.

»Aber das mit Vesterman, das müssen wir irgendwie ins Reine bringen.« Dann kraulte er Bootsmann den Hinterkopf. »Na, Bootsmann, jetzt bist du wohl froh, was?«

Und Tjorven beugte sich über den Bettrand und sah Bootsmann tief in die Augen.

»Mein guter Nödelhund«, sagte sie zärtlich, »jetzt wollen wir schlafen, du und ich.«

Aber vielleicht war dieses Glück allzu groß, als dass Bootsmann es mit Gleichmut hinnehmen konnte. Er schlief unruhig und etwa um Mitternacht weckte er Tjorven und wollte hinaus.

Sie öffnete ihm schlaftrunken die Tür.

»Was ist mit dir, Bootsmann?«, murmelte sie. Aber dann wankte sie ins Bett zurück und schlief schon, bevor sie drin lag.

Und Bootsmann wanderte in die Juninacht hinaus, die mit ihrem bleichen Licht Menschen und Tiere in Unruhe versetzt. Malin sah ihn, beide Male, als er fortging und als er nach zwei Stunden wieder heimkehrte.

enn sie stand an der Pforte zum Schreinerhaus und sagte Petter gute
Nacht. So etwas dauert manchmal ungefähr zwei Stunden. Und Juninächte seien nicht zum Schlafen da, meinte Petter. Die seien ja so kurz
und da sei so viel, was man noch gern sagen wollte.

O doch, ich habe viele Mädchen gekannt«, versicherte Petter, »und
einige davon habe ich gern gehabt. Aber ernstlich verliebt, sodass man
das Gefühl hat, man müsste davon sterben, war ich nur ein einziges
Mal.«

Und bist du vielleicht immer noch in sie verliebt?«, fragte Malin.

Ja, ich bin immer noch in sie verliebt.«

Ist das schon lange so?«, fragte Malin und in ihrer Stimme lagen Unruhe und Enttäuschung.

Lass mal sehen.« Petter schaute auf seine Uhr, dann zählte er stumm.
Es ist genau seit zehn Tagen und zwölf Stunden und zwanzig Minuten
so. Es machte nur peng und dann war's passiert. Du kannst es in meinem
Logbuch sehen, wenn du willst. Da steht es: ›Heute habe ich Malin
kennen gelernt.‹ Mehr steht da nicht und mehr war auch nicht nötig.«

Malin lächelte ihn an.

Aber wenn es so plötzlich gekommen ist, dann hält es wohl auch nicht
lange vor. Peng – dann ist es aus.«

Da sah er sie ernst an.

Malin, ich bin ein beständiger Mensch, glaub mir.«

Wirklich?«, sagte Malin.

In diesem Augenblick hörten sie in der Ferne Hundegebell und sie
murmelte: »Was fällt Bootsmann eigentlich ein?«

Ob Juninacht oder nicht, man kann nicht bis in alle Ewigkeit an einer
Gartenpforte stehen. Zuletzt sterben einem gewissermaßen die Beine
ab. Petter küsste Malin und sie ging zögernd von ihm fort. Er blieb
stehen und sah ihr nach und da wandte sie sich noch einmal um.

Ich glaub, du solltest noch etwas in dein Logbuch schreiben«, sagte sie.

Heute hat Malin Petter kennen gelernt.«

Und dann verschwand sie im Schatten zwischen den Apfelbäumen.

Juninächte sind nicht zum Schlafen da, sagt Petter. Es gibt noch mehr die das finden: andere, die um diese Zeit herumstreunen. Aber schließ lich kehren sie alle nach Hause zurück. Bootsmann kommt gerade nac Hause, als Malin ihr letztes gute Nacht zu Petter sagt. Und der Fuchs der in Janssons Kuhwäldchen wohnt, kehrt jetzt auch in seinen Ba zurück. Und Söderman, der schlecht schläft, wenn die Nächte hell sinc und eine nächtliche Runde gemacht hat um nach seinen Schafen z sehen, kehrt jetzt ebenfalls heim und er hat Totti auf dem Arm.
Noch einer hat sich in der Juninacht draußen herumgetrieben, Jocke .. Ach, dass Pelle den Stall nicht besser hinter ihm zugemacht hat! Arme kleiner Jocke! Er ist auch auf einem Streifzug unterwegs gewesen – abe er kehrt nicht heim.

Freud und Leid reichen einander die Hand…

Freud und Leid reichen einander die Hand – manche Tage sind schwarz und voller Trübsal, und sie können kommen, wenn man es am wenigsten erwartet.

Früh am nächsten Morgen kam Söderman zu Nisse und Märta in den Laden. Traurig und bekümmert sah er aus und traurige Dinge hatte er zu berichten.

»Ich mache wie gewöhnlich eine kleine Runde und was höre ich? Einen Hund, der bellt, und meine Schafe, die geradezu verzweifelt blöken, und ich sehe von weitem, wie sie hin und her rasen, als ob einer sie jagt. Und als ich dann endlich zur Weide komme, wer, meint ihr, kommt mir da in wilden Sätzen entgegen? Tatsächlich, Bootsmann!«

Söderman machte ein Gesicht, als glaubte er, die Erde sollte bersten und sich auftun, als er das sagte, aber Nisse schaute ihn verständnislos an.

»So. Und wer hat die Schafe gejagt?«

»Hörst du nicht, was ich sage? Bootsmann! Und bei mir zu Hause liegt Totti mit einem Biss im Schenkel.«

»Man muss sich viel anhören, bis einem die Ohren abfallen«, sagte Märta. »Aber dass Bootsmann Schafe reißt, das kannst du mir nicht einreden.«

Nisse schüttelte den Kopf. Auf eine so wahnsinnige Beschuldigung konnte man kaum etwas entgegnen. Bootsmann, der friedfertigste Hund der Welt, hatte bis jetzt noch nie jemand angerührt. Legt ihm kleine Kinder oder junge Kätzchen oder Lämmchen vor seinen Rachen, so viele, wie ihr wollt, er rührt sie nicht an! Bootsmann sollte Schafe hetzen – nie im Leben!

Doch das behauptete Söderman. Malin kam um Kartoffeln zu holen und gleich nach ihr Vesterman. Er wollte eigentlich mit Nisse über Moses sprechen, aber davon kam er ab.

»Es kann ja Cora genauso gut gewesen sein«, sagte Nisse, als er Vesterman sah.

Auf Saltkrokan gab es nur zwei Hunde, Vestermans Cora und Tjorvens Bootsmann.

Aber Vesterman erklärte böse, im Gegensatz zu gewissen anderen Leuten habe er seinen Hund an der Leine, und Malin konnte bezeugen, dass dies stimmte. Zum mindesten habe Cora wie gewöhnlich neben ihrer Hundehütte gestanden und gebellt, als sie und Petter gestern Abend gegen elf Uhr bei Vesterman vorbeigekommen seien.

»Und außerdem«, sagte Malin zögernd, »ich hab Bootsmann gesehen, als er heute Nacht herauskam, und auch, als er wieder zurückkam. Und ich hab gehört, wie er bellte. Ja, tatsächlich, das hab ich gehört.«

Söderman guckte Nisse kummervoll an, es machte keine Freude, solche Unglücksbotschaften zu überbringen.

»Bootsmann bellt sonst nie, das weißt du, Nisse. Und du hörst doch, was ich sage. Ich sah ihn mitten aus der Schafherde kommen.«

Nisse biss die Zähne aufeinander.

»Wenn es so ist, wie du sagst, dann gibt es ja nur eins zu tun.«

Da fing Märta an zu weinen. Sie machte keinen Versuch es zu verbergen, offen und verzweifelt weinte sie, und sie dachte mit Bangen an eine, die es noch viel schwerer nehmen würde als sie selber. Wie sollten sie es Tjorven nur beibringen?

Tjorven war nicht im Haus. Sie rannte gerade überall herum und suchte nach Jocke. Alle halfen sie Pelle nach seinem verschwundenen Kaninchen zu suchen. Johann und Niklas selbstverständlich, und Teddy und Freddy und Tjorven. Überall hatten sie gesucht, aber nirgendwo war ocke zu finden. Pelle suchte und weinte und war wütend auf sich selber. Weshalb hatte er gestern Abend nicht den Haken ordentlich übergelegt, weshalb hatte er es so eilig gehabt? Das durfte man nicht, wenn man ein Kaninchen hatte. Pelle weinte. Armer Jocke, wenn er nun nie zurückkam?

Zuletzt fanden sie Jocke. Teddy fand ihn. Und sie schrie auf, als sie das kleine Kaninchen sah, das nicht weit vom Schafpferch am Feldrain leblos und zerfleischt unter einem Wacholderstrauch lag.

Nein!«, schrie Teddy. »Nein!«

Hinter ihr kam jemand. Sie wandte den Kopf und sah, dass es Pelle war. Da schrie sie wie wild: »Pelle, nicht hierher kommen!«

Es war jedoch zu spät. Pelle hatte schon alles gesehen.

Er hatte sein Kaninchen gesehen.

Und dann standen sie alle hilflos im Kreis um ihn herum. Keiner von ihnen hatte bis jetzt bitteres Leid aus nächster Nähe mitangesehen und sie wussten nicht, was man machen musste, wenn jemand im Gesicht so aussah wie Pelle jetzt.

Johann weinte.

Ich muss Papa holen«, murmelte er und lief davon, so rasch ihn seine Beine tragen konnten.

Melcher war ebenfalls den Tränen nahe, als er Pelle sah.

Mein armer kleiner Junge.«

Er nahm ihn auf den Arm, hielt ihn ganz fest und trug ihn zum Schreierhaus und zu Malin zurück. Pelle weinte nicht, er kroch nur in sich zusammen und verbarg sein Gesicht an der Schulter seines Vaters, er hatte die Augen geschlossen und wollte nie mehr etwas sehen auf der Welt.

Kaum dass man lebt, so muss man sterben... Aber Jocke, sein geliebtes Kaninchen, das einzige Tier, das er besaß – weshalb durfte es nicht am Leben bleiben? Pelle lag auf dem Bauch auf seinem Bett, den Kopf im Kissen vergraben, und jetzt weinte er endlich, ein leises, wimmerndes

Weinen, das Malin ins Herz schnitt. Sie saß neben ihm und auch sie fühlte sich ganz hilflos. Niemanden auf der Welt hatte sie so lieb wie dieses weinende arme Kerlchen, das dalag, schmal und klein, viel zu klein war für ein so großes Leid. Es war grausam, dass man nichts tun konnte, dass man ihm nicht wenigstens einen kleinen Teil von dem abnehmen konnte, was so wehtat. Sie strich ihm übers Haar und sagte ihm, weshalb sie das nicht konnte.

»So ist es im Leben, siehst du. Manchmal ist es schwer. Sogar kleine Kinder, sogar ein kleiner Junge wie du muss so etwas durchmachen, was wehtut, und da muss man ganz allein hindurch.«

Da richtete sich Pelle im Bett auf, weiß im Gesicht und nass von Tränen. Er schlang die Arme um Malin, er klammerte sich an sie und sagte mit rauer Stimme:

»Malin, versprich mir, dass du am Leben bleibst, bis ich groß bin!«

Und Malin versprach es, hoch und heilig versprach sie, dass sie es versuchen wollte. Und dann sagte sie um ihn zu trösten: »Wir können dir ja ein neues Kaninchen kaufen, Pelle.«

Aber Pelle schüttelte den Kopf.

»Ich will nie ein anderes Kaninchen haben als Jocke.«

Da war noch jemand, der weinte, nicht stumm und still wie Pelle, sondern laut und wild, sodass man es weithin hörte. »Es ist nicht wahr« schrie Tjorven, »es ist nicht wahr!« Sie schlug ihren Vater, weil er das gesagt hatte. Er durfte nicht, er *durfte* einfach nicht so schreckliche Sachen erzählen – dass Bootsmann... Nein, nie im Leben! Totti gerissen und Jocke totgebissen, sagte Papa. Nie, nie, nie im Leben! Ach, der arme Bootsmann, sie wollte ihn nehmen und mit ihm weglaufen, weit, weit weg, und niemals wiederkommen. Aber zuerst wollte sie jedem Einzelnen eins auf den Schädel hauen, jedem, der daherkam und sagte, dass.. Wie rasend stieß sie sich die Schuhe von den Füßen und sah sich mit wilden Augen nach jemandem um, dem sie sie an den Kopf knallen konnte. Nicht Papa – jemand anderem, ganz gleich, wem, sie wusste aber nicht, wem, und darum hob sie die Schuhe mit einem Schrei auf und schleuderte sie gegen die Wand.

»Ihr könnt was erleben! Ihr könnt was erleben!«, brüllte sie.

Völlig außer sich stand sie da. Jetzt sah sie, dass Papa Bootsmann an der Treppe festgebunden hatte, und da schnappte sie nach Luft. »Meinst du etwa, er soll jetzt *immer* angebunden bleiben?«

Nisse seufzte.

»Tjorven, mein armes Kind«, sagte er und hockte sich vor ihr nieder, was er immer tat, wenn er wollte, dass sie ihm ordentlich zuhörte. »Tjorven, ich muss dir jetzt etwas sagen, worüber du ganz furchtbar traurig wirst.« Tjorven schluchzte nur noch heftiger.

»Ich bin schon traurig.«

Nisse seufzte von neuem.

»Ich weiß und dies ist für mich auch schwer. Aber siehst du, Tjorven, ein Hund, der Schafe reißt und Kaninchen totbeißt, der darf nicht am Leben bleiben.«

Tjorven stand still vor ihm und sah ihn an. Es war, als hörte oder begriffe sie nicht, was er sagte, aber schließlich rannte sie mit einem jammernden Aufschrei fort.

Sie floh in ihr Bett und hier verbrachte sie, den Kopf im Kissen versteckt, den längsten und bittersten Tag ihres Lebens.

Teddy und Freddy hatten vom Weinen geschwollene Augen, sie trauerten ebenso sehr wie Tjorven. Als sie sie aber dort liegen sahen, tat es ihnen weh vor Mitleid. Arme Tjorven, für sie war es auf alle Fälle am schlimmsten! Sie setzten sich zu ihr und versuchten mit ihr zu reden, versuchten etwas zu sagen, wodurch es weniger schwer sein würde, aber es war, als hörte sie nichts, und sie bekamen nur ein einziges Wort aus ihr heraus: »Geht!«

Da gingen sie weinend fort. Märta und Nisse versuchten ebenfalls mit ihr zu reden, aber sie bekamen auch keine Antwort. Die Stunden verrannen, Tjorven lag im Bett, stumm und reglos. Ab und zu machte Märta die Tür zu ihrem Zimmer einen Spalt weit auf und hörte manchmal ein leises Wimmern, sonst war alles still.

»Jetzt halte ich es nicht mehr aus«, sagte Märta schließlich. »Komm, Nisse, wir müssen es noch einmal versuchen.«

Und sie versuchten es. Sie versuchten es auf jegliche Weise, die Liebe und Verzweiflung ihnen eingab.

»Kleine Tjorven«, sagte Märta, »hör mal, hast du nicht Lust in die Stadt zu fahren und Großmama zu besuchen, möchtest du das?«

Sie bekamen keine Antwort, nur ein kurzes, trockenes Aufschluchzen.

»Oder sollen wir dir ein Fahrrad kaufen?«, fragte Nisse. »Möchtest du das?«

Abermals ein Aufschluchzen und weiter nichts.

»Tjorven, gibt es denn *nichts*, was du gern möchtest?«, fragte Märta verzweifelt.

»Doch«, murmelte Tjorven, »ich möchte tot sein.«

Sie setzte sich mit einem Ruck im Bett hoch, und plötzlich kamen die Worte in einem Schwall aus ihr heraus.

»Es ist alles meine Schuld. Ich hab mich nicht so viel um Bootsmann gekümmert, wie ich hätte müssen. Ich hab mich bloß immer mit Moses abgegeben.«

Sie hatte alles durchdacht, oh, wie viel hatte sie gedacht und mit welcher Verzweiflung! So musste es sein. Es war ihre Schuld. Bootsmann hatte noch nie etwas Böses getan, und wenn es wirklich stimmte, dass er Totti und Jocke gerissen hatte, dann war es deshalb, weil es ihm selber schlecht gegangen war und weil es ihm einerlei war, was er tat.

»Doch, es ist meine Schuld«, schluchzte Tjorven. »Es ist besser, wenn ihr mich totschießt und nicht Bootsmann.«

Dann sank sie wieder aufs Kopfkissen zurück. Einen kurzen Augenblick erinnerte sie sich an Moses, der weit weg war in der Toten Bucht. Aber er gehörte zu einer anderen Welt, an die sie nicht denken konnte. Nur inen gab es, aus dem sie sich etwas machte. Sie sehnte sich nach Bootsmann, so sehr, dass es ihr wehtat. Er stand draußen an der Treppe angeleint. Bald würde Papa das Gewehr nehmen und mit ihm in den Wald hinaufgehen...

»Holt Bootsmann her«, murmelte sie, den Kopf im Kissen.

Nisse machte ein unglückliches Gesicht.

»Kleine Tjorven, ist es nicht besser, du siehst Bootsmann nicht gerade jetzt?«

Da brüllte Tjorven: »Holt Bootsmann her!«

Teddy brachte ihn, und Tjorven jagte sie alle aus dem Zimmer. »Ich will allein mit ihm sein.«

Und dann war sie allein mit ihrem Hund. Sie warf sich ihm um den Hals und wimmerte: »Verzeih mir, Bootsmann, verzeih mir, verzeih mir!«

Er sah sie an mit Augen, die nichts enthielten als eine ewige Treue, und er mochte denken: »Kleines Hummelchen, ich versteh von all dem gar nichts, aber ich will nicht, dass du so traurig bist.«

Sie nahm seinen riesigen Kopf zwischen ihre beiden Hände und sah ihm in die Augen um nach einer Antwort auf all dies Unerklärliche und Schreckliche zu suchen.

»Es *kann* nicht wahr sein! Ach, Bootsmann, könntest du doch reden und alles erklären.«

Ja, wenn Bootsmann bloß hätte reden können! Wenn er doch hätte reden können!

Und der arme Moses, der in einem Bootsschuppen weit weg an der Toten Bucht eingeschlossen war – wer dachte an ihn? Das tat Stina. Auch sie hatte geweint, wegen Totti und wegen Jocke und wegen Bootsmann. Heute weinten alle auf Saltkrokan. Aber Totti sei bald wieder gesund, sagte Großvater und wenn auch alles ein einziges großes Elend war, so konnte Moses deswegen doch nicht verhungern.

»Pelle und Tjorven, die liegen nur da und weinen und weinen. Dann muss

ich eben an Moses denken«, sagte sie. »Gib mir Strömlinge, Großvater!«
Sie bekam ihre Strömlinge in einem Korb und ging los. Und Söderman
fuhr in seiner Arbeit fort. Da kam Vesterman. Er war außer sich vor
Wut über Nisse Grankvist, weil der sich unterstanden hatte, das über
Cora zu sagen.

»Einfach meinem Hund die Schuld zuschieben«, sagte er aufgebracht
zu Söderman.

Er hatte die Lust verloren mit Nisse über den Seehund zu verhandeln
und darüber, wem er gehörte. Jetzt gab es nur eines zu tun, und zwar
entschlossen den Seehund an sich zu nehmen und in sicherem Gewahr-
sam zu halten, bis er diesen Grünschnabel erwischt hatte, der Seehunde
aufkaufte. Wo aber war dieser elende Seehund? Der Teich war leer und
woanders war er, soweit Vesterman sehen konnte, auch nicht, obgleich
er den ganzen Morgen gesucht hatte.

»Weißt du, wo die Gören den Seehund haben?«, fragte er Söderman.
Söderman schüttelte den Kopf. »Verschwunden kann er nicht sein. Stina
war erst vor kurzem hier und hat Strömlinge für ihn geholt.«
Sobald er das gesagt hatte, fuhr ihm etwas durch den Sinn, was Stina
erzählt hatte. Dass Vesterman den Kindern Moses wegnehmen und ihn
verkaufen wollte.

»Der Seehund geht dich übrigens nichts an«, sagte Söderman. »So viel
Scham solltest du doch wohl am Leibe haben.«
Vesterman stieß einen Fluch aus und ging. Er war wütend und ent-
täuscht, wütend auf die Kinder und auf Nisse Grankvist und auf Söder-
man und auf jeden Menschen dieser Insel. Ganz Saltkrokan möge zum
Kuckuck gehen, meinte Vesterman.

Er stapfte heimwärts. Da sah er Stina ein Stück weiter vorn auf dem
Weg mit dem Strömlingskorb am Arm und nun beschleunigte er seinen
Gang. Mit langen Schritten holte er sie ein.

»Wo willst du denn hin, kleine Stina?«, fragte er schmeichlerisch, denn
jetzt hieß es schlau zu sein.

Stina lächelte zu ihm auf, ein freundliches und zahnloses Lächeln.
»Haha, du sagst dasselbe wie der Wolf.«
Das verstand Vesterman nicht.
»Der Wolf? Welcher Wolf?«
»Rotkäppchen und der Wolf, das musst du doch kennen! Soll ich dir das Märchen erzählen?«
Vesterman wollte das Märchen nicht hören und auch kein anderes, doch es half ihm nichts. Stina war die beharrlichste Märchenerzählerin von Saltkrokan und Vesterman musste die Geschichte von Rotkäppchen ganz bis zu Ende anhören. Nun erst kam er zu Wort.
»Wer soll die Strömlinge haben?«
»Die? Na, Mo...«, begann Stina, aber dann schwieg sie hastig, denn jetzt fiel ihr ein, mit wem sie redete.
Vesterman gab nicht auf.
»Was sagst du, wer soll sie haben?«
»Großmutter soll sie haben«, sagte Stina fest. Dann grinste sie. »›Warum hast du so ein großes Maul, Großmutter?‹ fragte Rotkäppchen. ›Damit ich besser Strömlinge essen kann‹, sagte die Großmutter. Haha, was sagst du nun, Vesterman?«
Sie lächelte Vesterman zahnlos und niederträchtig an und dann rannte sie davon.
Aber sie war genauso arglos wie Rotkäppchen, als es dem Wolf den Weg zu Großmutters Häuschen zeigte. Stina ging sorglos geradewegs zur Toten Bucht ohne auch nur den Kopf zu wenden. Hätte sie das getan, dann hätte sie vielleicht einen Schimmer von Vesterman gesehen, der hinter ihr herschlich. Er hätte wahrlich nicht zu schleichen brauchen. Niemand war so wenig auf der Hut wie Stina und jetzt hatte sie es eilig. Sie musste zu Moses.
Moses schrie und zischte sie an, kaum dass sie zur Tür hereingekommen war, verstummte aber, sobald er seine Strömlinge bekam. Stina saß neben ihm und streichelte ihn, während er fraß. »Du wunderst dich

sicher, dass ich allein komme«, sagte sie. »Aber ich erzähl's dir nicht, dann wirst du bloß traurig.«

Traurig – wer war nicht längst traurig? Moses gefiel dieser Bootsschuppen nicht und er wollte nicht allein sein. Aber jetzt war Stina gekommen, die wollte er dabehalten. Er wusste schon, wie er es anstellen musste, damit sie bleibe, er brauchte sich nur einfach auf sie zu setzen. Sobald er fertig gefressen hatte, krabbelte er entschlossen auf ihren Schoß. Hier machte er sich's gemütlich, und wenn sie versuchte ihn hinunterzuschubsen, zischte er sie an. Das sollte sie ja nicht versuchen! Wenn er in diesem Bootsschuppen bleiben musste, dann sollte sie wahrhaftig auch dableiben! Stina merkte, wie ihre Beine einzuschlafen begannen, und sie wurde unruhig. Wer weiß, wie lange Moses hier zu sitzen gedachte? Vielleicht bis Mittsommer? Dann würden beide verhungern, sie und Moses. Das war kein vergnüglicher Gedanke und sie bat inständig:

»Lieber Moses, geh runter von meinen Beinen!«

Aber Moses wollte nicht. Wieder versuchte sie ihn hinunterzuknuffen, aber er zischte sie nur an.

Da sah sie noch einen Strömling im Korb liegen. Der wurde ihre Rettung. Sie nahm ihn sich und hielt ihn hoch in die Luft, sodass Moses ihn nicht erreichen konnte. Und dann schleuderte sie ihn mit aller Kraft fort. Der Strömling landete in einem entfernten Winkel und Moses wakkelte gierig hin um ihn sich zu holen. Als er zurückkam und keiner mehr da war, auf dessen Schoß er sitzen konnte, schrie er vor Wut.

»Tschüs, Moses«, sagte Stina und schloss die Tür. Sie legte den Haken über und ging davon, ganz zufrieden mit sich selber. Sie guckte weder nach rechts noch nach links und sah auch Vesterman nicht, der sich in einer Lücke zwischen zwei Schuppen versteckt hielt.

Aber wenn Stina auch genauso arglos war wie Rotkäppchen – was für ein Glück trotz allem, dass sie gerade um diese Stunde mit Strömlingen zu Moses gegangen war, und was für ein Glück, dass er so lange auf ihrem Schoß gesessen hatte und dass sie auf dem Nachhauseweg gerade n diesem Augenblick an der Schafweide vorbeikam! Sonst hätte sie nie den Fuchs gesehen, der dort wütete. Einen großen hungrigen Fuchs, der heute Nacht nicht das erwischt hatte, worauf er aus gewesen war, kein Lämmchen und nicht einmal ein Kaninchen, weil ein rasender Hund ihn in seinen Bau zurückgejagt hatte.

Er war hungriger denn je und wollte sich jetzt einen Lammbraten holen, da aber kam ein Menschenkind, sicher eines von der allergefährlichsten Sorte, denn es schrie aus vollem Halse. Er bekam einen Todesschrecken und schlüpfte voller Angst durch eine Lücke im Zaun auf den Weg hinaus und verschwand zwischen den Tannen am Waldrand.

Wie ein leuchtend roter Strich flitzte er dicht an den Füßen vom alten Söderman vorbei, der nachsehen wollte, ob Bootsmann nicht noch mehr Unheil unter den Schafen angerichtet hatte, außer dem, was er heute Nacht hatte feststellen können. Er blieb jäh stehen, als er den Fuchs vorbeihuschen sah.

»Der Fuchs!«, schrie Stina. »Großvater, hast du den Fuchs gesehen?«

»Und ob ich ihn gesehen habe«, sagte Söderman. »Das war das größte Ungetüm von einem Fuchs, das ich in meinem Leben gesehen habe. Aha, dieser Halunke ist es also, der unter meinen Lämmern haust!«

»Und dann gehst du rum und behauptest, Bootsmann wäre es gewesen«, sagte Stina unwirsch.

»Ja, dann gehe ich rum und behaupte, Bootsmann wäre es gewesen«, sagte ihr Großvater und kratzte sich am Hinterkopf. Er war alt und schon langsam im Denken. Wie hing das eigentlich alles zusammen? Er *hatte* doch Bootsmann gesehen heute Nacht. Und noch nie hatte er gehört, dass sich ein Fuchs in eine Schafherde hineinwagte; aber es gab offenbar hin und wieder ein Ungetüm, das es trotzdem tat. Waren er und Bootsmann Partner, halfen sie sich vielleicht gegenseitig beim Jagen... Nein, so konnte es nicht sein. Der Fuchs hatte heute Nacht Totti gehetzt und Bootsmann hatte den Fuchs gehetzt! Bootsmann hatte seine Lämmer beschützt, so hing das zusammen und zum Dank hatte er,

Söderman, ihn beschuldigt und es dahin gebracht, dass... Achachach, jetzt hatte Söderman es auf einmal eilig.

»Bleib hier«, sagte er zu Stina, »und schrei, wenn du den Fuchs siehst.«
Er musste zu Nisse, und zwar schnellstens. Er rannte, der alte Söderman, wie er seit vielen Jahren nicht mehr gerannt war, und kam keuchend und außer Atem in den Laden.

»Nisse, bist du drinnen?«, rief er voller Bangen, und da kam Märta heraus, ganz verweint.

»Nein, Nisse ist mit Bootsmann in den Wald gegangen«, sagte sie. Dann schlug sie die Hände vors Gesicht und stürzte wieder hinein.

Achachach! Söderman stand da, als hätte er einen Schlag mit der Keule bekommen. Dann rannte er wieder los. Er jammerte laut und rannte. Bald konnte er nicht mehr, aber er musste können, er *musste* Nisse zu fassen kriegen, er durfte nicht zu spät kommen.

»Wo bist du, Nisse?«, schrie er. »Wo bist du? Nicht schießen!«
Es war ein ruhiger Tag und ganz still im Wald. Weit entfernt rief ein Kuckuck, aber dann schwieg der auch. Söderman rannte und hörte nur sein eigenes Keuchen und seine eigenen bangen Rufe.

»Wo bist du, Nisse? Nicht schießen!«
Er bekam keine Antwort. Es war still zwischen Tannen und Kiefern. Söderman rannte. Da fiel ein Schuss – oh, wie es knallte und zwischen den Bäumen widerhallte. Söderman blieb stehen und griff sich an die Brust. Er war zu spät gekommen, jetzt war es geschehen! Achachach, er würde Tjorven nie mehr in die Augen sehen können. Was für ein jammervoller Tag, was für ein Elend!

Söderman stand still und schloss die Augen. Da hörte er Schritte, und er schaute auf. Da kam Nisse mit dem Gewehr über der Schulter und neben ihm... Söderman starrte mit offenem Mund. Neben Nisse trottete Bootsmann!

»Hast du nicht – geschossen?«, stammelte Söderman.
Nisse warf ihm einen verzweifelten Blick zu.

»Gott steh mir bei, Söderman, ich *kann* es nicht! Ich muss Jansson bitten es zu tun. Er ist heute unterwegs und schießt Mantelmöwen.«

Freud und Leid reichen einander die Hand und manchmal kann sich alles ebenso rasch wenden, wie man niest. Es braucht nur ein atemloser Alter dort zu stehen, der mit Tränen in den Augen von dem Fuchs auf seiner Schafweide berichtet.
Nisse umarmte Söderman.
»Noch nie hat ein Mensch mich so froh gemacht wie du, Söderman!«
Und noch nie ist ein Mann mit seinem Hund so fröhlich aus dem Wald heimgekehrt wie Nisse Grankvist heute mit Bootsmann. Er ist froh. Trotzdem wird er heute Nacht wach liegen und an die schwere Stunde oben im Wald denken. Am meisten wird er an die Augen von Bootsmann denken, wie er dort an dem Stein zwischen den Tannen saß und auf den Schuss wartete. Bootsmann *wusste*, was geschehen würde, und er blickte Nisse an, ergeben und trauervoll und treu. Die Erinnerung an diesen Blick wird Nisse heute Nacht wachhalten. Jetzt aber ist er fröhlich und er ruft nach Tjorven.
»Tjorven, komm! Hummelchen, komm her, ich muss dir etwas Schönes erzählen.«

Nee, Pelle, die Welt ist kein Jammertal

Ich kann nicht aufhören zu weinen«, sagte Tjorven erstaunt. Sie saß in der Küche auf dem Fußboden, ganz dicht an Bootsmann gedrückt, und Bootsmann fraß Beefsteakhack. Ein ganzes Kilo erstklassiges Hack hatte er bekommen und alle hatten ihn um Verzeihung gebeten. Nun saß die ganze Familie im Kreis um ihn herum und himmelte ihn an und streichelte ihn und Tjorven fand das alles wunderbar schön.

»Aber was ist das bloß, ich kann nicht aufhören zu weinen«, sagte sie ärgerlich und wischte sich mit der Faust ein paar Tränen ab.

Sie erinnerte sich an alles, was sie in diesen letzten schrecklichen Stunden gedacht hatte. Sie hatte sich geirrt. Bootsmann hetzte keine Schafe und wenn sie sich zehn Mosesse halten würde. Er war so gutartig wie immer. Aber sie hatte auch richtig gedacht und richtig sollte es von nun an zugehen. Alles sollte werden wie früher, bevor Moses kam und alles durcheinander brachte.

Ach ja, Moses! Sie fragte sich, wie es ihm in seinem Bootsschuppen wohl gehen mochte. Und plötzlich fiel ihr Jocke ein. Und Pelle, der arme Pelle, weshalb konnte er jetzt nicht auch so fröhlich sein wie sie? *Alle* sollten jetzt fröhlich sein.

Und natürlich freute sich Pelle, als er hörte, dass Bootsmann unschuldig war, so sehr man sich freuen konnte, wenn man selber ganz verzweifelt war. Er hatte um Bootsmann ebenso getrauert wie um sein Kaninchen und es war ein Trost, dass Bootsmann nicht schuld an Jockes Tod war.

»Ich hab ein viel besseres Gefühl, weil Bootsmann es nicht war«, sagte er zu Melcher.

Dann aber wandte er den Kopf ab und sagte mit leiser Stimme: »Für Jocke ist es aber ganz einerlei, wer es getan hat.«

In der Nacht träumte er von Jocke, einem lebendigen Jocke, der angelopst kam und Löwenzahn haben wollte. Aber es wurde wieder Morgen und es gab keinen Jocke mehr. Nicht einmal sein Stall war mehr da. Johann und Niklas hatten ihn weggeräumt, damit Pelle ihn nicht mehr sehen musste. Sie waren nett, seine Brüder, sie hatten ihm Sachen geschenkt. Er hatte ein feines Modellschiff bekommen, das Niklas gebaut hatte, und Johann hatte ihm sein altes Taschenmesser geschenkt. Pelle war so dankbar, dass er hätte platzen können, und dennoch war dies ein schwerer Morgen und er überlegte sich, ob er es immer so empfinden würde und wie er dann seine langen Tage ertragen sollte.

An diesem Abend begruben sie Jocke in Janssons Kuhwäldchen, auf einer kleinen Lichtung mit Steinbrech im Gras und hohen Birken rundum.

HIER RUHT JOCKE

Pelle hatte es auf ein Stück Holz geschrieben und nun lag er auf den Knien und drückte die Grasbüschel auf Jockes Grab fest, während Tjorven und Stina und Bootsmann zusahen. O ja, Jocke sollte es schön hier haben mit blühendem Steinbrech und den Amseln, die ihm abends etwas vorsangen, genau wie jetzt.

Tjorven und Stina wollten auch singen. Das tat man bei Begräbnissen, das gehörte dazu. Viele Male hatten sie tote Vögel begraben und immer dasselbe Lied gesungen. Jetzt sangen sie es für Jocke.

>»Die Welt, sie ist ein Jammertal,
>   kaum dass man lebt...«

»Nein, das singen wir nicht«, sagte Tjorven schnell.

Was war mit Pelle? Weshalb weinte er? Er hatte bis jetzt nicht geweint, aber nun saß er dort drüben auf einem Stein mit dem Rücken zu ihnen und sie konnten kleine, merkwürdige Schluchzer hören. Sie schaute sich unschlüssig an und Stina sagte ängstlich:

»Er weint vielleicht, weil die Welt ein Jammertal ist?«

»Das ist sie ja gar nicht«, sagte Tjorven. Und sie rief Pelle zu:

»Ach wo, Pelle, die Welt ist kein Jammertal. Wir singen das bloß für Jocke.«

Sie wollte unter gar keinen Umständen, dass noch mehr geweint würde. Auf irgendeine Weise musste sie Pelle wieder froh machen und plötzlich wusste sie auch, wie sie das anstellen konnte.

»Pelle, du kriegst was von mir, wenn du mir versprichst, dass du nicht mehr traurig bist.«

»Was denn?«, brummte Pelle ohne sich umzuwenden.

»Du kriegst Moses!«

Da drehte er sich um, der weinende Pelle, und starrte Tjorven misstrauisch an. Aber sie versicherte ihm:

»Doch, du kriegst ihn geschenkt.«

Und zum ersten Mal seit jenem Augenblick des Leides, als Jocke verschwand, lächelte Pelle wieder.

»Bist du aber lieb, Tjorven!«

Sie nickte.

»Ja, das bin ich. Und dann habe ich ja auch Bootsmann.«

Stina schmunzelte.

»Nun haben wir alle wieder ein Tier. Wir müssen aber zu Moses gehen und es ihm erzählen, das ist doch klar.«

Darüber waren sie sich einig. Moses musste erfahren, wem er jetzt gehörte. Außerdem musste er Futter haben, der Ärmste!

»Lebe wohl, Jockelchen«, sagte Pelle weich. Dann rannte er davon ohne sich umzusehen.

Und plötzlich war es, als hätte sich ein Krampf in ihm gelöst. Plötzlich war er ein ganz anderer Pelle, ein wilder und fröhlicher Pelle, der den ganzen Weg bis zur Toten Bucht hüpfte und rannte und sich zuletzt auf die Erde warf und den Abhang zu den Bootsschuppen hinunterkullerte.

»Du freust dich wohl so, weil du Moses bekommst, was?«, sagte Tjorven.

Pelle überlegte.

»Ich weiß nicht – vielleicht. Aber, weißt du, es ist so traurig, wenn man traurig ist, das hält man nicht lange aus.«

»Warte nur, bis du Moses siehst«, sagte Tjorven und öffnete die Tür zum Schuppen.

Und dann standen sie da und starrten bestürzt ins Leere. Hier war kein Moses. Er war weg.

»Er ist abgehauen«, sagte Tjorven.

»Abgehauen! Und hat den Haken selber wieder drübergelegt, was?«, sagte Pelle.

Moses war nicht abgehauen. Jemand hatte ihn gestohlen. Tjorven wandte sich zu Stina um.

»Hat dich irgendein Mensch gesehen, als du gestern hierher gegangen bist?«

Stina dachte nach.

»Nein, kein Mensch. Bloß Vesterman. Er wollte endlich von Rotkäppchen hören.«

»Dir kann man ja wohl alles einreden«, sagte Tjorven. »Oh, dieser Vesterman, so ein Lump!« Tjorven stieß gegen Moses' Schlafkiste, dass sie an die Wand flog.

»Ich reiß ihm die Haare aus. Er ist ein Dieb! Ich schieß ihn tot!«, schrie sie wie rasend.

»Ich weiß, was wir machen«, sagte Pelle. »Wir rauben Moses wieder zurück. Ich wette, dass er ihn in seinem Bootsschuppen hat, und da ist sicher auch nur ein Haken an der Tür.«

Tjorvens Wut legte sich.

»Heute Abend, wenn Vesterman schläft«, sagte sie eifrig.

Stina wurde ebenfalls eifrig, nur eins machte ihr Sorge.

»Wenn wir nun aber eher einschlafen als Vesterman?«, sagte sie.

»Das tun wir nicht«, versicherte Tjorven drohend. »Nicht, wenn wir so wütend sind wie jetzt.«

Stina war offenbar nicht wütend genug, denn sie konnte sich nicht wach halten. Tjorven und Pelle aber konnten es und, was noch merkwürdiger war, niemand bemerkte sie, als sie davonschlichen.

An diesem Abend war auf Saltkrokan Fuchsjagd abgehalten worden um den Fuchs aus seinem Versteck aufzuscheuchen. Und tatsächlich gelang es ihnen, aber es wurde trotzdem kein Fuchs geschossen. Denn als sie ihn draußen auf der Landzunge in die Enge getrieben hatten und er keinen anderen Ausweg sah, da glitt er ins Wasser und schwamm davon. Dieser Fuchs wusste sich zu helfen und bis zur nächsten Insel war es nicht weit.

Nisse Grankvist schickte einen Schuss hinter ihm her, verfehlte ihn aber. Darüber war Pelle froh, als er es hörte.

»Ich finde, Füchse sollen auch leben dürfen«, sagte er. »Und auf Norrsund gibt es jedenfalls keine Kaninchen und keine Schafe und keine Hühner.«

»Das wird ein mageres Leben für ihn werden«, sagte Tjorven zufrieden. »Der Schurke, weshalb musste er Jocke totbeißen.«

»Das hat er nur getan, weil er ein Fuchs ist«, erklärte Pelle ihr. »Dann muss er sich ja auch wie ein Fuchs verhalten.«

»Es mag ja sein, dass er ein Fuchs ist, aber deswegen kann er sich doch wie ein Mensch benehmen«, sagte Tjorven und wollte den Fuchs durchaus nicht begreifen.

Übrigens – allerdings – sich wie ein Mensch benehmen? Wie Vesterman zum Beispiel? War das so viel besser? Hinzugehen und einen armen kleinen Seehund zu stehlen nur um ihn zu verkaufen! Aber daraus würde nichts werden, darauf konnte Vesterman Gift nehmen!, versicherte Tjorven.

»Wenn nur Cora nicht bellt«, sagte sie.

Aber Cora bellte. Sie stand neben ihrer Hundehütte und bellte, so laut sie konnte, als sie Tjorven und Pelle heranschleichen sah. Aber damit hatte Pelle gerechnet. Im Schreinerhaus hatte es heute Rinderbrust gegeben. Und nun warf er Cora ein paar prächtige Rindsknochen hin und redete ihr gut zu. Da wurde sie still. Trotzdem hatten sie Angst auszustehen, bis sie wussten, ob jemand herauskommen und nachsehen würde, weshalb Cora gebellt hatte. Lange Zeit lagen sie unter dem Fliederstrauch am Hoftor und warteten. Aber als nichts zu hören war, schlichen sie sich vorsichtig auf den Hof. Dort oben auf einem Felsbuckel vor ihnen lag das Wohnhaus, an dem sie vorbeimussten um zum Bootsschuppen hinunterzukommen. Es war still und dunkel. Wie ein schwarzer, drohender Würfel lag das Haus dort auf seiner Felsböschung mit dem hellen Nachthimmel darüber. Niemand rührte sich.

»Die schlafen wie die Murmeltiere«, sagte Tjorven zufrieden. Das hatte sie jedoch zu früh gesagt, denn plötzlich wurde es in einem Fenster dort drinnen hell und Tjorven hielt den Atem an. Sie sahen Frau Vesterman, wie sie gerade die Petroleumlampe über dem Tisch anzündete. Da liefen sie leise und schnell geradewegs auf das Fenster zu und warfen sich auf die Erde dicht an der Hauswand. Voller Schrecken hockten sie hier und warteten. Hatte sie sie gesehen oder nicht? Vielleicht hatte sie drinnen im Dunkeln gestanden, bevor sie die Lampe anzündete, und hinter dem Vorhang herausgelugt und gesehen, wie sie durchs Hoftor gingen. Kein Mensch konnte sich an einem hellen Juniabend auf diesem Felsbuckel verstecken, wo es nicht einen einzigen Busch gab, hinter den man kriechen konnte.

Aber als Frau Vesterman nicht herausgestürzt kam, begannen sie wieder Mut zu fassen. Hier unterm Fenster konnte sie sie nicht sehen, falls sie sich nicht direkt hinauslehnte und auf sie heruntersah. Sie hofften von ganzem Herzen, dass sie das nicht tun möge. Wenn nämlich Frau Vesterman anfinge Krach zu schlagen, dann kriegte man sie mit ein paar Rindsknochen nicht zum Schweigen, das wussten sie. Sie trauten sich nicht sich zu rühren, nicht zu flüstern, kaum zu atmen. Sie konnten nur still liegen und lauschen. Und sie hörten, wie Frau Vesterman sich dort drinnen bewegte. Das Fenster stand offen, sie war ihnen so nahe, dass sie die Hand über das Fenstersims strecken und guten Tag sagen konnten, wenn sie wollten. Sie murmelte und mit einemmal fing sie an zu lesen. Ja wahrhaftig, fing sie nicht an sich selbst laut etwas vorzulesen? Tjorven stöhnte ganz leise. Es wäre ja noch gegangen, wenn sie etwas aus der Norrtäljer Zeitung oder so gelesen hätte, aber hier zusammengekrümmt zu liegen wie eine Garnele und sich Dinge anhören zu müssen, von denen man nicht das Geringste verstand, das war zu viel.

Pelle verstand es auch nicht, aber ihm schien so, als wäre es etwas aus der Bibel. Sie hatte eine eintönige Stimme, aber sie las ohne Stocken. Pelle horchte. Mit einmal kamen einige Worte, die aus dem Unerklärlichen heraustraten und zu schimmern begannen, wie Worte manchmal für ihn schimmern konnten. Oh, wie klang es schön!

»Nähme ich Flügel der Morgenröte, machte ich mir eine Wohnung zuäußerst im Meer...«,* las Frau Vesterman und dann seufzte sie einmal auf, ehe sie weiterlas.

Aus der Fortsetzung machte sich Pelle nichts. Es waren nur diese Worte, die durfte er nicht vergessen! Er murmelte sie leise vor sich hin.

»Nähme ich Flügel der Morgenröte, machte ich mir eine Wohnung zuäußerst im Meer...« Wie zum Beispiel das Schreinerhaus. Das lag auf der Insel zuäußerst im Meer. Hier wollte man sein. Hierher konnte man sich sehnen, wenn man daheim in der Stadt war. Wenn man dann Flügel der Morgenröte hätte und hierher fliegen könnte über alle Fjorde und Gewässer, oh, wie schön wäre das! Zu meiner Wohnung zuäußerst im Meer – ins Schreinerhaus.

Pelle war ganz in seine Gedanken vertieft, er lag da und murmelte und

---

* Psalm 139,9. Der Luthertext lautet: »Nähme ich Flügel der Morgenröte und bliebe am äußersten Meer...« Da im Folgenden immer wieder Bezug auf die schwedische Bibelübersetzung genommen wird, musste diese wörtlich übernommen werden. D. Übers.

merkte nicht, dass Frau Vesterman verstummt war, bis Tjorven ihn knuffte. Was würde jetzt geschehen? Jetzt löschte sie die Lampe und dort drinnen wurde es dunkel. Und plötzlich hörte Pelle jemanden genau über seinem Kopfe schwer atmen. Er wagte nicht hochzugucken, aber ihm war klar, dass Frau Vesterman am offenen Fenster stand, und es war entsetzlich hier zusammengekrümmt zu liegen und nur zu horchen und zu warten. Jetzt – jetzt würde sie sie entdecken, dessen war er sicher! Als er aber gerade merkte, dass er es keine Sekunde länger aushalten konnte, schlug das Fenster mit einem Knall zu, sodass sie beide, er und Tjorven, zusammenzuckten, und dann war es still. Sie blieben noch eine Weile so zusammengekauert liegen und horchten auf das Klopfen ihrer eigenen Herzen, dann rannten sie schnell und gebückt um die Hausecke und zum Bootsschuppen hinunter.

»Moses, bist du da?«, flüsterte Tjorven.

Und es war kein Zweifel, Moses war da, denn er begann zu schreien. Und Tjorven öffnete die Tür.

Ein Schauder überlief Stina, als sie ihr am nächsten Tag alles erzählten. Wie Moses geschrien hatte, wie sie sich mit ihm abgeschleppt hatten und wie Vesterman im Hemd herausgekommen war und hinter ihnen her geflucht hatte, als sie gerade durchs Hoftor hatten gehen wollen, wie Cora gebellt hatte und wie sie Moses endlich ins Wägelchen gehoben hatten und wie sie mit ihm nach Hause zum Schreinerhaus gerast waren, während Vesterman im offenen Hoftor gestanden und gedroht hatte:

»Na warte, Tjorven, wenn ich dich zu fassen kriege!«

»Gut, dass ich nicht mit dabei war«, sagte Stina. »Ich wäre auf der Stelle tot umgefallen.«

Moses hatte in dieser Nacht neben Pelles Bett geschlafen. Johann und Niklas waren verdutzt, aber durchaus nicht unzufrieden, als sie morgens erwachten und ihren neuen Stubengefährten erblickten.

»Ich *muss* ihn ja hierhaben, sonst kommt Vesterman und holt ihn mir weg«, erklärte Pelle. »Aber jetzt müsst ihr mir helfen Papa zu überreden.«

Wie erwartet, kam sein Vater mit Einwänden.

»Es ist ja gut und schön, dass Tjorven dir Moses geschenkt hat«, sagte Melcher, »aber auf die Dauer ist es wirklich nicht das Richtige, dass ihr zwei und Vesterman euch aufführt wie Gangster und euch nachts gegenseitig Seehunde klaut.«

Und sie versuchten gemeinsam sich etwas auszudenken, wie man es richtiger machen konnte. Die ganze Familie saß beim Morgenkaffee in der Küche und sie konnten hören, wie Moses oben im Zimmer der Jungen herumwatschelte.

Malin war von dem neuen Untermieter nicht sonderlich entzückt, aber Pelle zuliebe musste sie ihn ertragen. Pelle hatte gerade jetzt Moses nötig, das verstand sie und Vesterman sollte bitte auch so freundlich sein und es verstehen.

»Der will ja nur Geld haben«, sagte Johann. »Kannst du, Papa, ihm nicht 'n paar Hunderter in die Hand drücken, damit Pelle seinen Seehund behalten kann?«

»Drück ihm doch selbst 'n paar Hunderter in die Hand, dann kannst du mal sehen, wie gut das tut«, antwortete Melcher. »In diesem Fall müssen wir uns gegenseitig helfen. Ihr seid ja sonst nicht auf den Kopf gefallen, wenn es darum geht Geld zu verdienen. Fangt nur an!«

Und sie fingen an. Jedes Kind auf Saltkrokan wollte bei dem »Unternehmen Moses«, wie Melcher es nannte, mitmachen. Es war alles wie ein Spiel. Plötzlich machte es so viel mehr Spaß Erdbeerbeete zu jäten und Wasser zu tragen und Boote leer zu schöpfen und Stege zu teeren und für die Sommergäste Koffer zu schleppen, wenn man wusste, dass mit jedem Öre, das man verdiente, die Summe anwuchs, mit der man Vesterman den Moses abkaufen wollte.

Vesterman grinste, als er zum Kaufmann kam und von dem Unternehmen Moses hörte.

»Von mir aus gern«, sagte er. »Mir ist es schnuppe, wer den Seehund kauft. Aber zweihundert will ich haben, und zwar noch in dieser Woche. Denn sonst verkauf ich ihn anderweitig.«

»Zum Kuckuck mit dir, Vesterman«, sagte Tjorven aufrichtig.

Da warf Vesterman ihr ein Fünfundzwanzig-Öre-Stück hin.

»Ein kleiner Beitrag für Moses«, sagte er. »Den werdet ihr nötig haben, denn ich glaube nie und nimmer, dass ihr bis Samstag zweihundert zusammenkriegt. Länger warte ich nicht.«

»Zum Kuckuck mit dir«, sagte Tjorven noch einmal sicherheitshalber. Sie hob das Geldstück jedoch auf und steckte es in Moses' Sparbüchse, die auf dem Ladentisch stand.

»Nein, Tjorven, so etwas sagt man nicht«, sagte Nisse streng. Dann wandte er sich an Vesterman. »Du bist eigentlich ein Gauner, Vesterman, weißt du das?«

Vesterman grinste nur.

Das Unternehmen Moses nahm seinen Fortgang, von Tag zu Tag immer lebhafter.

»Sieh mal hier, Moses, deinetwegen hab ich Blasen an den Händen«, sagte Freddy, nachdem sie einen ganzen Vormittag Teppiche geklopft hatte.

Aber Moses führte sein eigenes Leben und kümmerte sich um keinen Menschen, ihm konnte das Unternehmen Moses gründlich gestohlen bleiben. Seine einsamen Stunden in verschiedenen Bootsschuppen waren ihm offensichtlich nicht gut bekommen. Man konnte ihn kaum wieder erkennen. Er war zappelig geworden und rastlos, geradezu etwas bösartig. Er schrie und zischte viel mehr als früher. Manchmal versuchte er zu beißen.

»Er gehört nicht zu den Haustieren, die ich am liebsten um mich habe«, sagte Malin. Sie sagte es jedoch nicht so, dass Pelle es hörte.

Pelle betete Moses in derselben Weise an, wie er Jocke angebetet hatte, und wenn Moses ihn anzischte, dann streichelte er ihn nur. »Armer kleiner Moses, was hast du? Gefällt es dir nicht bei mir?«

Es hatte den Anschein, als gefiele es Moses nirgends mehr. Im Bootsschuppen wollte er unter keinen Umständen sein und auch nicht im Teich. Am liebsten hielt er sich unten am Ufer auf, aber dort wagte Pelle ihn nicht mehr hinzulassen, denn Onkel Nisse hatte ihn gewarnt.

»Tu ihn in den Teich, sonst reißt er bestimmt eines schönen Tages aus.« Und Pelle hielt Moses im Teich eingesperrt und fragte sich betrübt, wie es wohl wäre, wenn man ein Tier besäße, das nicht ausreißen wollte. Jocke war ausgerissen – zu seinem eigenen Verderb –, aber Pelle hatte gehofft, dass es mit einem Seehund anders wäre. Der arme Moses, weshalb war er so rastlos geworden?

Tottis Bein war jetzt fast geheilt, aber er war noch nicht auf die Schafweide zurückgekommen. Er folgte Stina, wo sie ging und stand. Und Bootsmann folgte Tjorven. Er hatte das nicht von sich aus wieder angefangen, denn er gehörte nicht zu den Hunden, die sich aufdrängten, solange er nicht wusste, wie es sein sollte. Schweigend und friedlich hatte er sich auf seinen gewohnten Platz neben der Treppe gelegt, bis Tjorven hinging und die Arme um ihn schlang.

»Nee, Bootsmann, hier sollst du nicht mehr liegen, niemals mehr!« Da kam er und dann wich er nicht mehr von ihrer Seite.

Da liefen Tjorven und Stina herum, jede mit ihrem Tier. Aber Pelle hatte keines, das ihm auf den Fersen folgte.

»Moses gehört jedenfalls dir«, sagte Tjorven.

Pelle machte ein nachdenkliches Gesicht.

»Ich glaube allmählich, Moses gehört nur sich allein«, sagte er.

Dann kam der Samstag, der Tag, an dem Vesterman seine zweihundert Kronen bekommen sollte.

Im Kaufmannsladen von Saltkrokan herrschte Aufregung. Jetzt sollte das Geld gezählt werden. Der Laden war voller Leute, denn an dieser

Sache war die ganze Insel interessiert. Keiner von den Inselbewohnern gönnte Vesterman auch nur ein Öre.

Sich mit Tjorven anzulegen, mit *ihrer* Tjorven, das sollte er lieber bleiben lassen! Sie standen alle auf ihrer Seite.

Vesterman fühlte das und deshalb sah er noch unverschämter aus als sonst, als er zur festgesetzten Stunde im Laden erschien und sich zum Ladentisch durchdrängte. Dahinter standen alle Kinder in einer Reihe und starrten ihn an, alle Melchersons und alle Grankvists. Tjorven sah am bösesten aus. Es war ja wohl auch die Höhe, dass Vesterman Geld für einen Seehund haben wollte, den er ihr einmal geschenkt hatte und an den sie so viel Milch und Strömlinge und Pflege gewandt hatte. Vesterman grinste sie an und versuchte witzig zu sein.

»Du hast ja so einen sanften Blick, Tjorven. Na, was glaubst du, kriegst du einen Seehund, oder nicht?«

»Das werden wir sehen«, sagte Nisse und kippte die Sparbüchse auf dem Ladentisch aus.

Es wurde ganz still, als er anfing zu zählen. Keiner sagte einen Mucks. Man hörte lediglich das Geld klappern und Nisses Gemurmel.

Pelle hatte sich auf eine Margarinekiste hinter dem Ladentisch gehockt. Es war scheußlich dieses Klappern zu hören. Wenn nun das Geld nicht reichte? Armer Moses, wenn Vesterman ihn nun mitnahm und an Petter verkaufte? Was dann?

Da kam ihm ein Gedanke, der ein bisschen wehtat. Wer sagte denn, dass das für Moses so viel schlimmer wäre? Es machte vielleicht mehr Spaß im Meer herumzuschwimmen mit einem Radiosender auf dem Rücken als hier auf Saltkrokan im Teich herumzuplanschen. Aber am allermeisten Spaß, dachte Pelle, muss es einem Seehund natürlich machen ganz frei im Meer zu schwimmen ohne einen Radiosender oder irgendwas, nur wie ein ganz gewöhnlicher Seehund unter anderen Seehunden.

Mitten in seinen Gedanken hörte er Onkel Nisses Stimme:

»Hundertsiebenundsechzig Kronen und achtzig Öre.«

Ein Raunen der Enttäuschung ging durch den Kaufmannsladen vor Saltkrokan und alle starrten Vesterman an, als wäre er daran schuld, dass nicht mehr Geld in der Sparbüchse war. Nisse blickte ihm fest ins Gesicht.

»Du lässt hoffentlich mit dir handeln?«

Vesterman blickte ebenso fest zurück.

»Lässt *du* je mit dir handeln?«

Da stellte sich Tjorven plötzlich dicht vor Vesterman hin.

»Vesterman, weißt du was? Ich hab dich nie gebeten, dass du mir den Seehund schenkst. Ich hab ihn von dir geschenkt *bekommen*, erinnerst du dich?«

»Fang jetzt nicht wieder damit an«, sagte Vesterman.

Tjorven musterte ihn von oben bis unten.

»Du bist eigentlich ein Gauner, Vesterman, weißt du das?«, fragte sie.

Aber jetzt mischte sich Märta ein.

»Nein, Tjorven, das sagt man aber nicht.«

»Doch, das sagt Papa«, sagte Tjorven und alle lachten herzlich. Vesterman lief rot an vor Zorn. Alles konnte er ertragen, nur nicht, dass man ihn auslachte.

»Wo ist der Seehund? Ich will ihn sofort haben.«

»Lass das, Vesterman«, sagte Melcher, der bisher kein Wort gesprochen hatte. »Ich bezahl die fehlende Summe.«

Aber jetzt wurde Vesterman böse und kehrte alle Stacheln heraus. »Das lässt du schön bleiben! Ich hab einen anderen, einen besseren Anwärter.«

Und da geschah etwas Seltsames: Genau in diesem Augenblick ging die Tür auf und in den Laden trat kein anderer als Vestermans Anwärter. Petter Malm stand in der offenen Tür. Es war Malins Prinz, der da kam, und als Malin ihn sah, begann sie zu zittern. Wie hatte sie sich nach ihm gesehnt, seit er weggefahren war, am allermeisten in den Tagen, als mit Pelle alles so zum Verzweifeln war. Da hatte sie sich so sehr nach ihm gesehnt, dass sie meinte, er müsse es spüren, wo immer er auch war.

Und jetzt stand er hier, er war zurückgekommen. Das musste bedeuten, dass auch er Sehnsucht gehabt hatte.

»Wohnst du in diesem Laden?«, fragte Petter. Er nahm ihre Hände und seine Stimme klang froh, denn er hatte im Schreinerhaus vergeblich nach ihr gesucht. Jetzt hatte er sie gefunden, gottlob, sie war hier und ihre Augen waren warm und glänzten, als sie ihn ansah. Das Erste aber, was sie sagte, klang wie ein Vorwurf. »Petter, *musst* du wirklich einen Seehund haben?«

Bevor Petter antworten konnte, ging Vesterman auf ihn zu, zufrieden grinsend. Jetzt konnten die Inselbewohner stehen und starren, jetzt würde er ihnen zeigen, wie Kalle Vesterman Geschäfte machte, Kalle Vesterman, der seine Seehunde verkaufte, an wen er wollte ohne jemanden auf Saltkrokan um Erlaubnis zu fragen!

»Sie kommen gerade richtig«, sagte er. »Sie können den Seehund jetzt kaufen. Dreihundert, dann sind wir quitt.« Petter Malm lächelte ihn freundlich an.

»Dreihundert, ist das nicht ein bisschen viel für einen Seehund? Ich hab nicht die geringste Lust so viel auszugeben.«

Tjorven und Stina warfen ihm einen Blick zu, der zeigte, was sie von ihm dachten. Ach, weshalb hatten sie nur diesen Frosch geküsst!

»Na schön, dann zweihundert«, sagte Vesterman eifrig. Immer noch lächelte Petter freundlich, denn er hatte ein freundliches Gemüt.

»Soso, für zweihundert kann ich ihn kriegen, das ist billig. Das Dumme ist nur, ich will gar keinen Seehund kaufen.«

»Sie wollen keinen...« Vesterman sperrte einfältig Mund und Augen auf. »Sie sagten doch aber...«, begann er wieder.

»Danke, aber ich möchte tatsächlich keinen Seehund haben«, sagte Petter Malm. »Jedenfalls nicht diesen Seehund.«

Im Kaufmannsladen brach ein Jubel los und Vesterman ging wütend zur Tür. Aber Nisse rief ihm nach:

»Nimm trotzdem das Geld hier und gib dich damit zufrieden!«

Jetzt hatte Vesterman die Nase voll von allem, was Seehundgeschäfte hieß, und außerdem schämte er sich, nicht weil er habsüchtig war, sondern weil sie alle dachten, er sei es. Deshalb wollte er kein Geld haben und keinen Seehund und überhaupt nichts. Er wollte nur noch aus dem Laden wegkommen und keinen Menschen sehen, der auf Saltkrokan zu Hause war.

»Nimm du deinen alten Seehund, Tjorven«, sagte er. »Ich mach mir einen Dreck aus dem und aus euch allen miteinander.«

Und dann war er verschwunden.

Jetzt wurde Pelle lebendig.

»Nein, er *muss* aber das Geld nehmen, sonst merk ich doch gar nicht, dass es wirklich mein Seehund ist.«

Und er riss die Tüte an sich, in die Nisse Grankvist das Geld gesteckt hatte, und rannte hinter Vesterman her.

Sie warteten alle mit Spannung und nach einer Weile kam Pelle zurück, rot im Gesicht.

»Doch, er hat's schließlich genommen. Er sagte nämlich, er hätte es nötig.«

Malin strich ihm zärtlich über die Wange.

»Nun, Pelle, ist es jedenfalls dein Seehund.«

»Und jetzt hat man hoffentlich endlich mal einen freien Augenblick!«, sagte Teddy.

Was dann weiter geschah, schrieb Malin in ihr Tagebuch: Friede mit Moses, wo immer er im Meer schwimmt! Pelle hat seinem Seehund gestern Abend die Freiheit geschenkt. Wir kamen gerade zum Steg hinunter, Papa, Petter und ich, als es geschehen war. Da stand er, mein herzliebes Brüderchen, mit blanken Augen, und schaute seinem Seehund nach, den er noch immer weit draußen auf dem Fjord undeutlich sehen konnte.

»Warum denn, Pelle, warum denn nur?«, fragte Papa.

Und Pelle sagte mit rauer Stimme: »Ich wollte nicht, dass ein Tier, das mir gehört, sich woanders hinsehnen muss. Jetzt ist Moses da, wo Seehunde sein *sollen*.«

Ich hatte einen Kloß im Hals und sah, dass Papa auch ein paarmal schluckte. Wir schwiegen. Aber Tjorven und Stina waren auch dabei und Tjorven sagte:

»Pelle, weißt du was, es hat nicht viel Sinn, dass man dir einen Seehund schenkt. Jetzt hast du ja doch kein Tier, das dir gehört.«

»Bloß meine Wespen«, sagte Pelle, und seine Stimme klang noch rauer. Da geschah etwas – ach, Petter, dafür werde ich dich segnen, solange ich lebe! Petter stand mit Jumjum auf dem Arm da und sagte plötzlich so ruhig, wie er alles sagt:

»Ich finde aber, Pelle soll nicht nur Wespen haben. Ich finde, er soll Jumjum haben.«

Er trat auf Pelle zu und legte ihm den kleinen Hund in die Arme.

»Jumjum wird sich nie woanders hinsehnen«, sagte Petter.

»Nee, denn der Hund, der kriegt es mal gut«, sagte Tjorven, als sie endlich begriffen hatte, was passiert war.

Pelle war ganz blass geworden und schaute abwechselnd Petter und Jumjum an. Er bedankte sich nicht, er sagte gar nichts. Ich aber tat etwas, was ich jetzt hinterher selber nicht begreife. Ich stürzte zu Petter hin und gab ihm einen Kuss und als ich das getan hatte, gab ich ihm noch einen – und dann noch einen!

Es sah so aus, als ob Petter es mochte.

»Denkt bloß, dass so ein kleiner Welpe so viel bewirken kann«, sagte er. »Weshalb habe ich nicht einen ganzen Wurf mit hergebracht?«

Tjorven und Stina schauten uns belustigt zu. Ich glaube, sie fanden diese Vorstellung interessant. Aber Tjorven sagte:

»Küss ihn nicht zu viel, Malin. Man kann nie wissen, vielleicht wird er dann doch wieder ein Frosch!«

Kleine Kinder haben wahrhaftig seltsame Einfälle in ihren runden Schädeln. Ich weiß nicht, wo sie es herhaben, aber Tjorven und Stina scheinen allen Ernstes zu glauben, dass Petter ein verwunschener Froschprinz ist, einem Graben entstiegen. In Stinas armem Köpfchen wimmelt es ja von verwunschenen Prinzen und Aschenbrödeln und Rotkäppchen und wer weiß was allem, und als sie Moses draußen auf dem Fjord verschwinden sah, da sagte sie zu Tjorven:

»Ich glaub jedenfalls, dass Moses der kleine Sohn vom Meerkönig ist. Da draußen schwimmt Prinz Moses!«

Ja, er schwamm dort draußen und ich hoffe von Herzen, Prinz Moses ist so glücklich, wie Pelle es sich vorstellt.

»Du sollst mal sehen, Pelle, Moses kommt hin und wieder her und besucht dich«, sagte Petter. »Er ist immerhin ein zahmer Seehund und unvermutet macht er eines Tages einen kleinen Ausflug nach Saltkrokan.«

»Wenn der Meerkönig ihn lässt, ja«, sagte Stina.

Nun ja, ob nun der Meerkönig Moses ziehen lässt oder nicht, Pelle ist in diesem Augenblick jedenfalls ein sehr glücklicher Pelle.

Und ich bin eine glückliche Malin. Petter fuhr zwar in die Stadt zurück, als die »Saltkrokan I« vor einer Weile abdampfte, aber trotzdem – man denke –, ich weiß jetzt endlich, wie es ist! Und tatsächlich ist es fast so, dass man meint, man müsse daran sterben. Wie lange kann es so sein? Petter ist ein beständiger Petter, sagt er. Bin ich eine beständige Malin? Wie soll ich das wissen? Ich hoffe es aber. Ich glaube es. Eins ist auf alle Fälle sicher: Pelle braucht eine beständige Malin und die muss er haben, was auch geschehen mag. Pelle hat Petter gern, das ist richtig und wie wäre es auch anders möglich? Aber gleichzeitig ist er wie gewöhnlich ein wenig ängstlich, und als er gestern Abend in seinem Bett lag, Jumjum neben sich und so glücklich, dass er nur so strahlte, da wurde er plötzlich ernst und schlang die Arme um meinen Hals.

»Du bist doch auf jeden Fall meine Malin?«

Ja, mein allerliebstes Brüderchen, das bin ich. Und wenn Tjorven und

Stina auch der Meinung sind, dass ich eigentlich schon viel zu sehr vom Alter gebeugt sei um mir überhaupt einen verwunschenen Prinzen angeln zu können, so finde ich trotzdem, dass der Prinz ein paar Jahre auf mich warten kann. Und er hat gesagt, er werde es tun.

Jetzt dämmert eine neue Juninacht über Saltkrokan herauf. Und jetzt will ich schlafen. Morgen aber werde ich erwachen und dann auch glücklich sein. Das glaube ich, tralala!

Tjorven verdient drei Kronen

Am Montagmorgen erwachte Pelle früh, weil Jumjum jaulte und er nahm ihn zu sich ins Bett. Mit der Nase an seinem Hals schlief der Welpe wieder ein, Pelle jedoch nicht. Es wäre ja Wahnsinn zu schlafen, wenn man wach liegen und so durch und durch, ganz bis in die Zehen hinunter glückselig sein und wissen konnte, dass dieses Weiche, Warme, das man dicht bei sich hatte, Jumjum war, sein eigener Hund. Nicht möglich, dass man so furchtbar schrecklich glücklich sein konnte! Mitten in all dieser Glückseligkeit erinnerte er sich an Moses. Es kam ihm ein wenig ungerecht vor, dass er ihn nicht so sehr vermisste, wie er eigentlich müsste.
»Aber«, erklärte er seinem schlafenden Jumjum, »Moses vermisst mich auch nicht, da kannst du ganz sicher sein. Er schwimmt bestimmt herum und spielt mit anderen Seehundsjungen und amüsiert sich.«
Einen Augenblick dachte er auch an Jocke. Das tat ein bisschen weh. Nicht so sehr Jockes wegen, sondern weil es ihn auch daran erinnerte, was geschehen *konnte*, wenn die Welt manchmal beschloss, ein Jammertal zu sein. Er schob den Gedanken von sich und das war nicht schwer. Denn jetzt wurde Jumjum wach und war sofort voller Leben. Er schnupperte Pelle im Gesicht herum und leckte ihn und schnappte nach seinem Schlafanzug und bellte und kläffte und sprang im Bett herum und Pelle lachte. Das Lachen war so voller Glück, dass Malin Tränen in die Augen bekam, als sie es unten in der Küche hörte, und sie unterbrach das Brotrösten nur um es zu genießen. Ach, Pelle, lach noch mehr, damit ich ganz sicher weiß, dass du wieder lachen *kannst*!
Was konnte einem ein Tag alles bescheren, der mit dem glücklichen

Lachen eines Jungen begann und mit so wunderbar schönem Wetter? Die letzte Woche war scheußlich gewesen, nur Wind und Regen und Kälte, und jetzt plötzlich dieser wunderbare Morgen – Malin beschloss, den Frühstückstisch draußen im Garten zu decken.

Ihr Vater zog sich gerade in der Mädchenkammer an und sang dabei.

»Es ist Montagmorgen – und ich fühle mich so fro-o-oh!«

»Du sollst nicht auf nüchternen Magen singen«, rief Malin zu ihm hinein. »Dann wirst du noch vor Abend weinen, weißt du das nicht?«

»Aberglauben und dummes Zeug«, sagte Melcher und er kam singend in die Küche.

»Findest du nicht, dass genug geweint worden ist?«, sagte er. »Jetzt ist Schluss mit dem Geheule.«

Sie deckten gemeinsam den Frühstückstisch an der Giebelseite des Hauses. Malin stand in der Küche und reichte Melcher alles durchs Fenster und nachdem sie fertig waren, sah Melcher sich um:

»Und wo sind nun meine drei hungrigen Jungen?«

Die beiden älteren kamen vom Wasser herauf. Sie waren früh draußen gewesen und hatten geangelt. Zwar hatten sie nichts gefangen, aber in der Morgensonne an einem Barschgrund sitzen, das konnte man trotzdem tun, die Stunden waren nicht vergeudet und man bekam davon Appetit.

»O, Malin, hast du Waffeln gebacken?« Niklas sah seine Schwester und die Waffeln mit innigem Wohlbehagen an.

»Ja, das hab ich getan, aus Dankbarkeit, weil dieser liebe kleine Montagmorgen sich in jeder Weise so prächtig anlässt.«

Melcher nickte zustimmend.

»Ja, es ist ein wunderbarer Morgen und ein wunderbarer Frühstückstisch, von Melcher eigenhändig gedeckt: Waffeln, Kakao, Kaffee, Jogurt, Toastbrot, Butter, Käse, Marmelade, Eingemachtes und Wespen. Was begehrt ihr sonst noch?«

»Hast du auch die Wespen gedeckt?«, fragte Johann.

»Nein, das Viehzeug ist ganz von selber gekommen. Es ist wirklich nicht zu glauben, dass wir uns auch in diesem Jahr wieder mit diesem Wespennest abplagen müssen!«

Melcher verscheuchte ein paar Wespen von dem Marmeladenglas. Aber selbst wenn Pelle mit dem wunderbarsten Welpen der Welt auf dem Arm dasaß, so war in seinem Herzen noch immer Platz für alle anderen Tiere und Insekten unter dem Himmel und er sagte vorwurfsvoll:

»Lass meine Wespen, Papa! Die wollen doch auch im Schreinerhaus wohnen, das kannst du dir doch denken. Genau wie wir!«

Und natürlich verstand Melcher, dass man im Schreinerhaus wohnen wollte. Das verstanden sie alle.

»Es ist seltsam, wie einem diese alte baufällige Bude ans Herz gewachsen ist«, sagte Malin.

Die Hauswand in ihrem Rücken, der rote Giebel des Schreinerhauses, strahlte eine Wärme aus, die nicht nur vom Sonnenschein herrührte, meinte Malin. Sie empfand das ganze Haus beinahe als ein Lebewesen, ein sicheres und gütiges und warmes Lebewesen, das sie alle in ihre Obhut nahm.

»Baufällig – nun, das ist nur halb so schlimm«, sagte Melcher. »Die Holzverschalung muss hier und da etwas ausgebessert werden, aber das Haus ist aus gesundem alten Kernholz. Ja, allerdings, das Dach ist schadhaft. Wenn das Haus mir gehörte, dann würde ich es wieder herrichten und eine Wohnung daraus machen, dass euch die Spucke wegbliebe.«

Machte ich mir eine Wohnung zuäußerst im Meer und deckte das Dach neu, dachte Pelle, wahrhaftig, das wäre etwas!

»Und dann dieses Grundstück«, sagte Melcher. »So eins findet man nicht noch einmal.«

Sie saßen da und aßen ihre Waffeln und schauten auf ihren Garten und ihr Schreinerhaus und fanden alles ganz unvergleichlich schön. Der wilde Jasmin blühte und sandte seinen süßen Duft aus, die Heckenrosen waren übersät mit zartrosa Knospen, der Erdboden war grün und voller Blüten wie eine Paradieswiese und wellte sich weich zum Ufer hinab bis an den Steg, wo die Möwen kreischten. O ja, es war alles unbeschreiblich schön.

»Stellt euch doch nur vor, ein einfacher Schreiner hat sein Haus so genau auf den richtigen Platz gestellt«, sagte Melcher. »Mit dem Schuppen im rechten Winkel dazu. Sieht es nicht aus, als wäre alles wie von selber aus dem Boden gewachsen? Einen Hofplatz wie diesen hier, dafür hätte der Schreiner eine Medaille bekommen müssen.«

»Papa, es ist doch sicher, dass wir hier immer wohnen bleiben?«, fragte Pelle. »Ich meine, jeden Sommer?«

»Aber ja, aber ja«, sagte Melcher. »Und heute kommt Mattsson, er hat angerufen und bei Nisse Grankvist Bescheid gesagt. Nun wird also endlich ein neuer Vertrag gemacht.«

Während Melchersons beim Frühstück saßen, machte Tjorven mit Bootsmann einen Morgenspaziergang. Sie ging zum Anlegesteg um die Schwäne zu füttern. Die kamen jeden Morgen und kriegten altes Brot von ihr, ein Schwanenvater und eine Schwanenmutter und sieben Junge, lauter kleine graue Bälle. Als sie gerade da stand, kam ein großes Motorboot, eins, das sie nicht kannte. Es hatte drei Personen an Bord. Einer davon war dieser Mattsson, den sie schon kannte, weil er ein paarmal im Jahr kam. Aber der andere, dieser große dicke Kerl mit der Schiffermütze, der das Boot lenkte, der war noch nie auf Saltkrokan gewesen und das Mädchen, das dabei war, auch nicht. »Wirf die Leine rüber«, sagte Tjorven. Mattsson schleuderte sie ihr zu und sie machte sie fest.

»Sieh mal an, du bist aber tüchtig«, sagte der mit der Schiffermütze, als er an Land gesprungen war. »Das ist ja ein vorzüglicher Knoten!« Tjorven lachte.

»Knoten? Das ist ein doppelter Halber Schlag.«

»Hm«, machte der mit der Schiffermütze. »Und wann hast du den gelernt?«

»Das konnte ich schon immer«, sagte Tjorven.

Da holte er ein blankes, ganz neues Kronenstück aus der Tasche und schenkte es ihr. Sie starrte verblüfft darauf und dann lächelte sie ihn an.

»Das ist gut bezahlt für einen doppelten Halben Schlag.«

Jetzt hörte er ihr aber nicht mehr zu und beachtete sie überhaupt nicht mehr. »Komm, Lotta«, rief er und das Mädchen sprang an Land.

Tjorven fand sie riesig fein mit den engen hellblauen langen Hosen und dem weißen Jumper und dem schönen braunen, dauergewellten Haar. Die Glückliche, die hatte eine Dauerwelle und war doch höchstens so alt wie Teddy. Sie sah allerdings unfreundlich aus und sagte Tjorven nicht guten Tag. Aber sie hatte einen kleinen weißen Pudel auf dem Arm und Tjorven sah sich nach Bootsmann um. Es wäre vielleicht nett für ihn, wenn er mal mit einem Pudel zusammenkäme. Aber Bootsmann war am Ufer entlanggeschlendert und halbwegs bis zur Landzunge gelangt. Ja, da war er eben selber schuld, denn jetzt ging Lotta mit ihrem Pudel fort. Mattsson wollte zum Schreinerhaus, das war Tjorven klar. Weshalb er diese beiden anderen mitschleppte, konnte sie nicht begreifen und sie dachte auch nicht weiter darüber nach, folgte ihnen aber auf den Fersen, denn sie wollte ja auch dorthin und Pelle aufsuchen.

»Aha, da ist ja endlich Herr Mattsson«, sagte Melcher, als er die Besucher durch die Gartenpforte kommen sah. »Bitte, treten Sie näher, wir wollen nur eben den Tisch abräumen, dann können wir den Vertrag hier unterschreiben.«

Mattsson war ein kleiner, nervöser und wichtigtuerischer Herr und er trug einen Anzug, den Malin grausig fand. Der war kariert und geradezu wunderbar hässlich. Doch der Anzug konnte nicht allein schuld daran sein, dass sie ein ausgesprochenes Unbehagen empfand, als sie Mattsson sah und auch die beiden anderen.

Mattsson stellte seine Begleitung vor.

»Dies ist Herr Direktor Karlberg und seine Tochter… Sie wollen sich gern einmal das Schreinerhaus ansehen.«

242

»Das lässt sich wohl machen«, sagte Melcher. »Aber warum wollen sie das denn?«

Mattsson erklärte es ihm. Es sei nämlich so, dass Frau Sjöblom das Schreinerhaus zu verkaufen gedenke. Sie sei alt und habe keine Lust mehr zu vermieten, und darum...

»Nun mal langsam«, sagte Melcher. »Ich bin hier schon Mieter, wenn ich mich nicht ganz irre. Und ich sollte heute einen neuen Vertrag unterschreiben auf ein Jahr oder wie, Herr Mattsson?«

»Das geht leider nicht«, sagte Mattsson. »Frau Sjöblom will verkaufen, dagegen ist nichts zu sagen. Wollen Sie wohnen bleiben, dann kaufen Sie doch den Besitz selbst. Das heißt, falls Sie ein besseres Angebot machen können als Direktor Karlberg.«

Melcher begann zu zittern, er fühlte, wie eine verzweifelte Wut in ihm hochstieg, die ihn fast erstickte. Wie konnte einfach jemand daherkommen und mit ein paar Worten ihm und seinen Kindern alles, aber auch alles zerstören? Vor zwei Minuten haben sie noch hier gesessen und sind fröhlich und glücklich gewesen und im nächsten Augenblick liegt alles in Schutt und Asche und ist zu Ende. Kaufen Sie den Besitz – welch ein Hohn! Du liebe Güte, er konnte nicht einmal eine Hundehütte kaufen bei seinen Einkünften! Eine Jahresmiete zurzeit, die konnte er zusammenkratzen, das schaffte er schon noch und deshalb hatte er voller Zuversicht einer langen Reihe von Jahren hier im Schreinerhaus entgegengesehen. Endlich hatte er einen Platz gefunden, wo seine Kinder Wurzeln schlagen und die Sommer ihrer Kindheit verleben durften, so wie er es selbst gehabt hatte, Sommer, an die sie ihr Leben lang denken konnten. Und dann kommt da ein Mensch und sagt ein paar Worte und alles ist zu Ende!

Er traute sich nicht seine Kinder anzusehen. Da hörte er Pelles zitternde Stimme:

»Papa, du hast aber doch *gesagt*, wir würden immer hier wohnen.«

Melcher schluckte heftig. Ja, was hatte er nicht alles gesagt! Dass sie immer hier wohnen würden! Und dass es Schluss sein solle mit dem Geheule, das hatte er wohl auch gesagt und da stand er nun und hätte in seiner Ohnmacht am liebsten geheult wie ein Hund. Während Mattsson zwei Meter von ihm entfernt an den Mehlbeerbaum gelehnt stand und aussah, als wäre dies ein ganz gewöhnlicher Tag und ein ganz alltägliches kleines Geschäft.

»Wollen Sie«, sagte Melcher bitter, »wollen Sie wirklich, dass wir hier ausziehen, ich und meine Kinder?«

»Nicht gleich natürlich«, sagte Mattsson. »Wenn aber Direktor Karlberg kauft – er oder jemand anders –, dann müssen Sie wohl mit dem neuen Besitzer abmachen, wie lange Sie hier wohnen bleiben können.«

Direktor Karlberg vermied es Melcher anzusehen. Er redete mit Mattsson, als wäre kein Mensch sonst zugegen.

»Doch, auf jeden Fall, ich könnte mir schon denken das Haus zu kaufen, wenn wir uns über den Preis einig werden. Mit dem Haus ist ja nichts mehr los, das sehe ich mit einem Blick, und das müsste man dann abreißen. Aber so ein Grundstück, das findet man nicht alle Tage.«

Melcher hörte ein dumpfes Gemurmel von seinen Kindern und er biss die Zähne zusammen.

Jetzt mischte sich auch Lotta Karlberg ins Gespräch.

»Ja, Papa, das Haus ist wirklich schrecklich. Aber man könnte ja so einen süßen Bungalow bauen, du weißt, so einen, wie Kalle und Anna Greta einen haben.«

Ihr Vater nickte, aber er schien etwas unangenehm berührt. Vielleicht fand er, es gehe doch zu weit, dass Lotta zu diesem Zeitpunkt schon Kalles und Anna Gretas Bungalow erwähnte.

Tjorven fand es ebenfalls. Sie fand, es gehe zu weit. Das fand sie schon lange. Diese Lotta, da saß sie auf der Treppe zum Schreinerhaus und sah aus, als gehörte das ganze Haus ihr! Tjorven stellte sich breitbeinig vor sie hin. »Lotta, weißt du was«, sagte sie. »Ich finde, du bist ein Bongalo, so groß wie du bist.«

244

Jetzt wurde es Lotta klar, dass sie eine Feindin bekommen hatte. Übrigens nicht nur eine. Alle diese Kinder, die da standen und sie anstarrten, waren ihre Feinde und sie hatte nichts dagegen. Im Gegenteil, sie genoss es, denn sie fühlte ihre Überlegenheit. Ihr Vater konnte entscheiden, ob diese Kinder dort wohnen bleiben sollten oder nicht. Daher wäre es schon besser, sie nähmen sich in Acht. Sie brauchten ihr wirklich nicht so ins Gesicht zu starren, als hätte sie hier nichts zu suchen.

»Man hat doch wohl das Recht einen Besitz zu kaufen, wenn man will«, sagte sie hochnäsig in die blaue Luft hinein.

»Ja, klar«, sagte Teddy. »Und so 'n Bungalow hinzubauen, wie Kalle und Anna Greta einen haben. Tut das nur ruhig.«

»Diese alte Bruchbude, die können wir ja abreißen«, sagte Freddy.

»Macht man los!«

Teddy und Freddy waren angelaufen gekommen, sobald sie hörten, was hier vor sich ging. Beim Kaufmann wusste man auf irgendwie übernatürliche Art und Weise über alles Bescheid, was auf der Insel geschah, noch fast ehe es geschehen war. Teddy und Freddy wollten in der Stunde der Bedrängnis bei ihren Freunden sein – wozu hatte man sonst seine Freunde? Noch nie hatten sie Johann und Niklas so niedergeschlagen und so finster gesehen. Und Pelle erst! Er saß noch immer am Frühstückstisch, kreidebleich im Gesicht, und neben ihm saß Malin. Sie hatte den Arm um Pelle gelegt und sie war auch ganz blass. Es war alles grauenhaft und unerträglich und dann kam dieses versnobte Mädchen und schrie herum, dass man einen Bungalow bauen wolle. Kein Wunder, dass Teddy und Freddy in Wut gerieten.

»Was ist eigentlich ein Bongalo?«, fragte Tjorven ihre älteren und klügeren Schwestern.

»Wahrscheinlich irgendetwas ganz Blödes«, sagte Teddy.

»Von oben bis unten blöde, genau wie die da«, sagte Freddy und zeigte mit dem Daumen in Lottas Richtung.

245

Es war eine schreckliche Vorstellung, dass die vielleicht auf einmal ihre Nachbarin sein würde und nicht mehr Johann und Niklas und Pelle und Malin und Melcher.

»Man darf sich das Haus doch wohl mal von innen ansehen«, sagte Direktor Karlberg und zum ersten Mal wandte er sich an Melcher. »Falls Sie gestatten, Herr Melcherson?«, fügte er hinzu und es gelang ihm, dass es wohlwollend und gleichzeitig hochnäsig klang.

O ja, Herr Melcherson gestattete es. Was sollte er denn sonst tun? Er war ein geschlagener Mann und er wusste es. Er ging jedoch mit ins Haus und Malin ebenfalls. Ihr Vater sollte mit diesen beiden Herren, die ihm sein Schreinerhaus wegnehmen wollten, nicht allein bleiben. Und im Übrigen dachte sie nicht daran, irgendwelche Leute in ihrem Haus herumstiefeln und alles schlecht machen zu lassen, was sie so sehr geliebt hatten. Es war ein Zuhause, in dem Menschen wohnen und sich wohl fühlen konnten, da komme keiner an und streite das ab! Und es gehörte ihnen. Sie hatten alle gemeinsam etwas Lichtes und Sommerliches und Alltagsschönes daraus gemacht, und das Schreinerhaus hatte ihnen seinen Segen gegeben, das wusste Malin. Das Schreinerhaus und Melchersons gehörten zusammen. Jetzt aber kamen andere Leute daher, die wohl nur bemerkten, dass der Fußboden hier und da nachgab und dass die Fenster ein bisschen schief und verzogen waren und dass an der Decke hier und da feuchte Stellen waren. Armes altes Schreinerhaus. Malin spürte, dass sie es beschützen und verteidigen musste, und deshalb stand sie hier und hielt den ungebetenen Gästen und ihrem armen Vater die Tür auf. Sie gab ihm heimlich einen tröstenden Stoß und da sah er sie mit einem dankbaren und betrübten entschuldigenden Lächeln an. Das war fast mehr, als sie ertragen konnte.

Lotta ging nicht mit hinein. Das Haus sollte ja sowieso abgerissen werden, falls Papa es kaufte, und sie wollte hier draußen bei den Kindern bleiben und ihre Überlegenheit genießen. Es waren zwar sechs, aber sie war gespannt, ob sie sechs Feinde auf einmal bewältigen konnte

Mit solchen Sachen wurde sie ganz gut fertig, denn sie hatte reichlich Übung, da es ihr niemals Schwierigkeiten bereitet hatte sich Feinde zu machen.

Außerdem hatte sie ihren Pudel, ganz allein war sie nicht. Mulli zum mindesten fand genau wie sie selber, dass Lotta Karlberg etwas sehr Vornehmes und Hochstehendes sei, und das zu spüren verlieh ihr Kraft. Sie hatte Mulli auf dem Arm, damit er nicht auf Pelles Welpen losgehen konnte, und dann machte sie leise trällernd eine Runde ums Haus, so als wollte sie es in Augenschein nehmen. Aber in Wirklichkeit wollte sie sehen, wie sehr sie die anderen ärgern konnte, die da herumstanden und sie wortlos anstarrten. Es gehörte Mut dazu ganz unbekümmert vor ihren Augen hin und her zu gehen, und sie hätte es niemals tun können, wenn sie sich nicht absolut überlegen gefühlt hätte. Was kümmerten sie ein paar Bauerngören!

»Mullichen«, sagte sie, »würde es dir nicht gefallen, wenn du im Sommer hier wohnen könntest? In einem richtigen Haus natürlich, nicht in diesem alten Kasten!«

Sie rüttelte an einem Fensterblech um Mulli zu zeigen, welchen alten Kasten sie meinte. Es war das Blech zum Fenster der Mädchenkammer und es saß lose. Die Melcherson-Kinder wussten das, aber Lotta wusste es nicht und sie war etwas betroffen, als sie das Blech plötzlich in der Hand hatte. Sie machte eifrige und vergebliche Versuche, es wieder an seinen Platz zu bringen, bis Niklas kam und es ihr wegnahm. Er setzte es mit einem geübten Griff wieder ein und stieß zwischen den Zähnen hervor:

»Hör mal, du kannst mit dem Abreißen von diesem alten Kasten wenigstens warten, bis ihr ihn gekauft habt.«

Lotta warf den Kopf in den Nacken, aber so wohl wie vorher war ihr nicht zumute, und um das zu verbergen versuchte sie ein Gespräch mit Pelle anzufangen – er hatte ja auch einen Hund und über Hunde konnte man sich immer unterhalten.

»Soso, du hast einen Cockerspaniel«, sagte sie.

Pelle antwortete nicht. Es ging sie nichts an, was er hatte, und im Augenblick war er so verzweifelt, dass es ihn auch kaum etwas anging.

»Na ja, sie sind ja niedlich, aber nicht besonders klug«, sagte Lotta. »Pudel sind viel klüger.«

Pelle gab noch immer keine Antwort und nun kam sich Lotta blöde vor. So still durfte es nicht sein, das machte sie unsicher und daher wandte sie sich an Tjorven.

»Du hättest wohl auch gern einen kleinen Hund, könnte ich mir vorstellen?«

Tjorven hatte Lotta so böse ins Gesicht geschaut wie keines von den anderen. Jetzt aber lächelte sie, wahrhaftig.

»Ich hab schon einen kleinen Hund«, sagte sie. »Möchtest du ihn sehen?«

Lotta schüttelte den Kopf.

»Nein, hol nicht noch mehr Hunde her. Mulli wird nur böse und geht auf ihn los.«

»Dann ist er auch ein Bongalo«, sagte Tjorven. »Aber ich wette, dass er auf meinen Hund nicht losgeht.«

»Das denkst du so«, sagte Lotta. »Du kennst Mulli nicht.«

»Wollen wir wetten?«, fragte Tjorven. »Um eine Krone?« Und sie hielt das Geldstück hoch, das sie von Lottas Vater bekommen hatte.

»Meinetwegen«, sagte Lotta, »aber du bist selber schuld!«

Sie merkte, wie ein erwartungsvolles Gemurmel von allen Kindern kam. Na ja, wenn sie so versessen auf eine Hunderauferei waren, dann wollte sie ihnen gleich eine vorführen! Mulli war zwar klein, aber so giftig, dass er leicht überkochte, und er ließ sich ohne Besinnen mit Hunden ein, die viel größer waren als er selber. Und mit kleineren natürlich auch. Daheim in Norrtälje war er der Schrecken aller Damen. »Er bildet sich offenbar ein, er wäre ein Bluthund«, hatte erst gestern eine gesagt, als Mulli sich auf deren großen Boxer gestürzt hatte. Also nur los, wollten diese Bauernkinder eine Hunderauferei sehen, dann sollten sie sie haben! Mulli schaffte es immer.

»Halt deinen Welpen fest«, sagte Lotta zu Pelle, »ich setz Mulli jetzt runter.«

Und das tat sie. Sie setzte Mulli auf die Erde. Nun hieß es nur auf diesen Hund zu warten, auf den er losgehen sollte.

Bootsmann lag im Schatten der Fliederhecke und schlief, aber er erhob sich bereitwillig, als Tjorven ihn weckte. Er richtete sich in all seiner Mächtigkeit auf und in all seiner Mächtigkeit kam er ums Haus herum. Und dort traf er Mulli.

Da hörte man ein Keuchen und einen Schrei, das kam von Mullis Frauchen. Mulli seinerseits blieb vor Entsetzen zwei Sekunden stehen und sah dem Wunder entgegen, das da näher kam. Aber dann stieß er ein Gejaul aus und schoss wie ein weißer Dampfstrahl zum Gartentor hinaus.

Bootsmann guckte ihm erstaunt nach. Weshalb hatte der es so eilig? Er hätte ihn doch wenigstens erst mal begrüßen können. Bootsmann ging als der brave Hund, der er war, zu Lotta um sie zu begrüßen, und da flitzte Lotta mit einem Geheul hinter den Mehlbeerbaum und suchte hier Schutz.

»Nimm deinen Hund weg«, rief sie wie wild, »nimm ihn weg!«

»Warum brüllst du so?«, fragte Tjorven. »Bootsmann geht auf keinen los, er ist doch kein Bongalo.«

Johann lag bäuchlings im Gras und wimmerte vor Lachen. Es hätte ebenso gut ein Weinen sein können, aber jetzt lachte er und er konnte nicht wieder aufhören.

»Oh, Tjorven«, wimmerte er, »oh, Tjorven!«

Tjorven warf ihm einen erstaunten Blick zu, aber dann drehte sie sich zu Lotta um.

»Ich hab gewonnen! Her mit der Krone!«

Lotta war wieder zum Vorschein gekommen, als sie hörte, dass Bootsmann nicht gefährlich sei. Aber jetzt war sie verlegen und böse und wollte nicht mehr mitmachen. Maulend kramte sie in ihrer Tasche nach einem Portemonnaie und Tjorven bekam ihre Krone.

»Danke«, sagte Tjorven. Sie hielt den Kopf schief und sah Lotta an. »So eine wie du, die sollte nicht wetten«, sagte sie. »Das müssen solche sein wie ich und Herr Melcher.«

Lotta schaute ungeduldig auf die Tür des Schreinerhauses. Kam ihr Vater nicht endlich, damit sie gehen konnten? Hier wollte sie nicht mehr bleiben.

»Rat mal, was Herr Melcher mal gewettet hat«, sagte Tjorven. »Aber es ist schon viele Jahre her.«

Lotta interessierte es nicht, was Herr Melcher vor vielen Jahren getan hatte, aber das war Tjorven egal.

»Er hat mit einem anderen Herrn gewettet, dass er vierzehn Tage nichts essen wollte und vierzehn Nächte nicht schlafen. Wie findest du das?«

»Albern finde ich es«, sagte Lotta. »Das konnte er ja gar nicht.«

»Klar konnte er das«, sagte Tjorven triumphierend. »Er hat am Tag geschlafen und nachts gegessen. Was sagst du nun?«

»Oh, Tjorven«, stöhnte Johann.

Dann aber hörte er auf zu lachen, denn jetzt trat Direktor Karlberg in Begleitung von Mattsson auf die Treppe hinaus und Johann hörte, was er da Entsetzliches sagte. Sie hörten es alle.

»Das Haus ist wertlos, aber ich werde wohl trotzdem zuschlagen. Dieses Grundstück ist kein schlechtes Geschäft, glaube ich.«

Unten an der Treppe stolperte er über Tjorven. Er hätte sie beinahe umgerannt und das ärgerte ihn. Aber Tjorven ließ sich nicht aus der Ruhe bringen.

»Direktor Karlberg, weißt du was«, sagte sie, »ich kann einen komischen Vers. Möchtest du den hören?«

Und bevor Herr Karlberg noch antworten konnte, fing sie an:

»Adam und Eva, im Paradies daheim,
schlachteten ihr dickes, kleines Schwein.
Den Speck, den fetten, verkauften sie,
behielten für sich den Rest vom Vieh.
Das war doch auch kein schlechtes Geschäft, was?«
Direktor Karlberg machte ein erstauntes Gesicht.
»Das habe ich nicht verstanden«, sagte er. Aber er steckte die Hand in
die Tasche und holte eine Krone heraus. Es war nett von der Kleinen
ihm Verse aufzusagen, außerdem hatte er sie eben getreten. Er hatte es
jedoch eilig und so drückte er ihr eine Krone in die Hand um sich auf
diese Weise von ihr loszukaufen.
»Ich danke dir«, sagte er und dann wandte er sich an Mattsson. »Ich
möchte das vorher noch mit meiner Frau besprechen. Wir können abmachen, dass ich morgen Nachmittag um vier Uhr zu Ihnen ins Büro
komme, würde das passen?«
»Ausgezeichnet«, sagte Mattsson.

Abends saßen sie in der Küche des Schreinerhauses, Grankvists und
Melchersons. Viele Abende hatten sie hier zusammen gesessen, aber nie
so mutlos, nie so schweigsam. Und was sollten sie auch sagen? Melcher
sagte kein Wort. Er fühlte einen Schmerz in seiner Brust und deshalb
konnte er nicht sprechen. Nisse und Märta sahen ihn schüchtern an. Sie
hatten ihm klarmachen wollen, dass auch sie sehr traurig waren und
dass sie ihn und seine Familie sehr vermissen würden. Aber Melcher sah
so verstört aus, dass sie doch lieber schwiegen.
Nun saßen sie alle still da, während sich die Dämmerung des Sommer-
abends herabsenkte, und im Dunkel der Küche konnte jeder seinen
eigenen düsteren Gedanken nachgehen ohne dabei von den anderen
gestört zu werden.
Was für ein seltsamer Sommer, dachte Malin. Sie erinnerte sich an den
vorigen, wie ruhig und friedvoll und ereignislos er gewesen war. Was

aber war mit diesem los? Welch eine Berg- und Talbahn! In einem Augenblick Petter und ein völlig unwahrscheinliches Glück, weil er da war, im nächsten Augenblick Tränen und Verzweiflung, zuerst das mit Pelle und Jocke, dann das mit Bootsmann und nun dies Letzte, das Bittere, Unerträgliche, das das Ende sein würde. Ja, ein bitteres Ende war es in der Tat.

Tjorven lag auf dem Fußboden neben Bootsmann, Pelle lehnte mit dem Rücken an der Holzkiste und hatte Jumjum auf dem Schoß. Für Pelle war das Dasein sowieso immer ein bisschen Berg-und-Tal-Bahn mit riesigen Unterschieden zwischen dem Schönen und dem Traurigen und eben jetzt war er trotz Jumjum so tief unten im Tal, wie es nur ging. Am schlimmsten war es Papa so verzweifelt zu sehen. Alles andere konnte er aushalten, aber nicht, dass Papa traurig war. Oder Malin. Oder Johann. Oder Niklas. Sie *durften* nicht so traurig sein. Pelle hielt es nicht aus, alles, aber das nicht! Er drückte Jumjum gegen seine Wange und versuchte sich von dessen Wärme und Weichheit etwas Trost zu holen, aber es nützte nicht viel.

Tjorven weinte leise und böse. Heute Morgen war sie keck gewesen, da hatte sie noch nicht begriffen, was geschehen würde. Jetzt wusste sie es und es war zum Aus-der-Haut-Fahren! Ihr tat Pelle so Leid und sie sich selber auch. Weshalb mussten Menschen immer alles durcheinander bringen? Zuerst Vesterman und jetzt dieser dicke Karlberg und seine blöde Lotta. Zum Kuckuck mit ihnen allen! Weshalb konnte man nie in Frieden gelassen werden? Nichts als Jammer in einem fort. Der arme Pelle, sie hätte ihm so gern etwas geschenkt, damit er wieder froh würde. Aber diesmal hatte sie keinen Seehund. Sie hatte nichts.

Da hörte sie Freddy drüben in der Ecke sagen: »Geld und Geld und Geld – es ist ungerecht, dass das immer so viel bedeutet. Dieser gemeine Karlberg!«

Und plötzlich fiel es Tjorven ein – wer hatte kein Geld? Sie selbst hatte die Taschen voll. Drei Kronen hatte sie, tatsächlich!

»Pelle, du kriegst was von mir«, flüsterte Tjorven, damit es niemand hörte. Und sie steckte ihm ganz heimlich ihre drei Kronen zu. Sie tat es fast verschämt, denn obgleich es eine furchtbare Menge Geld war, so reichte es wohl trotz allem nicht weit, wenn jemand so traurig war wie Pelle jetzt.

»Wie bist du lieb, Tjorven«, sagte Pelle mit rauer Stimme. Er fand auch, dass drei Kronen nicht sehr weit reichten, wenn man so traurig war, aber es half doch ein bisschen, dass Tjorven sie ihm schenken wollte.

Die vier Geheimen saßen in einer Ecke für sich und waren nicht mehr geheim, sondern nur finster. Für diesen Sommer hatten sie sich so viel vorgenommen. Sie wollten ihre Hütte auf Knorken wieder aufbauen. Sie wollten ein neues, viel größeres Floß bauen. Sie wollten eine lange Ruderfahrt zwischen den Inseln machen und zelten und eine ganze Woche wegbleiben. Sie wollten sich den Außenbordmotor leihen und ganz bis nach Kattskär hinausfahren und sich die große Grotte ansehen, die es dort gab. Und dann hatte Björn ihnen versprochen, sie mit auf Fischfang zu nehmen. Und sie hatten vor auf dem Dachboden des Schreinerhauses ein Hauptquartier für ihren geheimen Klub einzurichten. Noch war es nicht zu spät, noch wohnten Johann und Niklas im Schreinerhaus, natürlich konnten sie dies alles machen, wenn sie wollten. Aber es machte keinen Spaß mehr. Die Lust war ihnen vergangen. Der Glanz war ganz und gar erloschen.

»Es ist komisch«, sagte Johann. »Mir ist alles egal.«

»Mir auch«, sagte Niklas.

Teddy und Freddy seufzten.

Es wurde Nacht. Grankvists waren längst nach Hause gegangen und die Jungen schliefen. Aber Melcher und Malin saßen noch in der Küche. Dort war es jetzt ganz dunkel. Sie sahen nicht viel mehr als das helle Viereck des Fensters in der Wand und den Schein vom Feuer, der durch die Ritzen der Herdklappe schimmerte. Und sie hörten das Holz knistern und brennen, sonst war alles still. Malin musste daran denken, wie Melcher das erste Mal Feuer in diesem Herd gemacht hatte. Wie lange war das her und wie schön war damals alles gewesen!

Melcher hatte den ganzen Abend geschwiegen, aber nun fing er an zu reden. Alle Bitterkeit seines Herzens quoll aus ihm heraus.

»Ich hab versagt, das weiß ich. Vollkommen versagt. Tjorven hat ein wahres Wort gesprochen: Ich hab nicht den richtigen Ruck.«

»Ach, red doch nicht«, sagte Malin. »Natürlich hast du den richtigen Ruck. Das muss ich doch wissen.«

»Den hab ich nicht«, versicherte Melcher. »Sonst würde ich nämlich heute Abend nicht so dasitzen und keinen Rat wissen, wenn eine solche Sache passiert. Ich hab als Schriftsteller versagt! Weshalb bin ich nicht lieber Bürochef geworden? Dann wäre das Schreinerhaus vielleicht jetzt unser.«

»Ich will keinen Bürochef im Haus haben«, sagte Malin. »Das will keiner von uns. Wir wollen dich haben.«

Melcher lachte bitter.

»Mich! Wozu wollt ihr mich haben? Ich kann meinen Kindern nicht einmal einen Sommer in Ruhe und Frieden bieten. Und dabei wollte ich euch so viel geben, wirklich, Malin, ich wollte euch alles geben, was gut und schön und wunderbar ist in diesem Leben.«

Er verstummte, er konnte nicht fortfahren.

»Aber das hast du doch getan, Papa«, sagte Malin ruhig. »Wir haben alles bekommen, was in diesem Leben gut und schön und wunderbar ist. Von dir, nur von dir! Und du hast uns gern gehabt. Das ist das Einzige, was wirklich von Bedeutung ist. Wir haben es immer gespürt, wie gern du uns hast.«

Da weinte Melcher. Was hatte Malin gesagt? Er würde noch vor dem Abend weinen.

»Ja, das habe ich«, schnaufte er. »Ich habe euch gern gehabt. Wenn das von Bedeutung ist, dann...«

»Es bedeutet alles«, sagte Malin. »Und deshalb will ich nicht hören, ich hätte einen Vater, der versagt hat. Dann mag es mit dem Schreinerhaus gehen, wie es will.«

Eine Wohnung zuäußerst im Meer

Sie erwachten am nächsten Morgen alle mit dem einzigen Gedanken: Heute um vier Uhr geht Karlberg zu Mattsson in Norrtälje und kauft das Schreinerhaus.

Trotzdem versuchten sie sich normal zu verhalten und so zu tun, als wäre es ein ganz gewöhnlicher Tag. Ein ganz gewöhnlicher Tag, der mit dem Frühstück am Gartentisch begann und mit den gewohnten Wespen, die das Marmeladenglas umschwirrten. Die armen Wespen, sie taten Pelle Leid!

»Denkt nur, wenn Karlberg das Schreinerhaus abreißt, dann geht das Wespennest auch mit drauf.«

»Ja, es ist die einzige Art und Weise, wie man es wegbekommt«, sagte Melcher trocken. »Man reißt das ganze Haus ab – dass wir daran noch nie gedacht haben!«

Dann entstand ein langes, nachdenkliches Schweigen und mitten hinein kam Tjorven. »Herr Melcher, bist du schwerhörig? Wie oft muss ich dir sagen, du sollst ans Telefon kommen?«

Melchersons hatten kein anderes Telefon als das beim Kaufmann. Melcher stellte die Kaffeetasse hin und rannte los. Tjorven rannte hinterher. Es dauerte nur ein paar Minuten, da war sie wieder zurück. Sie machte ein ganz erschrockenes Gesicht.

»Malin, es ist besser, du kommst. Da ist sicher wieder ein neuer Jammer. Herr Melcher ist traurig.«

Da lief Malin los, und nicht nur sie, sondern auch Johann und Niklas und Pelle.

Sie fanden ihren Vater mitten im Laden, Nisse und Märta und Teddy und Freddy standen bekümmert um ihn herum. Er war ganz ohne Zweifel traurig, die Tränen liefen ihm die Wangen herab und er sagte mit leiser Stimme:

»Das kann nicht wahr sein! Nein, das kann nicht wahr sein!«

»Papa, was *ist* denn?«, fragte Malin verzweifelt. Mehr Kummer ertrug sie in diesem Augenblick nicht. »Papa, so sag doch, was ist.«

Melcher holte tief Luft.

»Es ist nur...«, sagte er, dann verstummte er. Und dann nahm er einen neuen Anlauf. »Es ist nur das, ich habe – vom Staat ein Stipendium von fünfundzwanzigtausend Kronen bekommen.«

Danach war es in Grankvists Laden auf Saltkrokan lange Zeit ganz still. Alle standen da, als hätte sie der Schlag getroffen. Tjorven war die Einzige, die noch denken konnte.

»Warum hast du das gekriegt – das da, was du eben gesagt hast?«

Da sah Melcher sie an und lächelte triumphierend.

»Na, das will ich dir sagen, kleine Tjorven. Weil ich den richtigen Ruck habe, verstehst du? Weil ich den habe, denk nur!«

»Haben die das gesagt, die eben angerufen haben?«

»Ja, so ungefähr.«

»Aber warum heulst du dann?«, fragte Tjorven.

Und nun erst schienen sie alle plötzlich miteinander zu begreifen, dass etwas Schönes passiert war.

»Papa, sind wir jetzt reich?«, fragte Pelle.

»Nicht gerade reich«, sagte Melcher. »Aber es ist immerhin so viel...«

Hier stockte er plötzlich und seine Kinder schauten ihn ängstlich an. Er wollte doch nicht etwa von neuem anfangen zu weinen? Jetzt musste wirklich Schluss sein mit dem Geheule.

Und Melcher weinte nicht. Aber er brüllte. Plötzlich brüllte er: »Versteht ihr, was das bedeutet? Wir können vielleicht das Schreinerhaus kaufen – wenn nicht – *wenn es nicht zu spät ist!*«

Er guckte auf die Uhr und im selben Augenblick hörten sie die »Saltkrokan I« unten am Anleger zur Abfahrt tuten.

»Lauf, Melcher«, sagte Nisse Grankvist, »lauf!«

Und Melcher lief. Lief und schrie:

»Kommt, Johann und Niklas! Kommt! Anhalten!«

Letzteres galt dem Dampfer. Der Laufsteg war schon eingezogen worden, als Melcher angerannt kam, aber er schaute so wild drein, dass der Kapitän auf seiner Kommandobrücke sich erweichen ließ. Der Laufsteg wurde wieder ausgelegt und Melcher stürmte an Bord.

Er brüllte noch immer ohne sich umzudrehen: »Kommt, Johann und Niklas! Beeilt euch!«

Erst als der Dampfer schon mehrere Meter von der Brücke entfernt war, entdeckte Melcher, dass er nicht nur Johann und Niklas mitbekommen hatte, sondern auch Pelle und Tjorven.

»Was fällt euch denn ein?«, sagte Melcher vorwurfsvoll. »Dies ist aber wirklich nichts für kleine Kinder.«

»Tsss«, machte Tjorven, »wir wollen doch auch mit. Es ist eine Ewigkeit her, dass ich in Norrtälje war.«

Melcher sah ein, dass hier nichts zu machen war. Er konnte die Kinder ja nicht ins Wasser werfen. Und er hatte heute ein staatliches Stipendium bekommen, da musste er edel und milde sein. Außerdem musste er nach dem Laufen so nach Luft schnappen, dass er keine weiteren Vorwürfe hervorbringen konnte.

»Man läuft ja aber wie ein Hirsch«, sagte er atemlos. »Natürlich nicht so wie in der Schule, da bin ich hundert Meter in 12,4 Sekunden gelaufen.« Johann und Niklas wechselten einen Blick und Johann schüttelte den Kopf.

»Es ist komisch mit dir, Papa, je älter du wirst, desto schneller bist du gelaufen, als du noch zur Schule gingst.«

Aber es war natürlich gut, dass Melcher wie ein Hirsch laufen konnte. Denn an diesem Tag musste er noch viel laufen.

Es dauert eine geraume Zeit, bis man nach Norrtälje kommt, wenn man auf Saltkrokan wohnt. Zuerst nimmt man den Dampfer bis zu einer Anlegestelle auf dem Festland und an diesem Anleger sitzt man ungefähr eine Stunde und wartet. Dann kommt endlich ein Bus und dieser Bus fährt nach Norrtälje. Er hält unterwegs an vielen Haltestellen und hat keine übertriebene Eile, aber seinen Fahrplan hält er ein. Um ein Uhr soll er in Norrtälje sein und das ist er.

Und bis dahin hat man graue Haare gekriegt, dachte Melcher, als er aus dem Bus stieg. Übrigens, weshalb auch nicht? Er hatte ja schon welche gehabt, als er einstieg, fiel ihm plötzlich ein, na ja, nur ein bisschen an den Schläfen natürlich. Wie dem auch sei, auf einer so langen Fahrt hat man Zeit sich viele ängstliche Gedanken zu machen. Man sitzt da und wird immer aufgeregter und man ermahnt sich selber wieder und wieder: Bilde dir nichts ein, das Schreinerhaus bekommst du nicht, bilde dir das um Himmels willen nicht ein!

Den Versuch aber wollte er machen, wahrhaftig, das wollte er! Er lief, und die Kinder in einer Reihe hinter ihm her, so rasch er nur konnte, zu Mattssons Hausmakler- und Vermietungsbüro. Dort war kein Mattsson, nur eine kleine, rundliche Büroangestellte, die freundlich aussah, aber nichts wusste.

»Wo ist Herr Mattsson?«, fragte Melcher.

Sie sah ihn mit einem frommen Blick an. »Wie soll ich das wissen?«

»Wann kommt er denn wieder?«

»Wie soll ich das wissen?«

Ihre Augen waren groß und einfältig und es war ganz offenkundig, dass sie überhaupt von nichts etwas wusste. Aber plötzlich nahm sie einen kleinen Spiegel hervor und musterte ihr rundliches Gesicht genau und das belebte sie so, dass sie richtig gesprächig wurde.

»Er ist dauernd unterwegs. Mir ist so, als hätte er gesagt, er wollte Rhabarber einkaufen gehen. Vielleicht ist er aber auch bei seinem Neubau. Manchmal sitzt er im Stadthotel und säuft.«

Mehr kriegten sie aus ihr nicht heraus und sie stürmten ebenso schnell wieder hinaus, wie sie gekommen waren.

Melcher schaute auf seine Uhr. Sie zeigte etwas über zwei. Wo war nur dieser Mattsson? Wo in dieser hübschen kleinen Stadt war der elende Mattsson? Sie mussten ihn erwischen, und zwar schleunigst. Rhabarber kaufen, das tat man wohl auf dem Markt? Aber hier handelt es sich nicht um Rhabarber, Herr Mattsson, sondern um das Schreinerhaus!

Melcher war so nervös, dass er zitterte, und es war ihm lästig Pelle und Tjorven immer mitzuschleifen. In den engen Straßen war es hinderlich so viele zu sein. Man konnte nicht wie eine ganze Schwadron ankommen. Melcher entschloss sich zu einer List.

»Wollt ihr Eis haben, Kinder?«, fragte er.

Das wollten sie. Melcher kaufte in einer Eisbude Eis und mit je einer Eistüte in jeder Hand lockte er Pelle und Tjorven zu einer kleinen Grünanlage, wo eine Bank stand.

»Ihr setzt euch hierher«, sagte Melcher, »und esst euer Eis, bis wir zurück sind.«

»Wenn das Eis aber alle ist?«, fragte Tjorven.

»Dann bleibt ihr trotzdem hier sitzen.«

»Wie lange denn?«, fragte Tjorven.

»Bis ihr Moos angesetzt habt«, sagte Melcher unbarmherzig, und dann lief er davon. Johann und Niklas liefen hinterdrein. Pelle und Tjorven blieben auf der Bank sitzen und aßen Eis.

Im Traum läuft man manchmal und sucht. Man muss unbedingt jemanden finden. Und man hat es so eilig. Es gilt das Leben. Man läuft voller Angst dahin, sucht immer angstvoller, man findet aber nie, den man sucht. Alles ist vergeblich. Genauso erlebten Melcher und seine Jungen die Stunden, während sie nach Mattsson suchten.

Auf dem Markt war er nicht. Doch, er sei dort gewesen, sagte eine der Marktfrauen, das sei aber lange her. Und sein Neubau? Wo lag der? Am anderen Ende der Stadt. Auch dort kein Mattsson! Sitzt er wirklich im Stadthotel und trinkt? Nein, das ist schändliche Verleumdung, das tut er bestimmt nicht. Dort war nicht einmal ein Schimmer von einem Mattsson zu erblicken.

Und plötzlich wurde es Melcher klar, dass er ein Rindvieh war. Er schlug sich gegen die Stirn.

»Natürlich bin ich ein Rindvieh«, rief er. »Weshalb sitzen wir nicht in Mattssons Büro und warten dort anstatt hier herumzurennen und uns die Füße wund zu laufen?«

In diesem Augenblick, genau in diesem Augenblick machte er eine entsetzliche Entdeckung. *Seine Uhr war stehen geblieben!* Er sah plötzlich, dass die Uhr des Stadthotels fünf Minuten nach vier zeigte und nicht halb vier wie seine eigene tückische Armbanduhr. Es war ein grausamer Augenblick.

Ich habe dich gewarnt, Melcher. Du solltest dir bloß nichts einbilden. Wie solltest du das Schreinerhaus kaufen können, wo du nicht einmal aufpassen kannst, wie viel Uhr es ist? Es ist jetzt zu spät, lieber Melcher! Gerade jetzt sitzt Direktor Karlberg mit der Zigarre im Mund in Mattssons Büro und gluckst vor Zufriedenheit.

Melcher sah alles so deutlich vor sich, dass er stöhnte. Er tat Johann und Niklas Leid, aber gleichzeitig waren sie wütend. War es denn wirklich nötig, dass alles so ungerecht und falsch und unmöglich und jammervoll war? Johann knirschte mit den Zähnen.

»Der kann auch zu spät kommen. Wir nehmen ein Taxi, Papa!« Und sie nahmen ein Taxi. Zehn Minuten nach vier waren sie bei Mattsson.

Aber Direktor Karlberg war kein Mann, der zu spät kam. Seine Uhr ging richtig. Es war genau so, wie Melcher es sich vorgestellt hatte. Er saß dort mit der Zigarre im Mund und sah zufrieden aus und Melcher geriet völlig außer sich.

»Halt«, brüllte er. »Halt, ich biete jetzt auch auf das Haus.«

Da lächelte Direktor Karlberg richtig freundlich.

»Das haben Sie sich ein bisschen zu spät überlegt, fürchte ich.«
Melcher wandte sich verzweifelt an Mattsson.

»Aber, Herr Mattsson, Sie haben hoffentlich ein Herz im Leibe. Wir lieben das Schreinerhaus doch, meine Kinder und ich. Sie können nicht so herzlos sein.«

Mattsson war nicht herzlos. Er war lediglich ganz gleichgültig und ganz geschäftsmäßig.

»Warum sind Sie dann nicht eher gekommen? Bei solchen Geschäften muss man sich sofort entscheiden. Hier wird keinem was an die Hand gegeben. Wer zuerst kommt, mahlt zuerst. Sie sind zu spät dran, Herr Melcherson.«

Sie sind zu spät dran, Herr Melcherson – diese Worte werde ich sicher im Ohr behalten, solange ich lebe, dachte Melcher. Und in seiner Verzweiflung wandte er sich auch bittend an Herrn Karlberg. »Um meiner Kinder willen – können Sie nicht bitte darauf verzichten?«

Da war Herr Karlberg beleidigt.

»Ich habe auch ein Kind, Herr Melcherson, ich habe *auch* ein Kind!« Dann wandte er sich an Mattsson. »Kommen Sie jetzt! Wir wollen versuchen, dass wir Frau Sjöblom erreichen. Ich möchte, dass der Vertrag jetzt gleich unterzeichnet wird.«

Frau Sjöblom? Die fröhliche Schreinersfrau – falls sie es war? Vielleicht konnte man die mit Bitten bestürmen, Mattsson hatte doch wohl nicht alles zu entscheiden! Melcher biss die Zähne aufeinander. Er musste es bei Frau Sjöblom versuchen. Nicht, weil er glaubte, es würde etwas helfen, aber er durfte nichts unversucht lassen. Später, wenn alle Hoffnung umsonst war, dann war noch immer Zeit, auf diesen Worten herumzukauen: »Sie sind zu spät dran, Herr Melcherson!«

»Kommt, Jungen«, flüsterte er, »wir gehen mit zu Frau Sjöblom.«

Bis ihr Moos angesetzt habt – so lange sollten sie auf der Bank sitzen bleiben, hatte Herr Melcher gesagt. Das gefiel Tjorven nicht. Pelle auch nicht. Ein Eis ist so schnell alle und Moos wächst langsam. Jetzt hatten sie hier so lange gesessen, Hunger hatten sie bekommen und Pelle war so aufgeregt, dass er nicht still sitzen konnte. Weshalb kam Papa gar nicht zurück? Er hatte ein Gefühl, als hätte er Ameisen im Leib, und Bauchweh bekam er auch.

Tjorven hatte schlechte Laune. Und dabei war Norrtälje so unterhaltsam, sie war mehrmals mit den Eltern hier gewesen, sie wusste, wie viel Aufregendes und Interessantes es hier zu sehen gab. Und dann sollte man hier wie angenagelt auf einer Bank sitzen und außerdem noch Hunger haben.

»Soll das heißen, dass wir hier sitzen bleiben sollen, bis wir vor Hunger gestorben sind?«, fragte sie anklagend.

Da fiel Pelle etwas ein, was ihn ein wenig aufmunterte. Er hatte ja doch Geld! Er hatte drei Kronen in der Hosentasche.

»Ich glaube, ich kaufe für jeden von uns noch ein Eis«, sagte er. Das tat er. Er lief zur Eisbude und kaufte zwei Eis. Hinterher waren nur noch zwei Kronen in der Hosentasche.

Aber das Eis war schnell alle, die Zeit verging und keiner kam und Pelle hatte Ameisen im Leib.

»Ich glaube, ich kaufe für jeden von uns noch ein Eis«, sagte er. Das tat er. Er lief wieder zur Eisbude. Hinterher war nur noch eine Krone in der Hosentasche.

Und die Zeit verging, keiner kam, das Eis war längst alle.

»Kaufst du uns noch ein Eis?«, schlug Tjorven da vor.

Pelle schüttelte den Kopf.

»Nein, man soll nicht alles ausgeben, was man hat. Etwas muss man übrig behalten für unvorhergesehene Ausgaben.«

So hatte er Malin häufig zu Papa sagen hören. Was »unvorhergesehene Ausgaben« eigentlich waren, das hatte er nie so recht herausbekommen, er wusste nur, dass man nicht alles auf einmal ausgeben durfte.

Tjorven seufzte. Sie wurde von Minute zu Minute ungeduldiger. Und

Pelle wurde immer aufgeregter. Wenn nun Papa diesen schrecklichen Mattsson nicht gefunden hatte! Wer weiß, vielleicht war überhaupt alles ganz anders geworden, vielleicht saß Mattsson bei Herrn Karlberg zu Hause und verkaufte das Schreinerhaus in Windeseile anstatt auf den Markt zu gehen und Rhabarber zu besorgen und eiligst in sein Büro zurückzukehren und an Papa zu verkaufen. Und da sollte man hier herumsitzen und nichts erfahren! Nur warten und warten und Bauchweh kriegen. Oh, wie dieser Karlberg ihm missfiel. Und Mattsson ebenfalls! Dass Frau Sjöblom sich so einen nahm, der sich um ihre Geschäfte kümmerte! Weswegen tat sie es nicht selber?

Frau Sjöblom? Die wohnte hier in Norrtälje, ist ja wahr! Nicht zu fassen, dass sie das Schreinerhaus verkaufen wollte, sie war wohl nicht recht gescheit! Man hätte Lust sie zu fragen... ja, alles Mögliche! Alles Mögliche, tatsächlich!

»Kennst du Frau Sjöblom?«, fragte er Tjorven.

»Klar kenn ich sie. Ich kenn doch alle Menschen.«

»Weißt du, wo sie wohnt?«

»Ja«, sagte Tjorven. »Sie wohnt in einem gelben Haus und nicht weit davon ist ein Bonbonladen und gleich daneben ein Spielzeuggeschäft.«

Pelle saß stumm da und überlegte. Und er kriegte immer mehr Bauchschmerzen. Schließlich stand er heftig auf.

»Komm, Tjorven, wir gehen los und suchen Frau Sjöblom. Ich hätte ein bisschen mit ihr zu bereden.«

Tjorven sprang froh überrascht auf.

»Aber was sagt dann Herr Melcher?«

Das fragte Pelle sich auch, aber im Augenblick wollte er nicht daran denken. Er wollte zu Frau Sjöblom. Alte Damen mochten ihn für gewöhnlich gern, es wäre sicher nichts dabei, wenn man sie fragte... Oje, er wusste gar nicht recht, was er sie fragen wollte! Er wusste nur, dass er unmöglich noch länger still sitzen konnte ohne etwas zu unternehmen.

Tjorven war mit den Eltern zusammen mehrmals bei Frau Sjöblom gewesen. Trotzdem konnte sie jetzt das gelbe Haus nicht finden. Sie fand aber einen Polizisten und den fragte sie.

»Wo ist ein Bonbonladen, der gleich neben einem Spielzeugladen liegt?«
»Musst du alles auf einem Fleck haben?«, fragte der Polizist und lachte. Dann aber dachte er nach und nun wusste er, was sie meinte, und konnte ihnen sagen, wie sie gehen mussten.

Und sie trabten weiter durch schmale Straßen und an kleinen, hübschen Häusern entlang und fanden schließlich einen Spielzeugladen, der gleich neben einem Bonbonladen lag. Tjorven schaute sich um. Und dann zeigte sie auf ein Haus.

»Da! In dem gelben Haus da wohnt Frau Sjöblom!«
Es war ein niedriges Haus mit einem Oberstock, einem kleinen Garten und einer Tür zur Straße.

»Du musst klingeln«, sagte Pelle. Er selber traute sich nicht. Tjorven setzte den Finger auf den Klingelknopf und ließ ihn lange dort. Und dann warteten sie. Lange, lange warteten sie, aber es kam niemand.

»Sie ist nicht zu Hause«, sagte Pelle und er wusste selber nicht, ob er enttäuscht war oder nicht. Eigentlich wäre es doch schön, wenn man sich davonmachen könnte, denn es war schwer mit fremden Menschen zu reden. Aber trotzdem...

»Weshalb hat sie dann ihr Radio an?«, sagte Tjorven und legte das Ohr an die Tür. »Hörst du nicht, was sie da spielen? ›Am Samstagabend war ein Leben‹.«
Sie klingelte noch einmal und dann hämmerte sie kräftig mit der Faust gegen die Tür. Aber trotzdem kam niemand um aufzumachen.

»Sie *muss* zu Hause sein«, sagte Tjorven. »Komm, wir gehen mal hinters Haus.« Und sie gingen um das Haus herum. Dort stand eine Leiter, die zu einem Fenster im oberen Stock führte. Das Fenster war offen und dort drinnen spielte ein Radio mit voller Lautstärke. Jetzt konnte man ganz deutlich hören, was für ein Leben am Samstagabend gewesen war.

»Tante Sjöblom!«, rief Tjorven.

Aber nichts geschah.

»Wir klettern rauf und sehen nach«, sagte Tjorven.

Da kriegte Pelle es mit der Angst. So etwas konnte man doch nicht tun? So ohne weiteres da hinaufklettern, das war doch Wahnsinn! Aber Tjorven war unerbittlich. Sie trieb ihn zur Leiter hin und auf zitternden Beinen begann er nach oben zu steigen.

Er bereute es, noch bevor er halbwegs oben war, und wollte umkehren. Aber hinter sich auf der Leiter hatte er Tjorven und die ließ keinen vorbei.

»Beeil dich«, sagte sie und drängte ihn erbarmungslos nach oben. Erschrocken kletterte er weiter – was um Himmels willen sollte er nur sagen, wenn jemand dort drinnen war?

Selbstverständlich war jemand dort drinnen. Sie saß in einem Sessel mit dem Rücken zu ihm und als er, von Schrecken gelähmt, lange Zeit ihren Hinterkopf angestarrt hatte, hüstelte er. Zuerst leise und dann ziemlich laut. Da schrie sie auf, die da im Sessel saß, und drehte sich um und er sah, dass es Frau Sjöblom war, ja, genau so hatte er sie sich vorgestellt. Sie war mächtig alt und runzelig und hatte graue Haare und freundliche Augen und eine kleine, lustige Nase. Aber sie starrte ihn an, als sähe sie einen Geist.

»Ich bin nicht so gefährlich, wie ich aussehe«, versicherte Pelle mit bebender Stimme.

Da lachte Frau Sjöblom.

»Ach, wirklich nicht? Bist du nicht so furchtbar gefährlich, wie du aussiehst?«

»Nein, gar nicht«, sagte Tjorven und hob den Kopf über das Fenstersims. »Guten Tag, Tante Sjöblom!«

Frau Sjöblom schlug die Hände zusammen.

»Was ist denn das, um alles in der Welt? Ist das nicht die Tjorven?«

»Doch, das scheint wohl so«, sagte Tjorven. »Und dies ist Pelle. Er will das Schreinerhaus kaufen. Das kann er doch kriegen, ja?« Frau Sjöblom lachte, das schien etwas zu sein, das ihr leicht fiel, und dann sagte sie: »Ich mache im Allgemeinen keine Geschäfte mit Leuten, die draußen vor dem Fenster hängen. Es ist wohl das Beste, ihr kommt herein.«

Und es war gar nicht so schwer mit Frau Sjöblom zu reden, wie Pelle gedacht hatte.

»Habt ihr Hunger?«, war das Erste, was sie sagte. Man stelle sich vor, was für ein glänzender Anfang!

Und dann nahm sie sie mit in die Küche und setzte ihnen Butterbrote vor und Milch, Schinkenbrote und Käsebrote und Brote mit Kalbsbraten und Gurke. Sie kamen hier unversehens zu einem richtigen Festschmaus!

Und während dieser Schmaus stattfand, erzählten sie ihr alles. Von Mattsson und Karlberg und Lotta und von Vesterman und Jocke und Moses und Totti und Jumjum und Bootsmann und von allem, was sich auf Saltkrokan zugetragen hatte.

Von Lotta Karlberg erzählte Tjorven besonders viel.

»Bongalo«, sagte sie. »Findest du das nicht blöde, Tante Sjöblom?«

O doch, Tante Sjöblom fand einen »Bongalo« blöde, jedenfalls auf Saltkrokan, und was den Gedanken anbetraf das Schreinerhaus abzureißen, so hatte sie noch nie so etwas Dummes gehört!

Auch noch Blasen an den Füßen, dachte Melcher. Blasen an den Füßen und Staatsstipendium und ich weiß nicht, was noch alles, an einem einzigen Tag, das ist zu viel! Er rannte aber entschlossen weiter, Johann und Niklas auf den Fersen. Es galt, Mattsson nicht aus den Augen zu verlieren. In seinem hässlichen karierten Anzug ging er vor ihnen her durch die Straßen wie ein Leitstern und der führte sie zu einem kleinen gelben Haus, das zwischen Goldregen und wildem Jasmin stand.

Als Mattsson gerade an der Tür geklingelt hatte, trat Melcher zu ihm heran. Niemand sollte ihn daran hindern ein Wort mitzureden.

Herr Karlberg wurde ärgerlich.

»Nein, Herr Melcherson, jetzt muss ich doch aber bitten! Was zum Teufel haben Sie hier zu suchen?«

»Ich habe wohl das Recht mit Frau Sjöblom zu sprechen, wenn ich will«, sagte Melcher zornig.

Mattsson warf ihm einen kalten Blick zu.

»Ich dachte, es wäre Ihnen klar, Herr Melcherson, dass ich die Geschäfte für Frau Sjöblom wahrnehme? Was, meinen Sie, sollte es Ihnen denn nützen mit ihr zu reden?«

Nein, Melcher wusste nur zu gut, dass es nichts nützte, aber einen letzten Versuch *musste* er machen und den wollte er mal sehen, der ihn daran hinderte!

Da wurde die Tür geöffnet und Frau Sjöblom stand vor ihnen. Mattsson stellte vor: »Dies ist Herr Direktor Karlberg, der das Schreinerhaus kaufen möchte.«

Melchers Anwesenheit übersah er absichtlich. Und Frau Sjöblom begrüßte Direktor Karlberg, sie musterte ihn von oben bis unten. Melcher hüstelte bescheiden. Wenn sie ihn doch nur einmal ansehen wollte, wenn er nur ihren Blick einfangen könnte, dann würde sie vielleicht begreifen, dass es hier ums Leben ging. Aber Frau Sjöblom sah Melcher nicht an, sie schaute Karlberg an und dann sagte sie ruhig und leise: »Das Schreinerhaus habe ich schon verkauft.«

Es war, als hätte sie eine Bombe geworfen. Mattsson starrte sie mit einem Schafsgesicht an.

»Verkauft?«

»Verkauft?«, sagte Karlberg. »Wie meinen Sie das?«

Melcher spürte, dass er blass wurde. Nun ja, dann war alle Hoffnung vergebens. Endlich war es ganz und gar vorbei. Es war einerlei, wer das Schreinerhaus gekauft hatte, für ihn und seine Kinder war es bis in alle Ewigkeit verloren! Und das hatte er ja im Grunde die ganze Zeit gewusst. Merkwürdig war nur, dass es trotzdem so weh tun konnte, als er es bestätigt bekam.

Johann und Niklas fingen an zu weinen, ein leises, bitteres Weinen, das sie vergeblich zurückzuhalten versuchten. Jetzt war die Aufregung vorbei und sie waren so müde, wer kann etwas dafür, wenn er dann ein bisschen weinen muss?

»Wie meinen Sie das, Frau Sjöblom?«, fragte Mattsson, als er die Sprache wieder gefunden hatte. »An wen haben Sie verkauft?«

»Kommen Sie, ich zeige es Ihnen«, sagte Frau Sjöblom und machte die Tür sperrangelweit auf. »Ihnen auch«, sagte sie zu Melcher und seinen beiden weinenden Jungen.

Melcher schüttelte den Kopf, er wollte überhaupt nicht sehen, wer das Schreinerhaus gekauft hatte, es war besser, wenn er es nicht wusste. Aber da hörte er plötzlich von drinnen eine Stimme, die er kannte.

»Der Herr Melcher, der hat den richtigen Ruck, das kannst du glauben, Tante Sjöblom!«

Im nächsten Augenblick herrschte in dem gelben Haus einige Aufregung. Herr Karlberg war wütend und machte Krach und schrie, hochrot im Gesicht ging er auf Mattsson los.

»Das lasse ich mir nicht gefallen. Das werden Sie ins Reine bringen, Herr Mattsson, und es ist Ihre Sache, wie Sie das anstellen.«

Der arme Mattsson, er schrumpfte gleichsam in seinem hässlichen karierten Anzug zusammen und war plötzlich ganz klein und bescheiden.

»Da ist nichts zu machen«, sagte er mit leiser Stimme. »Sie ist bockig wie eine alte Ziege.«

Frau Sjöblom stand mit dem Rücken zu ihnen, jetzt aber drehte sie sich um. »Ja, das ist sie. Und hören tut sie auch ganz gut!«

»Nur nicht, wenn das Radio an ist«, sagte Tjorven.

Pelle aber lag in Melchers Vaterarmen, ganz fest an dessen Herz gedrückt.

»Pelle, mein kleiner Bengel, was hast du gemacht, was hast du nur gemacht?«

»Ich hab Tante Sjöblom eine kleine Anzahlung gegeben«, sagte Pelle.
»Damit es auch ganz sicher ist. Und eine Quittung hab ich auch dafür
bekommen.«

»Ja, tatsächlich, ich habe ein Handgeld bekommen«, sagte Frau Sjöblom. »Hier, schauen Sie her!«

Sie hatte ein glänzendes Kronenstück zwischen den Fingern.

»Herr Karlberg, weißt du was«, sagte Tjorven. »Eine ganze Krone ist
eigentlich zu viel für einen doppelten Halben Schlag, aber trotzdem
danke ich vielmals!«

Da ging Herr Karlberg. Er schritt zur Tür hinaus ohne sich nach irgend-
jemandem umzusehen, und Mattsson wankte hinter ihm her.

»Schön«, sagte Tjorven. Und das fanden sie alle.

Johann ging zu Pelle hin und streichelte ihn.

»Und dabei hat Papa gesagt, dies wäre nichts für kleine Kinder. Du bist
ein prima Kerl, Pelle!«

»Eins muss ich Sie fragen, Frau Sjöblom, bevor wir auseinander gehen«,
sagte Melcher.

Sie saßen in ihrer Küche und sie hatte noch mehr Butterbrote gemacht.
Die besten Butterbrote ihres Lebens, versicherten sowohl Melcher als
auch Johann und Niklas. Kam es daher, weil sie seit dem Morgen nichts
gegessen hatten oder weil alles plötzlich eine einzige große Seligkeit war,
sodass auch die Butterbrote einen himmlischen Glanz erhielten und einen himmlischen Geschmack?

»Was wollten Sie fragen?«, sagte Frau Sjöblom.

Melcher sah sie neugierig an.

»Schreinerhaus, weshalb heißt es so?«

»Mein Mann war Schreiner. Haben Sie das nicht gewusst?«

O ja, Himmel, dachte Melcher. Was weiß ich nicht alles! Laut sagte er:
»Schreinerhaus – ja, natürlich. Und da sind Sie 1908 eingezogen?«

»1907«, sagte Frau Sjöblom.

Melcher sah sie überrascht an.

»Sind Sie sicher, dass es nicht 1908 war?«

Da lachte Frau Sjöblom.

»Ich muss doch schließlich wissen, wann ich geheiratet habe!«

Na ja, ein Jahr früher oder später, dachte Melcher und dann sagte er:

»Darf ich noch etwas fragen? Ihr Mann, wie war er – war er ein fröhlicher Mensch oder...?«

»Und ob er das war«, sagte Frau Sjöblom. »Er war der fröhlichste Mensch, den ich je gekannt habe. Das heißt, wenn er nicht böse war. Das war er nämlich auch manchmal. Genau wie wir alle.«

An diesem Abend schrieb Malin in ihr Tagebuch:

Manchmal ist es so, als ob das Leben einen seiner Tage herausgriffe und sagte: ›Dir will ich alles schenken! Du sollst solch ein rosenroter Tag werden, der im Gedächtnis leuchtet, wenn alle anderen vergessen sind.‹ Dies ist so ein Tag. Nicht für alle Menschen natürlich. Viele, viele weinen gerade jetzt und werden sich an diesen Tag mit Verzweiflung erinnern. Es ist seltsam, wenn man sich das vorstellt. Aber für uns, für Melchersons im Schreinerhaus auf Saltkrokan, ist es ein Tag, so überschäumend voll von Lust und Freude und Glanz und Glück, dass ich nicht weiß, was wir anstellen sollen.

Melcher wusste das auch nicht. Er saß auf einem Felsen drüben an der Landzunge und hielt die Füße ins Wasser um seine Blasen zu kühlen. Und er angelte. Pelle und Tjorven saßen daneben und schauten zu. Pelle hatte Jumjum auf den Knien und Tjorven hatte Bootsmann ganz dicht neben sich.

»Du hast nicht den richtigen Ruck, Herr Melcher«, sagte Tjorven. »Auf diese Weise kriegst du doch keinen Fisch.«

»Ich will keinen Fisch haben«, sagte Melcher träumerisch.

»Weshalb sitzt du dann hier?«, fragte Tjorven.

Und Melcher deklamierte mit derselben träumerischen Stimme ein Gedicht:

>>Die Abendsonne sank,
er sah in ihren goldnen Glanz...<<

Ja, das tat er. Er wollte alles sehen, die Sonne, die auf dem blanken Wasser glühte, die weißen Möwen, die grauen Felsen und die Bootsschuppen jenseits des Sundes, die sich so deutlich spiegelten, alles, was ihm lieb war, wollte er sehen. Am liebsten wollte er die Hand ausstrecken und alles streicheln.

>>Ich glaube, ich bleibe die ganze Nacht hier sitzen<<, sagte Melcher. >>Bis die Sonne wieder aufgeht. Und schaue mir auch die Morgenröte an.<<

>>Das erlaubt Malin nicht<<, versicherte Tjorven ihm.

Die Morgenröte, dachte Pelle, die möchte ich auch gern sehen! Nähme ich Flügel der Morgenröte, machte ich mir eine Wohnung zuäußerst im Meer... War es möglich, dass sie jetzt eine hatten, eine, die ihnen gehörte? Ja – ja – *ja!* Sie hatten eine. Eine Wohnung zuäußerst im Meer.